Praise for *The Venus Year*

This lush poetic journey through mythic worlds reclaims the lost treasures of the divine feminine and offers readers wisdom both personal and ecological.

—**PERDITA FINN**, author of *Take Back the Magic* and co-founder of The Way of the Rose and the book of the same name.

Sylvia Linsteadt's prose is like pollen—nourishingly rich, light as air, and dense in its ability to renew the world. In *The Venus Year* Sylvia has made her own personal story of love, loss and reclamation as universal as the rising and setting of Venus. With her sensuous poetry, profound reworkings of ancient myth, and quilts of memoir, Sylvia charts a path for each of us to follow back to our own selves. Through her writing, Sylvia speaks to the keening within all of us, and to the parts that never stopped believing in the holy possibility of love.

—**ASIA SULER**, author of *Mirrors in the Earth*

The Venus Year sings life-affirming cycles of being beyond the separate selfish ego. Linsteadt's pages break brave fertile ground between myth and memoir toward a healing synthesis of self, nature and cosmos. In her crystalline prose and poetry, all participate in each other, and bear us with "a new and hymnal tongue" into a world more alive than ever. *The Venus Year* achieves what Carl Jung meant when he said "the psyche is simply world."

—**DR. JACK DEMPSEY**, author of *Ariadne's Brother* and *Calendar House*

A young woman from a faraway land, walking the line between Crete and California, secretly speaks with weightless, forgotten shadows of mythology, with enigmatic witches, with dolphin-girls and lads who sunder dreams, with gusts of wind and echoes of water on rock. Through her clear and "scintillating" outlook, she recalls the deep song of Eros and of Love in chapels and watermills, "unfolding from the soul's depths." With her soft, reverberant, diaphanous, suggestive, evocative language she "knows how to gaze into the deep horizons" of our own Odysseus Elytis.

—**GIORGOS DRAKONAKIS**, Philologist from Sitia, Crete

Έπαινοι για Το Έτος της Αφροδίτης

Αυτό το πληθωρικό ποιητικό ταξίδι μέσα σε μυθικούς κόσμους ανακτά τους χαμένους θησαυρούς της θεϊκής θηλυκότητας και προσφέρει στους αναγνώστες σοφία, τόσο προσωπική όσο και οικολογική.

—**PERDITA FINN**, *συγγραφέας του* Πάρε πίσω τη Μαγεία *και συν-ιδρύτρια του* Δρόμου του Ρόδου και του ομώνυμου βιβλίου.

Η πρόζα της Σύλβια Λίντστεντ είναι σαν τη γύρη —θρεπτικά πλούσια, ανάλαφρη σαν τον άνεμο και με συμπυκνωμένη ικανότητα να ανανεώνει τον κόσμο. Μέσα από Το Έτος της Αφροδίτης η Σύλβια μεταμόρφωσε την προσωπική της ιστορία αγάπης, απώλειας και ανάκτησης σε οικουμενική, όπως η ανατολή και η δύση της Αφροδίτης. Με την αισθαντική ποίησή της, την εκ βαθέων ανάπλαση των αρχαίων μύθων και τα πολύχρωμα παπλώματα της μνήμης, η Σύλβια χαρτογραφεί ένα μονοπάτι που καθένας από εμάς μπορεί ν'ακολουθήσει, πίσω στον ίδιο μας τον εαυτό. Μέσα από τη γραφή της, η Σύλβια απευθύνεται στη λαχτάρα μέσα σε όλους μας, αγγίζει εκείνα τα κομμάτια μας που ποτέ δεν έπαψαν να πιστεύουν στην ιερή πιθανότητα της αγάπης.

—**ASIA SULER**, *συγγραφέας του Καθρέφτες στη Γη.*

Το Έτος της Αφροδίτης υμνεί την κατάφαση της ζωής μέσα από κύκλους της ύπαρξης που ξεπερνούν το διχαστικό εγωιστικό Εγώ. Οι σελίδες της Λίντστεντ, γενναία και ρηξικέλευθα, γονιμοποιούν το έδαφος μεταξύ μυθικής διήγησης και αυτοβιογραφίας, στην πορεία προς μια θεραπευτική σύμμειξη εαυτού, φύσης και κόσμου: μέσα στο λαγαρό πεζό και ποιητικό της λόγο, το καθένα γίνεται κοινωνός όλων , μεταφέροντάς μας με όχημα μια «νέα γλώσσα υμνωδίας» σε έναν κόσμο πιο ζωντανό από ποτέ. *Το Έτος της Αφροδίτης* επιτυγχάνει αυτό που εννοούσε ο Καρλ Γιουνγκ λέγοντας «η ψυχή δεν είναι παρά κόσμος».

—**DR. JACK DEMPSEY**, *συγγραφέας του Αδελφού της Αριάδνης και του Calendar House*

Ένα κορίτσι από χώρα μακρινή, ακροβατώντας ανάμεσα στην Κρήτη και στην Καλιφόρνια, κρυφομιλεί με ανάλαφρες λησμονημένες σκιές της Μυθολογίας, με αινιγματικές μάγισσες, με δελφινοκόριτσα και παλικάρια που σκίζουν τα όνειρα, με τις ριπές του ανέμου και με τους αντίλαλους του νερού στα βράχια. Με καθαρή και «γάργαρη» ματιά αναθυμάται το βαθύ τραγούδι του Έρωτα και της Αγάπης μέσα σε ρημοκλήσσια και ανεμόμυλους, «ανοίγεται απ'της ψυχής τα βάθη». Λόγος σιγανός, υπόκωφος, διάφανος, υπαινικτικός, υποβλητικός, «ξέρει ν'ατενίζει τους βαθιούς ορίζοντες» του δικού μας Οδυσσέα Ελύτη

—**ΓΙΩΡΓΟΣ ΔΡΑΚΩΝΑΚΗΣ**, Φιλόλογος

THE VENUS YEAR

By Sylvia V. Linsteadt

With a Greek translation by Vicky Chatzopoulou

Το Έτος της Αφροδίτης

της Sylvia V. Linsteadt

Με ελληνική μετάφραση από τη Βίκυ Χατζοπούλου

Kypseli Press
Devon, England

208/300

Illustrations © 2023 by Sylvia V. Linsteadt
Cover, typesetting and design by Ashley Ingram
Greek translation by Vicky Chatzopoulou

Printed in the United Kingdom in Exeter, Devon

British Library Cataloguing-in-Publication Data
A catalogue record for this title is available from the British Library

ISBN 9781-3999-4321-5

for Crete

για την Κρήτη

TABLE OF CONTENTS

Preface

What follows in this book are the pieces of what I call a Venus year—the 19-month cycle that Venus makes through the sky in her transformation from morning star to evening star and back again—between October of 2018 and June of 2020 when everything in my life changed, irrevocably.

Some say the Sumerian myth of the goddess Inanna's descent into the underworld and ascent out of it again riding a crescent moon boat is a map of Venus's celestial cycle. As the story goes, every month on her way down Inanna is stripped of one of her royal garments or sacred vestments. And every month on her way up she is re-dressed. In between she dies, hangs on a hook in the underworld, and is resurrected. In the same manner, Venus is morning star in the east for roughly eight months and evening star in the west for roughly eight months, with periods on either side where she is not visible to the naked eye as she makes her orbital transition between phases.

I didn't realize that this journey of mine mapped onto Venus's movements until near the end of one of her cycles, at which point the pattern of this book began to show itself to me from the growing body of work I had been writing since October of 2018. Then, the parallels were both uncanny and illuminating.

For it was surely a year of devastation, and also of unfathomable gifts. This year that brought me to the shore of myself. Half of the time I was living on the Greek island of Crete. The other half I was home in California where I was born, on the tectonic island of the Point Reyes Peninsula, which is the ancestral land of the Coast Miwok people. I made a few short trips to other islands—Vancouver Island, England, the Hebrides—but the vast majority of my days were spent between these two beloved lands.

And so I've gathered the pieces of my Venus year here in the manner of bees bringing pollen and nectar back to the hive—the κυψέλη (kypseli) in Greek. This word is sometimes used in modern Greek to refer to a broadcast signal, a message received invisibly through the air. While the metaphor in this case is contemporary, the concept of the hive as a place that received not only bees and their nectars and pollens, but also messages and signals, is ancient. Messages from sun, moon, stars and winds, from the dead, messages from the yet-to-be-born, messages from ancestors and gods, the mythic utterances of birds and trees and human dreams—all were thought to be held and received by the hive. As far back as pre-Hellenic Crete, and likely much further, bees were thought to ferry the souls of the newly born and the newly dead back and forth between realms. And across Europe into the 20th century, the folk tradition of "telling the bees" persisted among peasant peoples and their hives—the practice of going to the bees with any major family news from deaths to births, marriages to love affairs, and all manner of dramas and dreams.

In this spirit—of both the bee bringing back nectar and mythic utterance, and the beekeeper telling her loves and losses to the hive—I've gathered together my seasonal, ecological notes from each month's bloomings and fruitings on the land where I was living, accompanied by the poems and short stories I wrote during each month. Together, the ecological and the mythic informed my psyche's own deaths, blooms and fruits.

Woven into one whole, these pieces of earth, star and myth spell the hive that has been both my grief house and my birthing floor.

A NOTE ON THE TRANSLATION

Because so much of what happened to me during this Venus year happened in Greek—within the arms of this intricate, ancient, complex, musical language, this language that held, upended, and began to reweave me—it was essential to me that the book be in Greek as well as English. Perhaps Crete knew this from the beginning, before I even began to write it, because on my very first evening in the village that would become my home for close to a year, a woman who

I had only just met looked at me and said, "You have to meet Vicky." Vicky Chatzopoulou, a translator and teacher with maternal roots in Rethymno, who quickly became a dear friend and the most brilliant translator I could have hoped for. She is a midwife of words, bringing the English through into Greek with incredible skill, care, and a powerful instinct for the feminine wild that resides in Crete's stones and trees and waters.

For those of you who can't read in Greek, let these letters and words rest nevertheless between the English chapters like a mysterious harvest that, even without understanding it, brings the beautiful shape of this land to your heart. For those of you who can't read in English, may the English text beside the Greek nevertheless be a map for you of my own native inheritance, my mother-tongue.

A NOTE FROM THE TRANSLATOR

Vicky Chatzopoulou

About the translation, from the other side—I met Sylvia just like she narrated it, via this mutual friend who told me in the street one day years ago, "You must meet Sylvia." She was right, and I thank her for that. The warm relationship that started then is still alive and continues to be enriched along the way.

Sylvia's text presents a huge linguistic challenge. It is dry and poetic at the same time. It has a complex simplicity, if such a term can be coined. Its content, on the other hand, its spirit, fully aligns with my reading of the world—both the external and the internal one—and this has been a great advantage. This twain course is present throughout the text, in the interplay between the deeply personal and the mythical, the cosmic, within a framework set by nature herself and her produce (with the small pieces at the start of every month).

I hope to have been successful in my role as midwife, as Sylvia called me (moving me deeply), in the birth of her voice into the Greek language. This translation has been one of the most enjoyable I've worked on, and I wish to thank her for the trust she has shown me. I am also overjoyed with the bilingual edition of this exquisite text.

Whichever language you choose to read—and some may choose both— I wish you to let go and dive deep into the multitude of worlds the narration opens up for us.

Καλοτάξιδο, Sylvia!

Εισαγωγή

Αυτό που ακολουθεί είναι κομμάτια από το Έτος της Αφροδίτης—τον δεκαεννιάμηνο κύκλο που ο πλανήτης Αφροδίτη διατρέχει γύρω από τη γη και οι μεταμορφώσεις του από Αυγερινό σε Αποσπερίτη και τανάπαλιν—μεταξύ του Οκτώβρη 2018 και του Ιούνη 2020, όταν τα πάντα στη ζωή μου άλλαξαν, ανεπιστρεπτί.

Κάποιοι λένε ότι ο Σουμεριακός μύθος της καθόδου της θεάς Ινάννα στον κάτω κόσμο και η κατοπινή επ-άνοδός της από αυτόν πάνω σε ένα σκάφος σαν ημισελήνο, αποτελεί έναν χάρτη για τον κύκλο του πλανήτη Αφροδίτη στο στερέωμα. Σύμφωνα με την ιστορία, κάθε μήνα κατά τη διάρκεια της καθόδου, τής αφαιρείται ένα από τα βασιλικά της ενδύματα ή ιερά άμφια. Και κάθε μήνα της ανόδου της, τα ανακτά και τα φορά ένα-ένα με τη σειρά. Στο ενδιάμεσο διάστημα πεθαίνει, κρεμιέται από έναν γάντζο στον κάτω κόσμο και ανασταίνεται. Κατ'αναλογία, η Αφροδίτη είναι ο Αυγερινός στην Ανατολή για περίπου οκτώ μήνες και Αποσπερίτης στη Δύση, επίσης για οκτώ μήνες περίπου, με περιόδους, και στις δύο περιοχές, κατά τις οποίες δεν είναι ορατή με γυμνό μάτι, καθώς διανύει τη μεταβατική τροχιά ανάμεσα στις φάσεις της. Δεν συνειδητοποίησα ότι αυτό το δικό μου ταξίδι έδειχνε να συμπίπτει με τις κινήσεις της Αφροδίτης ως το τέλος σχεδόν του κύκλου της, σημείο στο οποίο ο σχεδιασμός αυτού του βιβλίου άρχισε να διακρίνεται στα μάτια μου μέσα από τον αυξανόμενο όγκο των κειμένων που είχα γράψει από τον Οκτώβρη του 2018, όταν πρωτοκατέβηκα στην Κρήτη.

Αυτή η χρονιά που έφερε ερήμωση και μαζί ασύλληπτα δώρα. Αυτή η χρονιά που με πήγε στις ακτές του εαυτού μου. Τον μισό καιρό τον πέρασα ζώντας στο ελληνικό νησί τής Κρήτης. Τον άλλο μισό ήμουν στο σπίτι μου, στην Καλιφόρνια όπου γεννήθηκα, στο τεκτονικό νησί της χερσονήσου Πόιντ Ρέις, που ήταν η γη των προγόνων του λαού της Ακτής Μίγουοκ. Έκανα λίγα σύντομα ταξίδια και σε άλλα νησιά—Βανκούβερ, Ίνγκλαντ, Εβρίδες—αλλά το σαφώς μεγαλύτερο μέρος του χρόνου μου το πέρασα ανάμεσα σε αυτούς τους δυο αγαπημένους τόπους.

Συγκέντρωσα εδώ τα κομμάτια του Έτους της Αφροδίτης με τον τρόπο που οι μέλισσες φέρνουν γύρη και νέκταρ πίσω στην κυψέλη. Αυτή η λέξη χρησιμοποιείται μερικές φορές στα Ελληνικά για να αναφερθεί σε ένα σινιάλο που εκπέμπεται, ένα μήνυμα που λαμβάνεται μέσω του αέρα. Παρόλο που η μεταφορά σε αυτή την περίπτωση είναι πολύ σύγχρονη, η έννοια της κυψέλης ως τόπου που δέχεται όχι μόνο τις μέλισσες και το νέκταρ και τη γύρη τους, αλλά επίσης μηνύματα και σινιάλα είναι αρχαία. Μηνύματα από τον ήλιο, τη σελήνη, τα άστρα και τους ανέμους, από τους νεκρούς, μηνύματα από τους ακόμα αγέννητους, μηνύματα από τους προγόνους και τους θεούς, η μυθική λαλιά των πουλιών και των δέντρων και των ονείρων των ανθρώπων—όλα αυτά πίστευαν πως συντηρούνται και λαμβάνονται από την κυψέλη. Πολύ παλιά, ως και την προελληνική Κρήτη, και μάλλον πολύ παλαιότερα ακόμα, πίστευαν πως οι μέλισσες είναι οι διακομιστές των ψυχών των νεογέννητων και των μόλις πεθαμένων μπρος και πίσω μεταξύ των βασιλείων. Και παντού στην Ευρώπη, οι λαϊκές παραδόσεις για το «διάβασμα των μελισσών» διατηρούνταν ζωντανές μέχρι και τον 20ο αιώνα ανάμεσα στους χωρικούς και τις δικές τους κυψέλες—την πρακτική να στρέφονται στις μέλισσες για οποιαδήποτε σημαντική είδηση, από θανάτους και γεννήσεις, γάμους και ερωτικές υποθέσεις ως κάθε είδους δράμα και όνειρο.

Με αυτό το πνεύμα—τόσο της μέλισσας που φέρνει πίσω το νέκταρ και της μυθικής λαλιάς, όσο και της μελισσοκόμου που διηγείται τις αγάπες και τις απώλειές της στην κυψέλη—συγκέντρωσα όλες τις εποχικές σημειώσεις μου για τη φύση, από τα άνθη και τα καρπίσματα του κάθε μήνα στη χώρα όπου ζούσα, και τα συνόδεψα από τα ποιήματα και τα διηγήματα που έγραφα κατά τη διάρκεια κάθε μήνα. Μαζί, η φύση και το μυθικό τροφοδότησαν τους θανάτους, την άνθιση και τα καρπίσματα της ίδιας της ψυχής μου. Τότε οι παραλληλισμοί φάνηκαν καθαρά, αλλόκοτοι και διαφωτιστικοί.

Υφασμένα σε ένα σύνολο, αυτά τα κομμάτια γης, αστεριών και μύθου σηματοδοτούν την κυψέλη που υπήρξε και το σπίτι της θλίψης και το κρεβάτι της γέννας για μένα.

Σημείωση για τη Μετάφραση

Επειδή τόσα πολλά απ'όσα μου συνέβησαν κατά τη διάρκεια αυτής της Ετήσιας Περιφοράς της Αφροδίτης συνέβησαν στα Ελληνικά—μέσα στην αγκαλιά αυτής της περίπλοκης, αρχαίας, σύνθετης, μουσικής γλώσσας, αυτής της γλώσσας που με αγκάλιασε, με ανέτρεψε και άρχισε να με ξαναϋφαίνει—είχε εξαιρετική σημασία για μένα το βιβλίο να βγει και στα Ελληνικά μαζί με τα Αγγλικά. Ίσως η Κρήτη να το ήξερε αυτό από την αρχή, πριν ακόμα αρχίσω να το γράφω, γιατί την πρώτη-πρώτη βραδιά μου στο χωριό που θα γινόταν το σπίτι μου για ένα χρόνο σχεδόν, μια γυναίκα που είχα μόλις γνωρίσει με κοίταξε και είπε, «Πρέπει να γνωρίσεις τη Βίκυ». Η Βίκυ Χατζοπούλου, μεταφράστρια και δασκάλα με καταγωγή από το Ρέθυμνο, που γρήγορα έγινε αγαπημένη φίλη και η πιο καταπληκτική μεταφράστρια που θα μπορούσα να ζητήσω. Είναι μια μαμή των λέξεων, φέρνοντας τα Αγγλικά μέσα στα Ελληνικά με απίστευτη δεξιότητα, φροντίδα και δυνατό ένστικτο για το άγριο θηλυκό που κατοικοεδρεύει στις πέτρες και στα δέντρα και στα νερά της Κρήτης.

Για εσάς που δεν μπορείτε να το διαβάσετε στα Ελληνικά, αφήστε παρόλα αυτά τα γράμματα και τις λέξεις να υπάρχουν ανάμεσα στα αγγλικά κεφάλαια σαν μια μυστηριώδης σοδειά που, ακόμα και χωρίς να την καταλαβαίνετε, μεταφέρει το όμορφο σχήμα αυτής της χώρας στην καρδιά σας. Για εσάς που δεν μπορείτε να το διαβάσετε στα Αγγλικά, ας λειτουργήσει παρόλα αυτά το αγγλικό κείμενο πλάι στο ελληνικό σαν χάρτης της δικής μου ντόπιας κληρονομιάς, της μητρικής μου γλώσσας.

Για Τη Μετάφραση, από την άλλη πλευρά

Με τη Σύλβια γνωριστήκαμε έτσι όπως το διηγήθηκε, μέσω αυτής της κοινής φίλης, η οποία δήλωσε και σε μένα μια μέρα πριν χρόνια στο δρόμο, «Πρέπει να γνωρίσεις τη Σύλβια». Πράγματι, είχε δίκιο και την ευχαριστώ γι'αυτό. Η σχέση που ξεκίνησε τότε με θέρμη, συνεχίζεται και γίνεται όλο και πλουσιότερη.

Το κείμενο της Σύλβιας είναι τεράστια γλωσσική πρόκληση. Είναι στεγνό και ταυτόχρονα ποιητικό. Είναι περίπλοκα απλό, αν μπορεί να ειπωθεί κάτι τέτοιο. Το περιεχόμενό του, από την άλλη, το πνεύμα του, ταυτίζεται απόλυτα με τη δική μου ανάγνωση του κόσμου, και του εξωτερικού και του εσωτερικού, κι αυτό ήταν μεγάλο πλεονέκτημα. Αυτήν ακριβώς τη διττή πορεία θα τη βρείτε παντού στο κείμενο—στην εναλλαγή του βαθιά προσωπικού με το μυθικό και το κοσμικό, μέσα σε ένα πλαίσιο οριοθέτησης που βγαίνει από την ίδια τη φύση και τα γεννήματά της, με τους μικρούς προλόγους για τον κάθε μήνα.

Εύχομαι να τα κατάφερα να γίνω η μαμή, όπως με αποκάλεσε η Σύλβια και με συγκίνησε, στη γέννηση της φωνής της στην ελληνική γλώσσα. Η μετάφραση αυτή ήταν από τις πιο απολαυστικές που έχω κάνει και την ευχαριστώ για την εμπιστοσύνη που μου έδειξε. Είναι μεγάλη και η δική μου χαρά για τη δίγλωσση έκδοση αυτού του εξαιρετικού κειμένου.

Όποια γλώσσα και αν διαβάσετε, κάποιοι ίσως και τις δύο, εύχομαι να αφεθείτε και να βουτήξετε σε αυτούς τους πολλαπλούς κόσμους που μας ανοίγει η διήγηση.

Καλοτάξιδο το βιβλίο, Σύλβια!

PROLOGUE

The Five-Pointed Tree

(July 2020)

Once there was a woman
Once there was a woman
Once there was a woman
who birthed herself again from her own tears
She poured them from a heavy vessel
onto the root of the many-fruiting tree
She didn't know it then
but only tears like that, tears of *sevda*
can make the miraculous tree grow
the one she longed for:
where pomegranate, grape, fig, pear, apricot
grew heavy all on one bough

At the cusp of autumn, after eleven years of love, she married him. At the cusp of the next autumn, she left everything for the island, and found a new love she did not expect at all. At the cusp of still the next autumn, that love died and she left again. There were two worlds in her, then. Two loves lost. The second shielded her, for a time, from the first. But not for long. She started to get used to the scent of leaving. The long light, the swelling quince and then the pomegranate. This was the season she always left in, the swiftly tilting planet decreed.

Before she left again, the satyr's stars were climbing the southern sky and the mountain paths were still in shadow at midmorning, which for so many months had been too hot for walking. The carobs rattled on their branches, shining darkly, so ready to be harvested that they fell into the gathering basket with a single touch and a satisfying clatter. All of these provoked the ache that presaged change. Soon she would pull the suitcases down from the top shelf where they'd been gathering dust since spring, fold away her summer dancing sandals, fold away everything they had dreamed and tried to build together, and turn her face into what she could not see. Into what had been lost before. This was terrible. Anything might happen when she let go.

And yet, with one touch and the intention to harvest, the carob pods released so easily. She wished it could be that easy for her. There was so much to hold on to. But one day in that third autumn when human love had failed her, walking past the blackberries in a wet place on the path, she understood something new. Letting go into what she could not see meant that anything might take form there in the dark. An elaborate beauty only the earth could imagine. The moment before change, she saw, was something to savor, to sit down with, if she could manage it.

She sat down under a carob with her basket to one side. She split a pomegranate and ate, loosing seeds with her lips and tongue. The last falcons passed. Soon, with their growing children, they would be leaving. They sought always the sun's warmth. They did not turn headlong into dark, into winter, as she did.

Sitting again in formlessness, after it was done, she saw a marriage to herself she had not anticipated. In the blackberry shade, trying to be strong, she saw it coming. Her own bridal caravan. She was both bride and bridegroom. Inside the caravan were three older women wearing blue beads and gold arm rings, with silver in their hair. She recognized them vaguely, as from a dream. There was a dowry chest inside the caravan made of cedar from across the sea. It was full of things an unwavering part of herself had made once, in another life, for this time of solitude. A robe the color of the ripening pomegranate—hints of rose, hints of saffron. A strand of lapis beads. Bundle after bundle of carefully dried myrtle boughs wrapped in light linen. A set of copper bowls and a fine pestle of olive wood. Little boxes of brushes and earth-made inks, a small well-cut papyrus, amber musk for scent and a pot of honey to sate her longing for a man until the seasons turned and turned again.

She finished eating the pomegranate seeds. She left her wedding rings beneath the carob tree. She climbed in to meet herself among the women of her bridal caravan. They left through the sky some days later, as Venus climbed the west to become the evening star. She landed far away, on the shore she had left, beside the ocean of her girlhood where she had first known love, to sit for Earth's four tilting seasons, learning all over again how to bear fruit.

At the cusp of the fourth autumn, never having expected that she would be away so long, she heard the carob tree speaking her name through the beehive she had come to tend, which was a doorway between two worlds. The voice turned her face back across the sky's expanse, in the direction of the morning star. The scent of leaving came as a surprise. Maybe it always did. The voice and the scent told her something it had taken a year to understand.

It was never love that had failed her. It was never love that had left, or that she had left behind.

But first, there was a gathering to attend to. This year she understood the need. Much of it was the fruit of memory that she bore in armloads to the long table set out under the wild pear trees in the sanctuary where she had made all of her prayers at the beginning, and even now from far away. The sanctuary where bees came to the spring water to drink between the flowering mint. One by one she laid out the fruits and herbs of memory. The heat of August moved through the wild pear, and the old sycamore tree, touching everything.

There were the pomegranates split, fresh from people's gardens, and the roasted chestnuts just off the fire at *kazania* in the days of her first arrival, where she drank *raki* hot from the copper stills. There were the dark olives falling into the nets. They had held the opposite corners, facing each other. The oranges they'd eaten, sitting upslope of the trees to rest, and the pecans. There were the boughs of almond blossoms and their bees, from when she was gone and he sent pictures, and the furred green nutpods she ate raw when she returned. Loquats and apricots his mother gathered and brought to them in bowls. The cut stems of Queen Anne's lace. Myrtle boughs, flowering, for the crown she made herself. The purple blooming thyme, oregano, rockrose.

There was the whole of the summer garden, everything started from seed on their porch (all the days she carefully watered the babies when he was pruning olives early; the time the wind from Africa blew them all down and they had to start again; the rose cutting from home she brought that died): tomato, corn, okra, bean, pepper, *vleeta*, eggplant, squash, cucumber. The figs: the ones she and a friend ate until she thought she'd be sick from the sweet delight of them (that was after), and the ones he dried the summer before they met and proudly fed her all winter. The grapes: the ones harvested before she came which she drank all year as wine, and the ones harvested in the August of endings, which she did not drink, and the carobs that fell so willingly into her basket the week of her leaving. The mullein tapers gathered while counting nesting pairs of falcons flying west to the Dionysades.

All of these, which really should have been offered the year of their harvest, she grew again in her memory and brought now to the table, in armloads. Each she had eaten a second time in her memory as she walked the forests of her home country, as the bay laurel nuts began to fall, and the acorns. In that country, which was wilder, which saw what was wild in her, there were also the toyon berries in winter, hazel catkins, manzanita flowers, the purple irises, wild strawberries that were erotically sweet and made her happy during frightening days when almost nothing else could, the mint called *yerba buena,* and above all the huckleberries: hip deep in them with women-friends and the black dog, wearing facemasks, gathering. The huckleberries, the huckleberries, the huckleberries. She had been eating them even when they were flowers, taking their changing nectar in. At high summer, in the morning, they were salty from the ocean fog that dripped off the pine trees.

Then there were the fruits her mother brought her, those expressions of love that, she realized, had kept her alive when she was very alone for so long, and close to despair. In each of the four seasons her mother brought the best from the great valleys and the hot inland mountains: crisp apples, navel oranges, pomegranates, pressed, precious quince, strawberries, mulberries that had to be eaten right away, blackberries, apricots, the devastating peaches. She had not touched the trees or learned their names or been in love with the person who grew them, but by her mother's touch and gift they acquired a personal love as powerful: Demeter calling back Persephone, saying *daughter all will be well, don't you see how you are loved.*

All of these she carried to the table at the cusp of the fourth autumn. She was wearing again that robe the color of the ripening pomegranate—hints of rose, hints of saffron. And the strand of lapis beads. This time, beaded among them were other beads whose provenance was a mystery. They were of a black clay made from fermented rose petals. The huckleberries spilled everywhere across the table between her offered herbs and fruits: ten thousand black pearls.

It looked like a wedding table. She was surprised to find, after everything, that she wished very much that it was, and that it hurt to wish this. It hurt to remember hers, in another harvest season, heavy with dahlias and roses and bright ceramics and wine. Weddings frightened her now, and yet they drew her too. She sat there alone but for the ones she couldn't see, and the trees. Such a beautiful feast, she thought, should be joyful. There should be dancing. But actually it made her shake. Hope was terrifying, because it could be false. Either way, before her eyes, Earth arose, proof in flesh that at least the god called change, called season, called turning, loved her. He who was bridegroom to the one who makes the trees flourish and fruit, whose sacred tool is the pruning knife.

She had been told by the women with blue beads and gold arm rings: bring the fruit to Her sanctuary, and She will bless it on the day of Her Arising. But now she wondered if they meant she should bring *everything* like this, or if she should be more demure about it—all these fruitings from a Venus year and not simply an Earth year, fruitings beyond the single cycle of our planet, fruitings with their roots in the water called *sevda*, unabashedly impassioned, summoned from the dark valley that seemed never to end, the dark valley she had been walking for so long without enough light. It seemed something of an excess of longing, an overwhelming spillage, almost embarrassing, all these fruits, all this hope she was afraid of but couldn't bury.

But as she stood at the foot of that feast table, seeing how it bowed with the weight of all this that she had adored, all this that she had been sustained by, she saw that after all it was neither a wedding nor a funeral. It was something else. It was not a table of need but of epiphany, and this Arising was not into heaven but right before her eyes, from dark and root up into the flesh of the fruit from the five-pointed tree she had been watering all along. She didn't know yet what it meant, but she saw that this was the blessing given, this promise: she had borne a hive, and before her eyes what was offered would become a honey.

Honey, they said, is made in darkness, in the comb. You will not know it is there until it is ready. You will not know it is there until you are brave enough to look. So lift those mullein tapers up from all your loss and we will cover them in wax, for it is time for light.

At the beginning, after a long journey
Aphrodite stepped out of a sea
she had made from herself
She wrung out her hair on the shore as she stepped
The water dripped golden as honey off her hips as she stepped
She lifted the *kteis*, her scallop-shaped comb
the one she also used on the colored threads of the world
and began to untangle her hair until every strand shone
Her step and her hair
and all that water spilling down like juice
sent a song through the ground
which said
know this, woman:
love can never fail you

Πρόλογος

Το Πεντάκτινο Δέντρο
(*Ιούλιος 2020*)

Μια φορά ήταν μια γυναίκα
Μια φορά ήταν μια γυναίκα
Μια φορά ήταν μια γυναίκα
που γέννησε ξανά τον εαυτό της μέσα από τα ίδια της τα δάκρυα
Από ένα βαρύ δοχείο, πότισε μ' αυτά
τη ρίζα του δέντρου της πανσπερμίας
Τότε δεν το'ξερε,
αλλά μόνο τέτοια δάκρυα, τα δάκρυα του σεβντά
κάνουν το θαυματουργό δέντρο ν' αναπτυχθεί
να γίνει αυτό που λαχταρούσε:
που ρόδι, σταφύλι, σύκο, αχλάδι, βερύκοκο
κρέμονται βαριά όλα μαζί σ' ένα κλαδί

Στην αλλαγή του φθινοπώρου, μετά από έντεκα χρόνια αγάπης, τον παντρεύτηκε. Στην αλλαγή του επόμενου φθινοπώρου, άφησε τα πάντα για το νησί και βρήκε μια αγάπη που διόλου δεν περίμενε πως θα'ρθει. Και πάλι, στην αλλαγή του αμέσως επόμενου φθινοπώρου, αυτή η αγάπη πέθανε και εκείνη έφυγε ξανά. Υπήρχαν δυο κόσμοι τότε μέσα της. Δυο χαμένες αγάπες. Η δεύτερη την προστάτεψε, για ένα διάστημα, από την πρώτη. Μα όχι για πολύ. Άρχισε να συνηθίζει το άρωμα του φευγιού. Το φως που μακραίνει, τα κυδώνια που φουσκώνουν και μετά τα ρόδια. Τέτοια εποχή να είναι πάντα το φευγιό της είχε ορίσει ο σβέλτος, γερτός πλανήτης.

Πριν να ξαναφύγει, τα άστρα του σατύρου σκαρφάλωναν στο νότιο ουρανό και τα βουνίσια μονοπάτια ήταν ακόμα σκιερά το μεσημέρι, ενώ για τόσους μήνες πριν, έκανε πολλή ζέστη για να τα περπατήσεις. Τα χαρούπια ακόμα κροτάλιζαν στα κλαριά τους, σκουρόχρωμη γυαλάδα, τόσο ώριμα για συγκομιδή ώστε να πέφτουν μέσα στο καλάθι μ' ένα μόνο άγγιγμα κι ένα χορταστικό κουδούνισμα. Όλα αυτά ξύπνησαν το βουβό πόνο, που προοικονομούσε αλλαγή. Σύντομα θα τραβούσε τις βαλίτσες από το πάνω ράφι όπου μάζευαν σκόνη από την άνοιξη, θα φύλαγε τα καλοκαιρινά σανδάλια που είχε για να χορεύει, θα δίπλωνε όλα όσα είχαν ονειρευτεί και είχαν προσπαθήσει να χτίσουν μαζί και θα έστρεφε το πρόσωπό της προς την αστροφεγγιά, σ'αυτό που δεν μπορούσε να δει. Σε αυτό που είχε χαθεί και παλιότερα. Αυτό ήταν τρομερό. Τα πάντα μπορούσαν να συμβούν, όταν αφηνόταν.

Κι όμως, μ' ένα άγγιγμα και με την πρόθεση της συγκομιδής, τα χαρούπια αποκολλώνται τόσο εύκολα. Ευχήθηκε να ήταν τόσο εύκολο και για την ίδια. Είχε τόσα πολλά να κρατηθεί. Μα μία ημέρα, εκείνο το τρίτο φθινόπωρο που η ανθρώπινη αγάπη την είχε προδώσει, περνώντας δίπλα από τις βατομουριές σ'ένα υγρό σημείο του μονοπατιού, αντιλήφθηκε κάτι καινούριο. Το να αφεθεί μέσα σ'αυτό που δεν μπορούσε να δει σήμαινε πως οτιδήποτε θα μπορούσε να σχηματιστεί εκεί, μες στο σκοτάδι. Μια περίπλοκη ομορφιά που μόνο η γη μπορούσε να φανταστεί. Η στιγμή πριν την αλλαγή, το έβλεπε, ήταν για να τη γευτεί, για να κάτσει παρέα της, αν μπορούσε να το καταφέρει.

Κάθισε κάτω από μια χαρουπιά με το καλάθι πλάι της. Άνοιξε ένα ρόδι κι έφαγε, απελευθερώνοντας σποράκια με τα χείλη και τη γλώσσα της. Τα τελευταία γεράκια πέρασαν. Σύντομα, μαζί με τα παιδιά τους που μεγάλωναν, θα έφευγαν. Αναζητούσαν πάντοτε τη ζέστη του ήλιου. Δεν στρέφονταν κατάμουτρα του σκοταδιού, και του χειμώνα, όπως έκανε εκείνη.

Έτσι όπως καθόταν ξανά μέσα στην αμορφία, αφού είχαν όλα τελειώσει, είδε έναν γάμο με τον εαυτό της που την ξάφνιασε απρόσμενα. Εκεί στη σκιά της βατομουριάς, προσπαθώντας να φανεί δυνατή, το είδε να έρχεται. Ένα γαμήλιο τσιγγάνικο βαγόνι, που ήταν το δικό της. Η ίδια ήταν και νύφη και γαμπρός. Μέσα στο βαγόνι βρίσκονταν τρεις μεγαλύτερες γυναίκες, που φορούσαν γαλάζιες χάντρες και στα μπράτσα τους χρυσά βραχιόλια, με ασήμι στα μαλλιά τους. Τις αναγνώρισε αμυδρά, σαν από όνειρο. Μέσα στο βαγόνι υπήρχε μια κασέλα με προικιά, φτιαγμένη από κεδρόξυλο φερμένο πέρα από τη θάλασσα. Ήταν γεμάτο από πράγματα που ένα ακλόνητο κομμάτι του εαυτού της είχε κάποτε φτιάξει, σε μιαν άλλη ζωή, γι' αυτήν ακριβώς τη στιγμή της απομόνωσης. Μια φορεσιά στο χρώμα του ώριμου ροδιού –με πινελιές από τριαντάφυλλο, από κρόκο εδώ κι εκεί. Μια σειρά από χάντρες λαζουρίτη. Ένα σωρό ματσάκια από προσεκτικά αποξηραμένα κλαριά μυρτιάς τυλιγμένα σε ανάλαφρο λινό. Ένα σετ χάλκινα μπωλ κι ένα καλοδουλεμένο γουδί από ελιόξυλο. Μικρά κουτάκια με πινέλα και βαφές από μελάνια φτιαγμένα από χώμα, ένας μικρός όμορφα κομμένος πάπυρος, μόσχος κεχριμπαριού για το άρωμα κι ένα βαζάκι μέλι για να κατευνάζει τη λαχτάρα της για άντρα, ώσπου να γυρίσουν οι εποχές, μια φορά κι άλλη μια.

Τέλειωσε τα σπόρια του ροδιού που έτρωγε. Άφησε τις βέρες της κάτω από τη χαρουπιά. Σκαρφάλωσε και μπήκε μέσα, για να βρει τον εαυτό της ανάμεσα στις γυναίκες. Έφυγαν κατά τη μεριά του ουρανού μερικές μέρες αργότερα, καθώς η Αφροδίτη σκαρφάλωνε δυτικά για να γίνει Αποσπερίτης. Εκείνη προσγειώθηκε πολύ μακριά, στην παραλία που είχε κάποτε αφήσει πίσω, πλάι στον ωκεανό της παιδούλας, εκεί που είχε πρωτογνωρίσει την αγάπη, για να μείνει εκεί όλες τις τέσσερεις εποχές που φέρνει ο γερτός άξονας της Γης και να μάθει απ'την αρχή πώς να γεννά καρπούς.

Στην αλλαγή του τέταρτου φθινοπώρου, παρόλο που δεν το περίμενε πως θα έλειπε τόσον πολύ καιρό, άκουσε τη χαρουπιά να προφέρει τ' όνομά της μέσα στο μελίσσι που φρόντιζε τελευταία, που ήταν μια πύλη ανάμεσα στους δυο κόσμους. Η φωνή είχε στρέψει ξανά το πρόσωπό της προς τα πίσω, προς την αχανή ουράνια έκταση, προς την κατεύθυνση της Πούλιας. Η μυρωδιά του φευγιού την ξάφνιασε. Ίσως πάντα να ήταν έτσι. Η φωνή και η μυρωδιά τής είπαν κάτι που, για να το καταλάβει, της είχε πάρει ένα χρόνο.

Δεν ήταν η αγάπη που την είχε προδώσει. Δεν ήταν η αγάπη που είχε φύγει, ούτε και πως εκείνη την είχε αφήσει πίσω της.

Πρώτα όμως έπρεπε να πάρει μέρος σε μια σύναξη. Φέτος καταλάβαινε την ανάγκη. Μεγάλο μέρος της ήταν καρπός των αναμνήσεων που είχε κουβαλήσει με γεμάτες αγκαλιές στο μακρύ τραπέζι κάτω από τις αγριοαχλαδιές, μέσα στο ιερό όπου έλεγε όλες τις προσευχές της στην αρχή, κι ακόμα και τώρα, από τόσο μακριά. Το ιερό όπου οι μέλισσες μαζεύονταν στο νερό της πηγής, να πιουν εκεί, ανάμεσα στους ανθισμένους δυόσμους. Ένα ένα, άπλωσε τους καρπούς και τα βοτάνια των αναμνήσεών της. Η αυγουστιάτικη κάψα περνούσε μέσα από την αγριαχλαδιά και το γέρικο πλατάνι, αγγίζοντας τα πάντα.

Υπήρχαν τα ανοιγμένα ρόδια, φρέσκα απ' τους κήπους των ανθρώπων, και τα ψημένα κάστανα που είχαν μόλις βγει απ'τη φωτιά, στα ρακοκάζανα, τις πρώτες μέρες που είχε φτάσει, που έπινε τη ρακή ζεστή από τα χάλκινα αποστακτήρια. Υπήρχαν οι σκουρόχρωμες ελιές που έπεφταν στα δίχτυα. Είχαν πιάσει τις αντίθετες άκρες, ο ένας απέναντι στον άλλον. Τα πορτοκάλια που είχαν φάει, εκεί που κάθησαν στο λόφο παραπάνω απ'τις ελιές για να ξεκουραστούν, και τα καρύδια. Υπήρχαν τα ανθισμένα κλαδιά μυγδαλιάς κι οι μέλισσές τους, από την εποχή που εκείνη είχε φύγει κι αυτός της έστελνε φωτογραφίες και τα χνουδωτά πράσινα τσάγαλα, που έφαγε ωμά όταν επέστρεψε. Τα μούσμουλα και τα βερύκοκα, που μάζευε η μάνα του και τους τα έφερνε στα πανέρια. Τα κομμένα βλαστάρια απ' τα σταφυλινάσταχα. Τα κλαδιά της μυρτιάς, ανθισμένα, για το στεφάνι που είχε φτιάξει για τον εαυτό της εκείνη τη μέρα που δεν ήθελε να την αναφέρει, αλλά που δείλιασε να το φορέσει. Το ανθισμένο μωβ του θυμαριού, της ρίγανης, της λαδανιάς.

Υπήρχε ολόκληρος ο καλοκαιρινός τους κήπος, όλα ξεκίναγαν από σποράκια στις γλάστρες της βεράντας τους (όλες αυτές τις μέρες που πότιζε προσεκτικά τα μωρά, ενώ αυτός κλάδευε πρώιμα τις ελιές˙ εκείνη τη φορά που ο αέρας απ'την Αφρική τα είχε ισοπεδώσει όλα κι έπρεπε να ξαναρχίσουν από την αρχή˙ το κλωνάρι της τριανταφυλλιάς που είχε φέρει μαζί της, που τελικά πέθανε): ντομάτα, καλαμπόκι, μπάμιες, φασόλια, πιπεριά, βλίτα, μελιτζάνα, κολοκύθα, αγγούρι. Τα σύκα: εκείνα που έφαγε μαζί με μια φίλη μέχρι που ανακατώθηκε από την τόση γλυκιά απόλαυση (αυτό ήρθε μετά) κι εκείνα που είχε αποξηράνει αυτός το καλοκαίρι πριν γνωριστούν και την τάιζε στο στόμα με περηφάνεια όλο το χειμώνα. Τα σταφύλια: αυτά που είχε μαζέψει πριν φτάσει εκείνη, που τα έπινε όλο το χειμώνα στο κρασί, κι αυτά που μάζεψαν εκείνον τον Αύγουστο στα τελειώματα, που αυτά δεν τα ήπιε, και τα χαρούπια που έπεφταν με τόση προθυμία στο καλάθι της την εβδομάδα του φευγιού της. Και οι κώνοι από τους φλόμους, που τους είχε μαζέψει μετρώντας τα ζευγάρια των γερακιών που πετούσαν δυτικά προς τις Διονυσάδες.

Όλα αυτά, που κανονικά θα έπρεπε να έχουν προσφερθεί τη χρονιά της συγκομιδής τους, τα καλλιέργησε ξανά μέσα στη μνήμη της και τα έφερε τώρα στο τραπέζι, αγκαλιές ολόκληρες. Είχε γευματίσει με το καθένα τους για δεύτερη φορά μέσα στα όνειρά της, στις νοσταλγίες της, καθώς περιδιάβαινε τα δάση της άλλης πατρίδας της, καθώς τα ντόπια καρύδια άρχιζαν να πέφτουν και τα βελανίδια. Σ'εκείνη τη χώρα, που ήταν πιο αδάμαστη και αναγνώριζε το αδάμαστο μέσα στην ίδια, υπήρχαν επίσης και τα μούρα τογιόν το χειμώνα (που θα ανακάλυπτε αργότερα ότι έδιναν ένα τραχύ νέκταρ για τις μέλισσες του καλοκαιριού, όταν άνοιγαν τα λευκά λουλούδια τους), ίουλοι φουντουκιάς, λουλούδια μανζανίτα, μωβ ίριδες, άγριες φράουλες που ήταν ερωτικά γλυκές και της έδιναν χαρά εκείνες τις τρομακτικές μέρες που τίποτε άλλο σχεδόν δεν το μπορούσε, η μέντα που την ονομάζουνε yerba buena, και πάνω απ'όλα τα μύρτιλλα, χωμένη ως τους γοφούς μέσα στους θάμνους μαζί με φιλενάδες και το μαύρο σκύλο, να τα μαζεύουν φορώντας μάσκες. Τα μύρτιλλα, τα μύρτιλλα, τα μύρτιλλα. Τα έτρωγε από την ώρα που ήταν ακόμα άνθη, γευόταν το νέκταρ τους, που δεν είχε πάντα την ίδια γεύση. Το μεσοκαλόκαιρο, νωρίς το πρωί, ήταν αλμυρό από τη θαλασσινή αύρα που έσταζε από τα πεύκα.

Και μετά ήταν τα φρούτα που της έφερνε η μάνα της, αυτές οι εκδηλώσεις της αγάπης που, συνειδητοποίησε, την είχαν κρατήσει στη ζωή όταν ήταν τόσο μόνη για τόσον πολύ καιρό και στα πρόθυρα της απελπισίας. Σε καθεμιά από τις τέσσερεις εποχές, η μάνα της έφερνε τα καλύτερα από τις μεγάλες κοιλάδες και τα θερμά βουνά της ενδοχώρας: τραγανά μήλα, ομφαλοφόρα πορτοκάλια, ρόδια, στυμμένα, πολύτιμα κυδώνια, φράουλες, μούρα που έπρεπε να φαγωθούν την ίδια στιγμή, βατόμουρα, βερίκοκα, συγκλονιστικά ροδάκινα. Δεν είχε αγγίξει τα δέντρα, ούτε είχε μάθει τα ονόματά τους ούτε είχε ερωτευτεί το άτομο που τα ανάθρεψε, αλλά με το άγγιγμα της μάνας της, την προσφορά της, αποκτούσαν μια προσωπική αγάπη εξίσου πανίσχυρη: η Δήμητρα που φώναζε την Περσεφόνη να επιστρέψει, που έλεγε, κόρη μου, όλα θα πάνε καλά, μα δεν βλέπεις πόσο είσαι αγαπημένη...;

Όλα αυτά τα κουβάλησε στο τραπέζι στην αλλαγή του τέταρτου φθινοπώρου. Φορούσε πάλι εκείνο το ρούχο στο χρώμα του μισο-ώριμου ροδιού, εδώ κι εκεί ροδαλό, εδώ κι εκεί κροκί. Και το κολιέ από χάντρες λαζουρίτη. Αυτή τη φορά, είχε περασμένες ανάμεσά τους κι άλλες χάντρες, των οποίων η προέλευση ήταν ένα μυστήριο. Ήταν από μαύρο πηλό φτιαγμένο από ζυμωμένα ροδοπέταλα. Τα βατόμουρα είχαν απλωθεί παντού πάνω στο τραπέζι, ανάμεσα στα βότανα και τα φρούτα που της είχαν δοθεί σαν δώρο: δέκα χιλιάδες μαύρα μαργαριτάρια. Έμοιαζε σαν γαμήλιο τραπέζι. Ξαφνιάστηκε όταν διαπίστωσε, μετά από όλα αυτά, ότι πολύ θα το 'θελε μέσα της να ήταν γαμήλιο, και ότι την πόνεσε που θα το ήθελε. Την πόνεσε που θυμήθηκε το δικό της, μιαν άλλη εποχή του θέρους, βαριά με ντάλιες και τριαντάφυλλα και ζωηρόχρωμα κεραμικά και κρασί. Οι γάμοι τη φόβιζαν, τώρα πια, αλλά ταυτόχρονα της ασκούσαν έλξη. Κάθισε εκεί μόνη—εκτός από όσους δεν μπορούσε να δει, και τα δέντρα. Αυτή η όμορφη γιορτή, σκέφτηκε, θα 'πρεπε να 'χει κέφι. Θα 'πρεπε να 'χει χορό. Στην πραγματικότητα όμως της προκάλεσε ρίγος. Η ελπίδα ήταν τρομακτική, επειδή μπορούσε να είναι ψεύτικη. Ό,τι και να'ταν, εκεί μπροστά στα μάτια της, η Γη αναστήθηκε, απόδειξη χειροπιαστή ότι τουλάχιστον ο θεός με τ' όνομα αλλαγή, με τ' όνομα εποχή, με τ' όνομα στροφή του τροχού, την αγαπούσε. Αυτός, που είναι ο νυμφίος εκείνης που κάνει τα δέντρα να ανθίζουν και να καρπίζουν, που το ιερό του εργαλείο είναι το κλαδευτήρι.

Της είχαν πει οι γυναίκες με τις μπλε χάντρες και τα χρυσά περιβραχιόνια: φέρε τους καρπούς στο ιερό Της και Εκείνη θα τους ευλογήσει την ημέρα της Ανόδου Της. Τώρα όμως αναρωτήθηκε αν εννοούσαν πως θα έπρεπε να προσφέρει τα πάντα έτσι, ή αν θα 'πρεπε να είναι πιο συγκρατημένη με όλο αυτό –όλα αυτά τα γεννήματα από μια χρονιά της Αφροδίτης και όχι απλά μια χρονιά της Γης, γεννήματα που ξεπερνούν το μεμονωμένο κύκλο του πλανήτη μας, γεννήματα με τις ρίζες τους στο νερό που το λένε σεβντά, το αναίσχυντο πάθος, επιστρατευμένο από τη σκοτεινή κοιλάδα που έμοιαζε δίχως τέλος, τη σκοτεινή κοιλάδα που εδώ και τόσον καιρό περιδιάβαινε χωρίς αρκετό φως. Της φαινόταν κάπως σαν πόθος έξω απ'το μέτρο, ένα κατακλυσμιαίο ξεχείλισμα, σχεδόν ντροπιαστικό, όλοι αυτοί οι καρποί, όλη αυτή η ελπίδα, που τη φοβόταν, μα δεν μπορούσε και να τη θάψει.

Όμως, καθώς στεκόταν στην άκρη εκείνου του γιορταστικού τραπεζιού, βλέποντας πώς κοίλωνε στη μέση από το βάρος όλων αυτών που λάτρευε, όλων αυτών που την είχαν κρατήσει ζωντανή, όλων αυτών που είχαν θρέψει μια λαχτάρα βαθύτερη απ'όσο μπορούσε να καταλάβει, είδε πως, τελικά, δεν ήταν ούτε γάμος ούτε κηδεία. Ήταν κάτι άλλο. Δεν ήταν τραπέζι ανάγκης, αλλά Επιφάνιας και ετούτη η Άνοδος δεν ήταν προς τον ουρανό, αλλά ακριβώς μπροστά στα μάτια της, μέσα από το σκοτάδι και τις ρίζες προς τη σάρκα των καρπών του δέντρου με τις πέντε κορυφές που πότιζε όλον αυτό τον καιρό. Ακόμα δεν ήξερε τι σήμαινε, είδε όμως πως αυτή ήταν η ευλογία που της δόθηκε, αυτή η υπόσχεση: είχε γεννήσει μια κυψέλη και μπρος στα μάτια της η προσφορά αυτή θα γινόταν μέλι.

Το μέλι, της είπαν, φτιάχνεται στο σκοτάδι, στην κερήθρα. Δεν θα το ξέρεις ότι υπάρχει ως τη στιγμή που θα είναι έτοιμο. Δεν θα ξέρεις ότι είναι εκεί, ώσπου να βρεις το θάρρος να κοιτάξεις. Οπότε, ύψωσε τις δάδες από φλόμο πάνω από τις τόσες απώλειές σου και θα τις καλύψουμε με κερί, γιατί ήρθε η ώρα για φως.

Στην αρχή, μετά από μεγάλο ταξίδι
η Αφροδίτη αναδύθηκε από τη θάλασσα
που είχε φτιάξει για τον εαυτό της
Έστυψε τα μαλλιά της πάνω στην ακτή καθώς περπατούσε
Το νερό έσταζε χρυσαφένιο σαν μέλι απ'τα μεριά της καθώς περπατούσε
Σήκωσε την κτένα, το χτένι της, που είχε το σχήμα όστρακου
αυτό που χρησιμοποιούσε και για τις χρωματιστές κλωστές του κόσμου
και άρχισε να ξεμπερδεύει τα μαλλιά της ώσπου κάθε δέσμη τους άστραψε
Το βήμα της και τα μαλλιά της
και όλο αυτό το νερό που χυνόταν προς τη γη σαν χυμός
έστειλε ένα τραγούδι μέσα από το χώμα
που έλεγε:
τούτο να ξέρεις, γυναίκα
η αγάπη δεν μπορεί ποτέ να σε προδώσει

OCTOBER 2018

Venus retrograde (in the underworld)
Interior conjunction with the Sun

Gold sun and pale blue sea from my new porch the first morning in Crete. Everything drenched in light. Music from the old olive *fabrika* comes through my window at night. I sit on the balcony in the dark to listen. Boiled grape must from the *kazania*, sweet and yeasty and acrid. Evenings: the scent and warmth from copper stills. Olive-pit fires. Spent grape skins in big piles under the fruit trees. Pomegranates split open by hand, seeds across the tables in the starry dark, with raki hot from the *kazani.* Pomegranate; hot chestnut; hot meat; hot raki; repeat. Old hunters talking in Cretan dialect about hares and fish. Yellow crocuses open in the higher central mountains. The sea: teal blue, pearlescent. Sound of the first rain in the dark on the rooftops. Smell of wet stone, wet village, wet mountain: petrichor of Cretan pine, rockrose, *faskomilo*, thyme. One rockrose still blooms on the mountain, a crinkled, female pink.

Yellow Crocus

At daybreak, among the ruins
a woman sang of love
with an oil lamp in her hands
lighting the lost corridors
the memory of stored wine in *pithoi*
as fat and abundant as a Cretan spring
when the thyme flowers ring
with their hundred thousand bees

The woman sang a wound as deep
as the gorges of her country
sudden and sheer

A stone cast there
will echo like an endless cry
and the cry will echo like the longing
she had always been afraid to speak
for if spoken, could it ever be satisfied?

O deep throated chasm, O mother of stone

The mountains open impossibly
and rivers flow where they have settled
Water will find the deepest places grief makes

Among the ruined walls
her voice had no bottom
her lamp burned the oil
of her dead foremothers

Yellow crocuses clung
to the vertical stones above
the chasm, new after rain
they blossomed from nothing
from hard earth, from memory

When she sang
the chasm grew deeper
she might have fallen in
but for the crocus, yellow
as fresh honey, as sun

This was an answer to her hunger

The gorge rang with pollen

Among the ruined seal-maker's
workshops that her oil lamp lit
a cat played cruelly
with a dead lizard
The lost lightwell shone among
fallen mudbrick walls

Somebody from very long ago
heard her singing there
tasted the smoke from her lamp
resin of rockrose, resin of terebinth

A voice from among the
primordial workshops said—

you are just as vast
there is no chasm inside yourself
where you cannot go
make yourself the bell that echoes
with ecstasy the deeper it goes

In this, be sated
spill wine and oil down
the center of the floor
grief and ecstasy
hunger and satisfaction
they are both the wick and the fuel

You are neither
You are only the lamp
You are only the light
You are only the cupped palm

A yellow-throated crocus
sang of longing on the
edge of a great chasm at daybreak
and among the ruins, the woman
blew out the light and danced
in her own darkness
on the broken stones of the central court
holding out a cupped palm

Europa

They say it was Zeus who turned himself into a bull white as seafoam to steal away the one called Europa, daughter of Anatolia. They say his breath smelled of saffron crocus and his horns shone as strong and dark as onyx, and that one black line ran down his broad forehead between them. They say he leapt and tossed his great head along the shore among her father's fine herds where Europa often walked with her companions, hoping to catch her violet eye.

They say he succeeded in this. That she fawned over him, praising his size and beauty and gentleness. That she crowned his horns with a wreath of wild white lilies. That she climbed onto his back for the pure pleasure of it. Her dark thighs were wide and strong and open across him. Her heels hugged his flanks expertly. She raised her arms up as in dance, laughing.

They say he kicked his hooves in the tide then and plunged out to sea with her on his back, clinging to his flower-wreathed horns. They say she was his captive all the way to the shores of Crete. There they say he took her across great mountains dry with wild herbs, and over broad plateaus, to a cave where he forced her into his arms, a bull no longer, and took her for his own there in the slick dark of Earth's beginning.

They say her shame burned her. They say she bore three sons who became kings of Crete, one of them Minos of the labyrinth and the Minotaur.

But there is an older story. It was not Zeus of the thunderbolt, Zeus of a thousand abductions, Zeus the Sky Father, who came to Europa as a white bull on the shores of that hot eastern sea, who tossed his great head and caught her violet eye. It was only he who took the credit. No, it was one far older than Zeus in native worship and in name. A name from the lost language of the east. A name too potent to be spoken. A primordial name for bull and star.

And Europa was no innocent maiden playing with her girlish friends along her father's shore, but I, the one called by my people Broad-Face, Shining Moon and Deep Earth. He was my own lover. Bull of Rain, Rising Life, Guiding Star.

From my body come the seeds that swell in the soil with rain and moon.

It was I who showed the women of the fertile eastern river plains of Anatolia how to mother seeds as well as children. How to gather them at summer's height and save them for the coming season. How to sing over them and press them into new soft ground when the time was right, when the migrating birds and the first autumn wildflowers gave the signs. How to tend them until their gardens were heavy with shining wheat and barley, bean and lentil among the pomegranates, among the olives, among the wild greens and poppy flowers.

I taught them how to mother the wild goat and the little desert donkey, the wide-eyed heifer, the curly-horned sheep. As long as the seeds and the animals are in the hands of peace, I taught them, my gift is a blessing on you. But if what you know falls into the hands of war and want and greed, my blessing will become a slow and deadly curse across all the valleys of the world. For in war and want men and women forget that all is given from my body, that seeds and animals love freedom as much as humans do and must be treated daily as visitors who come bearing gifts. I taught them that what is taken by force will one day destroy you. To enslave breaks the sanctity of the circle—that circle from light to dark to light again—and burns the world.

In the stories of the ones who stole the name of Zeus across the lands of the Aegean and replaced him with their Sky God, it was said he took the bodies of ten thousand holy women, ten thousand nymphs and goddesses, as a harvest without supplication.

This is how they broke the ground of life and remade it in their own image.

But there is an older story for all ten thousand women, and I tell you mine as proof. Of how we shone in our sovereignty for ten thousand years before the coming of the ones who brought the new Zeus. How we sang across the four corners of the light sea, and through all the northern mountains, and hid our stories in the deepest dark of caves, between the stars, inside our monthly bleeding pain, inside the craters of the moon.

Their Zeus took credit for many things that were not his own, in order to cover up the powers far older and darker of root than his: the love of the moon for her holy bull, and how together they made the rain.

So it was not their Zeus in the tide that day but my wild horned one—Rising Life, Guiding Star.

Together we went across the sea to the west, to the shores of Crete. We went because our people went. Our people who whispered our names at their altars, who carved our likenesses into the stone, who painted clay vessels with the horns of consecration and the swelling moon.

I went with my women, who wreathed my image in wild lilies for safe passage. I went with my men, who held me in their hands when they cupped the moonlit water to pray for calm unchanging seas.

With his women the Bull of Rain went, strong as the old mountains of their childhood. His flank was a promise of shelter, protection, and heat. With his men my lover went: flesh of sacrifice, flesh of sustenance, virility of field.

Our people went with their donkeys and their goats and sheep, with milk cows and gold-eyed cats stowed away among the rope of their dugout cedar boats. The women carried seeds in their pockets and songs for rain in their blood. Europa, they sang, and followed the moon. Bull of Stars, they sang, and stroked the holy horns, and followed the V in the sky with its red bull's-eye.

The night the boats touched land at last after that long and dangerous journey, all the women of childbearing age—and a few who thought they were beyond it—conceived children there among the wild sea daffodils and sand.

My Bull ran snorting among the stony hills, then leapt on long strong legs of star and man to court the flowered plateaus with his desire. I lay with the hunters in the high pine forests of the Cretan mountains to learn the old language of the land. I showed them my breasts, my dark and shining thighs, as offerings of peace.

Oh goddess what is this you bring us they groaned between my dancing legs, tasting the moon, tasting new words and the oils of cedar, of lily, fingering the seeds I carried. They drank me, and I became theirs too, and gave them seed-keepers and honeybees for daughters, as they gave me little wild deer and owls and a hundred thousand dolphins for sons.

After a time I left. I went far north then, and north again, across islands on feet of moon-white foam, or riding the back of my Bull, into the mountains of a vaster mainland. I went with the wanderers among my people, those who whispered my name *Europa* to the moon, and to their seeds.

They called me with them across a thousand years, and then another, and across a thousand miles. In peace we settled, along river valleys and plains. The older hunting people watched from mountain forests. The women brought us baskets of wild nuts and sweet herbs, deerskins tanned over chestnut fires and amber beads as luminous as dawn.

We gave them shell necklaces white as the foam of our homeland, and new names for the moon. We gave the loyal donkey, the dancing barley, the virile bull among the tangled fields of vine and wheat, and clay vessels painted black and white and red with Earth's own symbols, among them mine—Europa who went barefoot on the back of her bull, over mountain peaks and through caves, all the way to the greenest, furthest north, where they sang our names among the standing stones and passage cairns.

And so it echoed, star to star, ringing off the horned moon: my body became the name of the land of ancient Europe. Not Europe the abducted daughter of Anatolia, not Zeus's conquest in a cave, but the moon's own light and the earth's own fecundity across all the lands of peace, from southern islands to northern, from west to east—so long as it was remembered that seed and donkey, olive tree and honeybee, vine and cow, were free and sovereign beings, and man and woman equal, made of rain and moon.

Οκτώβρης 2018

Η Αφροδίτη ανάδρομη
Η Αφροδίτη στον Κάτω Κόσμο
Εσωτερική σύνοδος με τον Ήλιο

Χρυσός ήλιος και η αχνογάλαζη θάλασσα από το καινούριο μου μπαλκόνι το πρώτο πρωινό. Λουσμένη στο φως. Μουσική από το παλιό λιοτρίβι, τη Φάμπρικα, μπαίνει από το παράθυρό μου τη νύχτα. Κάθομαι στο μπαλκόνι στο σκοτάδι για να ακούσω. Βρασμένος μούστος απ'τα σταφύλια στα ρακοκάζανα—γλύκα, μαγιά και αψάδα. Φωτιές με ελαιοπυρήνα. Λιωμένα φλούδια σταφυλιών σε μεγάλους σωρούς κάτω από τα φρουτόδεντρα. Ρόδια ανοιγμένα με τα χέρια, σπόρια πάνω στα τραπέζια μέσα στη αστροφώτιστη σκοτεινιά, με ρακή ζεστή απ'το καζάνι. Ρόδια˙ ζεστά κάστανα˙ ζεστό κρέας˙ ζεστή ρακή, επαναλάβατε. Οι γέροι κυνηγοί μιλάνε στα κρητικά για λαγούς και ψάρια. Κίτρινοι κρόκοι ανοίγουν στα ψηλότερα βουνά στο κέντρο του νησιού. Η θάλασσα: γλαυκή, ιριδίζουσα. Ήχος της πρώτης βροχής στο σκοτάδι πάνω στις στέγες. Μυρωδιά βρεγμένης πέτρας, βρεγμένου χωριού, βρεγμένου βουνού: πετριχώρ του κρητικού πεύκου, λαδανιά, φασκόμηλο, θυμάρι. Μια λαδανιά ανθίζει ακόμα στο βουνό, ένα ρυτιδιασμένο, θηλυκό ροζ.

Κίτρινος κρόκος

Το χάραμα, ανάμεσα στα ερείπια
μια γυναίκα τραγούδησε την αγάπη μ'ένα λυχνάρι
στα χέρια της, φωτίζοντας τους χαμένους
διαδρόμους, τη μνήμη του αποθηκευμένου κρασιού
μέσα σε πίθους χοντρούς και πλούσιους σαν κρητική άνοιξη
όταν τα θυμαρολούλουδα βουίζουν με
τις εκατό χιλιάδες μέλισσές τους.

Η γυναίκα τραγούδησε μια πληγή βαθειά
όσο τα φαράγγια του τόπου της
ξαφνική και απόκρημνη

Η πέτρα που πετιέται εκεί
θα αντηχεί σαν αέναη κραυγή
και η κραυγή θα αντηχεί σαν τη λαχτάρα
που πάντοτε φοβόταν να εκφράσει δυνατά
γιατί αν τη φανέρωνε, θα μπορούσε άραγε ποτέ να ικανοποιηθεί;

Ω βαθύλαιμο χάσμα, ω μάνα της πέτρας

Τα βουνά ανοίγονται αδιανόητα
και τα ποτάμια ρέουν εκεί που έχουν βολευτεί
Το νερό θα βρει τα πιο βαθιά σημεία που φτιάχνει η θλίψη
Ανάμεσα στους γκρεμισμένους τοίχους
η φωνή της δεν είχε πάτο
ο λύχνος της έκαιγε το λάδι
των νεκρών μανάδων της γενιάς της

Κίτρινοι κρόκοι αρπαγμένοι
από τις κάθετες πέτρες πάνω από το
χάσμα, καινούριοι μετά τη βροχή
άνθισαν απ' το τίποτα
απ' τη σκληρή γη, απ' τη μνήμη

Όποτε τραγουδούσε
το χάσμα όλο και βάθαινε
μπορεί και να'χε πέσει μέσα
αν δεν ήταν ο κρόκος, κίτρινος
σαν φρέσκο μέλι, σαν τον ήλιο

Αυτή ήταν μια απάντηση στην πείνα της

Το φαράγγι βούιζε γεμάτο γύρη

Μέσα στα διαλυμένα εργαστήρια των
σφραγιδολαξευτών που φώτιζε το λυχνάρι της
μια γάτα έπαιζε άπονα
με μια νεκρή σαύρα
Ο χαμένος φεγγίτης άστραφτε ανάμεσα
στους πεσμένους πλίνθινους τοίχους

Κάποιος από τα πολύ παλιά χρόνια
την άκουσε να τραγουδά εκεί
γεύτηκε τον καπνό του λυχναριού της
ρετσίνι λαδανιάς, ρετσίνι τζιτζιφιάς

Μια φωνή από τα
αρχέγονα εργαστήρια είπε—

είσαι το ίδιο απέραντη

δεν υπάρχει χάσμα μέσα σου
όπου να μην μπορείς να πας
κάνε τον εαυτό σου καμπάνα που αντηχεί
εκστατικά όσο βαθύτερα πάει

Μέσα σ'αυτό, κοίτα να νιώσεις πλησμονή
στάξε κρασί και λάδι κάτω
στο κέντρο του δαπέδου
θλίψη και έκσταση
πείνα και ικανοποίηση
είναι τα δυο φιτίλι και καύσιμο μαζί

Εσύ δεν είσαι τίποτα απ'τα δυο
Εσύ είσαι μόνο ο λύχνος
Εσύ είσαι μόνο το φως
Εσύ είσαι μόνο η κυρτωμένη χούφτα

Ένας κιτρινολαίμης κρόκος
τραγουδούσε τον πόθο πάνω στην
άκρη ενός μεγάλου χάσματος χαράματα
και ανάμεσα στα ερείπια, η γυναίκα
φύσηξε το φως να σβήσει και χόρεψε
την ίδια της τη σκοτεινιά
πάνω στις σπασμένες πέτρες της κεντρικής αυλής
απλώνοντας το χέρι με την κυρτωμένη χούφτα της

Ευρώπη

Λένε πως ήταν ο Δίας που μεταμορφώθηκε σε ταύρο λευκό σαν τον αφρό της θάλασσας για να κλέψει αυτήν που την έλεγαν Ευρώπη, την κόρη της Ανατολής. Λένε πως η ανάσα του μύριζε σαφράνι και πως τα κέρατά του άστραφταν δυνατά και σκοτεινά σαν τον όνυχα και πως μια μαύρη γραμμή κατέβαινε απ'το φαρδύ του μέτωπο ανάμεσά τους. Λένε πως χοροπηδούσε και τίναζε το μεγαλόπρεπο κεφάλι του ελπίζοντας να τραβήξει το βιολετί της βλέμμα, εκεί στην ακτή ανάμεσα στα εξαιρετικά κοπάδια του πατέρα της, όπου η Ευρώπη συχνά πήγαινε βόλτα με τις συντρόφισσές της.

Λένε πως το κατάφερε αυτό. Ότι τον γέμισε με χάδια, παινεύοντας το μέγεθος και την ομορφιά και τη μειλιχιότητά του, ότι του φόρεσε στα κέρατα στεφάνι από λευκά άγρια κρίνα, ότι σκαρφάλωσε στην πλάτη του, μόνο και μόνο για την καθαρή απόλαυση. Τα σκούρα λαγόνια της ήταν φαρδιά και ανοιχτά επάνω του, οι φτέρνες της αγκάλιασαν τα πλευρά του με γνώση. Ύψωσε τα χέρια της σαν να χόρευε, σαν σε επίκληση, γελώντας.

Λένε πως τίναξε τις οπλές του βουτώντας στην παλίρροια και όρμησε στην ανοιχτή θάλασσα κουβαλώντας την στην πλάτη του, αρπαγμένη από τα ανθοστεφανωμένα κέρατά του, κι έτσι έγινε πια αιχμάλωτή του για όλη την πορεία ως τις ακτές της Κρήτης. Εκεί, λένε πως την ταξίδεψε πάνω στα μεγάλα βουνά με τα άγρια βοτάνια και πάνω από τα ανοιχτά οροπέδια, ως μια σπηλιά, όπου την πήρε με τη βία στην αγκαλιά του, όχι ως ταύρος πια, και την έκανε δική του εκεί, πάνω στο γλιστερό σκοτάδι των απαρχών της γης.

Λένε πως η ντροπή της την έκαψε. Λένε πως γέννησε τρεις γιους, που έγιναν βασιλιάδες της Κρήτης, ο ένας τους ο Μίνωας του Λαβυρίνθου και του Μινώταυρου.

Υπάρχει όμως μια παλιότερη ιστορία. Δεν ήταν ο Δίας του κεραυνού, ο Δίας με τις χίλιες αποπλανήσεις, ο Δίας ο Πατέρας του Ουρανού, που πλησίασε την Ευρώπη σαν λευκός ταύρος στις ακτές εκείνης της ζεστής θάλασσας της Ανατολής, που τίναξε το μεγαλόπρεπο κεφάλι του και τράβηξε το βιολετί της βλέμμα. Απλώς αυτός πήρε όλους τους επαίνους. Όχι, ήταν κάποιος πολύ αρχαιότερος απ' το Δία, στην ντόπια λατρεία και στο όνομα, ένα όνομα απ'τη χαμένη γλώσσα της Ανατολής, ένα όνομα τόσο ισχυρό που δε λέγεται, όνομα αρχέγονο για τον ταύρο και το αστέρι˙ ούτε κι η Ευρώπη ήταν καμιά αγαθή παιδούλα που έπαιζε με την κοριτσοπαρέα της στην ακτή του πατέρα της— ήμουν εγώ, που οι άνθρωποί μου με λένε Πλατυπρόσωπη, Λαμπρή Σελήνη και Βαθειά Γη και εκείνος ήταν ο καταδικός μου εραστής. Ταύρος της Βροχής, Ζωή Αναδυόμενη, Αστέρι Οδηγός.

Απ'το κορμί μου προέρχονται οι σπόροι που φουσκώνουν στο χώμα με τη βροχή και τη σελήνη.

Εγώ ήμουν αυτή που έδειξε στις γυναίκες των γόνιμων ποταμίσιων κοιλάδων της Ανατολίας πώς να πιάνουν σπόρους όπως και παιδιά: πώς να τους συλλέγουν το μεσοκαλόκαιρο και να τους φυλάνε για την επόμενη εποχή˙ πώς να τους τραγουδάνε και πώς να τους πατούν μέσα στο φρέσκο μαλακό χώμα όταν ήταν η σωστή ώρα, όταν τα μεταναστευτικά πουλιά και τα πρώτα αγριολούλουδα του φθινοπώρου έδιναν τα σημάδια˙ πώς να τα φροντίζουν ώσπου οι κήποι τους να φορτωθούν με λαμπερό σιτάρι και κριθάρι, φασόλια και φακές, ανάμεσα στις ροδιές, ανάμεσα στις ελιές, ανάμεσα στα άγρια χόρτα και στις παπαρούνες.

Τους έμαθα πώς να θρέφουν το αγριοκάτσικο και το γαϊδουράκι της ερήμου, τη γουρλομάτα δαμάλα, το στριφτοκέρατο πρόβατο. Όσο οι σπόροι και τα ζωντανά θα βρίσκονται στα χέρια της ειρήνης, αυτό τους δίδαξα, τότε το δώρο μου θα'ναι ευλογία για σας. Αλλά, αν όλα αυτά που ξέρετε πέσουν στα χέρια του πολέμου, της ανέχειας και της απληστίας, τότε η ευλογία μου θα μεταμορφωθεί σε μιαν αργή, θανατερή κατάρα και θ'απλωθεί σε όλες τις κοιλάδες του πλανήτη. Επειδή στον πόλεμο και στην ανέχεια, άντρες και γυναίκες ξεχνούν πως τα πάντα είναι δοσμένα μέσα από το σώμα μου, πως οι σπόροι και τα ζώα αγαπούν την ελευθερία τους το ίδιο όσο και οι άνθρωποι, και πως πρέπει να τα βλέπουμε κάθε μέρα σαν μουσαφίρηδες που φέρνουν μαζί τους δώρα. Τους έμαθα πως, ό,τι αρπάζεται με τη βία, μια μέρα θα σε καταστρέψει. Η υποδούλωση διαρρηγνύει την ιερότητα του κύκλου –αυτού του κύκλου από το φως στο σκοτάδι και πάλι στο φως— και ρίχνει τον κόσμο στις φλόγες.

Στις ιστορίες εκείνων που έκλεψαν το όνομα του Δία και το διέσπειραν σε όλες τις χώρες του Αιγαίου και τον αντικατέστησαν με τον Ουράνιο Θεό τους, αυτός πήρε τα σώματα δέκα χιλιάδων άγιων γυναικών, δέκα χιλιάδων νυμφών και θεαινών, σαν συγκομιδή χωρίς δέηση: δέκα χιλιάδες σπόροι που εξαναγκάστηκαν βίαια στην υποδούλωση.

Έτσι λοιπόν χάλασαν το χώμα της ζωής και το ξανάπλασαν κατ' εικόνα και ομοίωσή τους.

Όμως υπάρχει μια παλιότερη ιστορία για όλες αυτές τις δέκα χιλιάδες γυναίκες, και θα σας διηγηθώ την δική μου ως απόδειξη. Θα σας μιλήσω για το πώς αστράφταμε αυτεξούσιες για δέκα χιλιάδες χρόνια, πριν την έλευση εκείνων που τον αποκαλούσαν Δία. Για το πώς τραγουδούσαμε στις τέσσερεις γωνιές αυτής της φωτεινής θάλασσας, και μέσα από όλα τα βουνά του Βορρά και πώς κρύβαμε τις ιστορίες μας στα πιο μύχια σκοτάδια των σπηλαίων, ανάμεσα στ'αστέρια, μέσα στον πόνο της αιμορραγίας των έμμηνών μας, μέσα στους κρατήρες της σελήνης.

Ο Δίας τους έδρεψε δάφνες για πολλά πράγματα που δεν ήτανε δικά του, κι αυτό για την απόκρυψη δυνάμεων πολύ αρχαιότερων και πιο σκοτεινών στη ρίζα τους από τον ίδιο: την αγάπη της σελήνης για τον ιερό της ταύρο και το πώς μαζί έφτιαχναν τη βροχή.

Έτσι, δεν ήταν ο Δίας τους στην παλίρροια εκείνη τη μέρα, αλλά ο άγριος κερασφόρος μου –η Ζωή Αναδυόμενη, το Αστέρι Οδηγός.

Μαζί περάσαμε μέσα απ'το θαλασσόφως προς τη Δύση, προς τις ακτές της Κρήτης. Πήγαμε, επειδή πήγε ο λαός μας, ο λαός που ψιθύριζε τα ονόματά μας στους βωμούς του, ο λαός που σκάλιζε ομοιώματά μας στην πέτρα, που ζωγράφιζε κέρατα καθοσίωσης και τη σελήνη στη γέμιση πάνω σε πήλινα δοχεία.

Πήγα με τις γυναίκες μου, που στεφάνωσαν στην εικόνα μου με άγρια κρίνα, για να'ναι το πέρασμα ασφαλές. Πήγα με τους άντρες μου, που με κρατούσαν στα χέρια τους καθώς μάζευαν το φεγγαρόλουστο νερό στις κυρτωμένες χούφτες τους για να προσευχηθούν να παραμείνουν ήσυχες κι απαράλλαχτες οι θάλασσες.

Τις γυναίκες του ακολούθησε ο Ταύρος της Βροχής, δυνατός, σαν τα αρχαία βουνά της παιδικής τους ηλικίας, με κέρατα σταθερά σαν το άστρο. Τα πλευρά του ήταν υπόσχεση για καταφύγιο, για προστασία και ζέστη. Με τους άντρες του ο εραστής μου πήγε: σάρκα θυσίας, σάρκα για θρέψη, σφρίγος στα χωράφια.

Οι άνθρωποί μας πήγαν με τα γαϊδούρια τους και τις κατσίκες και τα πρόβατά τους, με αγελάδες για το γάλα τους και χρυσομάτες γάτες που τις μετέφεραν προφυλαγμένες μέσα στα σκοινιά των λαξευτών κέδρινων σκαφών τους. Οι γυναίκες κουβαλούσαν σπόρους στις τσέπες τους και τραγούδια για τη βροχή μέσα στο αίμα τους. Ευρώπη, τραγουδούσαν, και ακολουθούσαν τη σελήνη. Ταύρε των Άστρων, τραγουδούσαν, και χάιδευαν τα ιερά κέρατα, και ακολουθούσαν το V στον ουρανό με το κόκκινο ταυρίσιο μάτι του στο κέντρο.

Τη νύχτα που τα πλοία έπιασαν στεριά, μετά απ' αυτό το μακρύ και επικίνδυνο ταξίδι, όλες οι γυναίκες σε ηλικία τεκνοποιίας –και μερικές που νόμιζαν πως την είχαν ξεπεράσει—έπιασαν παιδί εκεί, ανάμεσα στα άγρια κρινάκια της θάλασσας, πάνω στην άμμο.

Ο ταύρος μου κάλπαζε ξεφυσώντας ανάμεσα στους βραχώδεις λόφους, μετά πήδηξε πάνω στα μακριά δυνατά πόδια του από άστρα κι από άντρα, για να κορτάρει τα λουλουδιασμένα οροπέδια με τον πόθο του. Πλάγιασα με τους κυνηγούς από τα δάση των κωνοφόρων ψηλά στα Κρητικά βουνά για να μάθω την αρχαία γλώσσα του τόπου. Τους έδειξα τα στήθια μου, τα μελαμψά γυαλιστερά γοφιά μου, ως προσφορές ειρήνης.

Ω Θεά, τι είναι αυτό που μας φέρνεις, βογκούσαν ανάμεσα στα σκέλια μου που χόρευαν, καθώς γεύονταν το φεγγάρι, γεύονταν νέες λέξεις και τα έλαια του κέδρου, του κρίνου, ψηλάφιζαν τους σπόρους που κουβαλούσα. Με έπιναν, αλλά κι εγώ γινόμουνα δική τους, και τους χάριζα φύλακες των σπόρων και μέλισσες για κόρες, ενώ αυτοί μου χάριζαν άγρια ελαφάκια και κουκουβάγιες και εκατό χιλιάδες δελφίνια για γιους.

Μετά από λίγο έφυγα. Τράβηξα πέρα μακριά, στο Βορρά τότε, κι ύστερα ακόμα πιο βόρεια, διέσχισα νησιά με τα πόδια τους βουτηγμένα σε φεγγαρόλευκο αφρό, ή καβάλα στη ράχη του Αστέριου του δικού μου, του Ταύρου μου, πάνω από τα βουνά μιας πιο απέραντης ενδοχώρας. Πήγα μαζί με τον περιπλανώμενο λαό μου, μ'εκείνους που ψιθύριζαν το όνομά μου, Ευρώπη, στη σελήνη και στους σπόρους τους.

Με προσκάλεσαν στο πλάι τους για χίλια ολόκληρα χρόνια, κι ύστερα γι' άλλα χίλια και μέσα σε χίλια μίλια έκτασης. Ειρηνικά στήναμε οικισμούς κατά μήκος ποταμών, σε κοιλάδες και πεδιάδες. Οι παλιότεροι λαοί των κυνηγών παρακολουθούσαν από τα δάση των βουνών. Οι γυναίκες μάς έφερναν καλάθια με άγριους ξηρούς καρπούς και γλυκά βότανα, ελαφοτόμαρα αποξηραμένα πάνω από φωτιές με καστανόξυλο και κεχριμπαριένες χάντρες φωτεινές σαν την αυγή.

Εμείς τους δώσαμε περιδέραια από κοχύλια λευκά σαν τον αφρό της θάλασσας του τόπου μας, και καινούρια ονόματα για τη σελήνη. Τους δώσαμε το πιστό γαϊδούρι, το κριθάρι που χορεύει, τον σφριγηλό ταύρο μέσα στα χωράφια με τα μπλεγμένα κλήματα και το σιτάρι, και πήλινα δοχεία βαμμένα μαύρα και άσπρα και κόκκινα, με τα ίδια τα σύμβολα της γης, κι ανάμεσά τους το δικό μου –η Ευρώπη που, ξυπόλητη στην πλάτη του ταύρου της, πέρασε πάνω από βουνοκορφές και μέσα από σπηλιές, κι έφτασε με τα πολλά στον καταπράσινο, στον πιο απόμακρο Βορρά, όπου τραγουδούσαν τα ονόματά μας ανάμεσα στις όρθιες πέτρες και τα μεγαλιθικά καιρν.

Έτσι πέρασε η ηχώ, από άστρο σε άστρο, αντιλαλώντας πάνω στην κερασφόρα σελήνη: το σώμα μου έγινε το όνομα της γης της αρχαίας Ευρώπης. Όχι της Ευρώπης της απαχθείσας κόρης της Ανατολίας, όχι της κατάκτησης του Δία στη σπηλιά, αλλά το φως της ίδιας της σελήνης και της γονιμότητας της ίδιας της γης σε όλες τις εκτάσεις της ειρήνης, από τα νοτιότερα νησιά ως τα βορειότερα, από τη δύση ως την ανατολή—για όσο δεν ξεχνιόταν πως ο σπόρος και το γαϊδούρι, η ελιά και η μέλισσα, το αμπέλι και η αγελάδα ήταν ελεύθερα και αυτεξούσια πλάσματα και ο άντρας κι η γυναίκα ίσοι, φτιαγμένοι από βροχή κι από σελήνη.

NOVEMBER 2018

Heliacal rise of Venus as Morning Star
Venus conjunct Moon
Venus stations direct conjunct Spica

Ripeness of the first lemons. Olive leaves, rockrose and sage for tea. The color of lichen knocked from the stones in the first thunderstorm: palest milk-green. Most days at some point I lay down on the cold kitchen floor and cry. The day of Agios Giorgos when the first bottles of summer's wine are opened. They taste light, sour, ruby-bright. Soup of fresh-caught fish from down the cliffs, and lemon. Driving home on the cliff roads, clutching the wheel, hares leaping in the dark. Lettuce fields in the first rain. Scent of white juice from cutting lettuce in the cold dusk. Acorns on the ground, the little holm oak ones, and the fatter ones. Rainbows that rise out of the sea daily. *Petimezi,* grape molasses in a little shot glass on the gardener's porch. Carob syrup too, rich as sex. Afternoon rain, upstairs in the bedroom with the heat on. Juniper berries from Gournia and smoke from their boughs in the morning house. Fallen plane leaves underfoot in the gorge as we walk in the wind. Black tea with sheep milk and lute song filling my whole house.

Deep Woman

1.

O goat mother Amalthea who suckled the infant god
O bee nurses who raised him on pine honey in the mountains
O Aphrodite, your temple still rings the old copper sound
of love between the fallen stones
Vulval spring, wild mint, long stone of luck and absolution
Underground a hundred thousand prayers coil, snakes made of honey
And there is a spring deep and tranquil in the lapis dark

It was there I left the side of his boat at last
I let go with both hands and saw it take on its own speed
That barque of cedar and girlhood where we lay entwined
Through the valley of darkness it passed, beneath the ground
Beneath the ruined stones of the temple that shine still
with the old ecstasies, the light inside the beeswing
There it passed
There I let go

What he was to me, what I was to him, embalmed
in honey, covered in crocus
together on the unseen river of the dead
Beneath the great kermes oak, beneath the mountains
and their burial caves, beneath the ringing country of bees and broad sea
I let go with both hands until I could no longer see the vessel
Only my sorrow
Only my sorrow

Only the bottomless country of my sorrow
rimmed with bees and the white flowers of mourning

Hail, lovers, where you go beyond the beyond
Hail

I remained behind, among the stones, without him
The air filled with goat bells and the high cries
of newborn kids, so small they were still velvet
their voices the voices of small children
their legs knobbed, clumsy-hoofed, smudged still with the divine

Amalthea, patient mother of the infant shepherd's god
Melissa, honey-keeper, guardian of newborn souls
Was the god nothing more than a newborn goat, held to the breast
of a woman who mourned there beneath the kermes oak
in the valley of the temple of Aphrodite?

How tender his little furred knees, his opalescent hooves
His ears as small and soft as the dittany leaves

Hold the newborn light, let go the barque

He received her tears

2.

Deep woman in the song of myself
Deep woman in the gorge where running water makes the three tones of renewal
Deep woman with eyes that have witnessed the soft center inside a star the moment its heart broke

All the sky could not hold together that breaking, nor attend to that hurt, soft as when the center of a sea urchin, normally protected in purple thorns, is suddenly exposed to all the sea
Deep woman where the wild mint grows, where the fig trees flourish, there where the springs in the earth do not run dry

Deep woman who took me down to the place where the springs began, where weeping is a country with no bottom, where the rivers of the dead run

Deep woman with sea daffodils offered white in her hands at the place of loss, and the first autumn crocus, also white, but etched with purple lines like the words of the letters that will never be written that way to a man again

never again, never again, never again sings the song of myself in the deep gorge where the waters of renewal ring three tones into three different stone pools

Deep woman took me there, to the edge of the chasm, and pushed

I fall through the terrible darkness, terrible as the exposed centers of sea urchins, the unfathomable vulnerability in the star, letting him go I fall through darkness as if falling into the very center of myself, collapsing inward with some centrifugal force, back to my origin, before I loved him, as if moving backward in time, gathering our love to me like resin that has hardened to precious stone, and yet it is not back but forward I spin

Deep woman I fall, I drift in darkness, in the small craft of myself, with a low, long ululation at the root of my body like a woman giving birth, like a woman burying the dead, one voice bleeds into the next and it is not clear which is mine, which I am, only the note of pain and of release does not end, it rings on and on, it is the tone at the center of the vortex, that centrifugal place where stars collapse and renew themselves

Deep woman, I cup my hands in the spring at the bottom of the gorge where you have led me, where I have led myself. Here what is below the water is as deep as what is above the water, and I cannot tell which is underworld and which is sky. I was always here, even as I fell, here at the spring of beginning, at the spring of ending, at the spring where the wild mint grows, and the fig drops yellow leaves, and the water announces life despite all loss, despite the unending ululation where I have been broken open and asked to hold the softest, most vulnerable part of myself out into the darkness, alone, alone again without him, alone as I have never been alone, and yet returned, centrifugal, to what I am

Deep woman, at the bottom of weeping, at the bottom of darkness, where you thought there could be no bottom, is ground. Deep woman who has fallen through three worlds marked by the three tones that the mourning birthing water rings, your falling without bottom called the bottom forth

There I am. A quiet field watered by the deep spring. The gorge made it. My falling made it, gathering three worlds with me as I fell, until ground was made

Deep woman emerging, rest now in the gentle valley where the gorge begins
Deep woman among the squash vines, among the orange trees, among the garden rows where three ridges come together, and the plane trees sway, and the old oaks still grow, heavy with birdsong after rain

Deep woman there is a small stone house, a sky full of stars, the memory of the last sweet summer melons, the green growing pumpkin, the pink amaranth, a pomegranate yellow-leafed with autumn, a warm hearth, a seam of clay in the ground's bed, an old song to warm the whole night, and your hands full of seeds

Deep woman, you called forth the ground with your weeping. Deep woman you made the ground when you leapt. Deep woman, this soft heart is my song

Thunder, Rain, Rockrose

O Muse of resin,
Rockrose, terebinth, pine
In the clay vessel wreathed with embers
I will heat the leaves and make an oil
Bees are coming over the mountain, dancing for the thyme
drinking water from the currents the rain has made
O wine of ancient grapes, the ones given to Dionysos by
the mountain women who could touch a stone and call forth honey
Does redemption taste like this—
purple sun and heat, small fruit, bright tongue?

Long ago I woke from a dream beside my lover
and called him honey river
Where has that river gone
and what river is it I stand by now, without him?

The sky is washed with heavy clouds
Some carry thunder
The sound shakes my breast
the way sudden loss does
When the thunder comes, it is as if
it is coming from inside the mountain
and not inside the sky
as if suddenly all the earth
will shake loose: limestone and sage and rockrose,
thyme, wild pear, flint, olive, kermes oak,
and go surging down toward the sea

So too, losing him, my life is the thunder inside the mountain
The stones letting go, a new topography out of landslide

After such ravages, it is a miracle:
Here the rockrose still grows, my oldest name
Oil of the earth, oil of the one called Aphrodite

Inside the thunder I go gathering leaves until my hands are full of resin
I run all the way home in the terrible cacophony, in the rain
This resin was the scent of my body before everything
When I loved a hundred lifetimes ago,
When I saw my name inside the clay vessel, hot with aromatic oil
Inside the spider's web, inside the autumn stars, and knew already
how I would have to let him go

Thunder in the mountain
Rain, rockrose

Even in such ruin, I have glimpsed an old lute song in embers
Someone has made me wine from the holy stones
beneath the thunder in the season of drought
The mountain is falling, there is no ground in sight
But I am offered a cup overflowing
So even in greatest sorrow, some benevolence intervenes
and presses forth a dusky light

I do not know if love will never again be so singular or so human
Thunder broke the mountain
The river of honey flows in another land
My loving is veined through stones now
Through rain, through holy oil offered to the gods
No longer a straight line from birth to death
but the spider's web, the way the stars are lettered

and the moon spells, pinned from light to light
from root to root, sharp with shattering

Daub here that oil: musk of rockrose, terebinth and pine
Behold, even in the smoke of agony, you are dancing still
Hail, it is life

Νοέμβριος 2018

Ηλιακή άνοδος της Αφροδίτης ως Πούλιας
Η Αφροδίτη σε σύνοδο με τη Σελήνη
Η Αφροδίτη κάνει παύση σε ευθεία σύνοδο με τον Σπίκα

Ωριμάζουν τα πρώτα λεμόνια. Φύλλα ελιάς, λαδανιά και φασκόμηλο για τσάι. Το χρώμα των βρύων που ξεκόλλησε με την πρώτη καταιγίδα από τα βράχια: το πιο χλωμό γαλακτερό πράσινο απ'όλα. Η ημέρα του Άη-Γιώργη, όταν ανοίγονται τα πρώτα μπουκάλια από το κρασί του καλοκαιριού. Γεύση ελαφριά, ξινή, λαμπερό ρουμπινί. Ψαρόσουπα από φρεσκοπιασμένα ψάρια κάτω από τους ίδιους αυτούς λόφους, και λεμόνι. Χωράφια με μαρούλια με την πρώτη βροχή. Μυρωδιά λευκού χυμού από το κόψιμο των μαρουλιών στο κρύο σούρουπο. Βελανίδια στο χώμα, εκείνα τα μικρά του πρίνου και τα πιο χοντρουλά. Ουράνια τόξα που ανέρχονται καθημερινά από τη θάλασσα. Πετιμέζι, μελάσα από σταφύλι, μέσα σε ρακοπότηρο. Και χαρουπόμελο, πλούσιο σαν το σεξ. Απογευματινή βροχή, επάνω, στο υπνοδωμάτιο με τη θέρμανση αναμμένη. Κεδρόμηλα από τα Γουρνιά και καπνός από τα κλαδιά τους στο πρωινό σπίτι. Πεσμένα πλατανόφυλλα κάτω απ'τα πόδια μας στο φαράγγι. Μαύρο τσάι με κατσικίσιο γάλα και το τραγούδι του λαούτου ξαφνικά να γεμίζει ολόκληρο το σπίτι μου.

Γυναίκα Βαθειά

1.

Ω, κατσίκα μάνα Αμάλθεια, που βύζαξες το θεϊκό βρέφος
Ω, μέλισσες τροφοί, που με πευκόμελο στα βουνά τον θρέψατε
Ω, Αφροδίτη, ο ναός σου ακόμα αντηχεί τον παλιό χάλκινο ήχο
της αγάπης ανάμεσα στις πεσμένες πέτρες
Της μήτρας άνοιξη, άγρια μέντα, πέτρα μακρόστενη της τύχης
και της άφεσης
Υπόγεια εκατό χιλιάδες προσευχές κουλουριάζονται,
φίδια φτιαγμένα από μέλι
Και υπάρχει μία πηγή βαθειά και ήσυχη μες στο σκοτάδι του λαζουρίτη

Εκεί ήταν που άφησα την κουπαστή της βάρκας του επιτέλους
Την άφησα και με τα δυο μου χέρια και την είδα να πιάνει
τη δική της ταχύτητα
Αυτή η βάρκα από κεδρόξυλο και κοριτσίστικα νιάτα,
όπου πλαγιάσαμε περιπλεγμένοι
Μέσα από την κοιλάδα του σκότους πέρασε, κάτω απ' το έδαφος
Κάτω από τις κατεστραμμένες πέτρες του ναού που ακόμα λάμπουν
με την παλιά τους έκσταση, το φως μέσα στην κερήθρα.
Εκεί τελείωσε. Εκεί την άφησα.

Τι ήταν αυτός για μένα, τι ήμουν εγώ γι'αυτόν, ταριχευμένοι
Στο μέλι, καλυμμένοι με κρόκους
μαζί στον αθέατο ποταμό των νεκρών
Κάτω από τη μεγάλη βελανιδιά, κάτω από τα βουνά
και τις σπηλιές που θάβαν τους νεκρούς, κάτω από την πολύβουη χώρα
των μελισσών και της ανοιχτής θάλασσας

Την άφησα και με τα δυο μου χέρια, ώσπου να μην μπορώ πια
να δω το σκάφος
Μόνο τη θλίψη μου
Μόνο τη θλίψη μου
Μόνο την απύθμενη χώρα της θλίψης μου
που έχει στο χείλος μέλισσες και τα λευκά λουλούδια του πένθους

Χαίρε στους εραστές, εκεί που περνούν πέρα από το πέρα. Χαίρε.

Εγώ έμεινα πίσω, ανάμεσα στις πέτρες, χωρίς αυτόν
Ο αέρας γεμάτος με τα κουδούνια των κατσικιών και τις ψιλές κραυγούλες
των νιογέννητων, τόσο μικρά που ήταν ακόμα βελουδένια
οι φωνούλες τους, φωνές μικρών παιδιών
τα πόδια τους όλο κότσια, να μπουρδουκλώνουν τις οπλές τους, ακόμα
έχοντας επάνω στην προβιά τους τον λεκέ του θεϊκού

Αμάλθεια, υπομονετική μητέρα του ποιμένα θεού σαν ήταν βρέφος
Μέλισσα, φύλακας του μελιού, φρουρός των νεογέννητων ψυχών
Να ήταν άραγε ο θεός απλά και μόνο ένα νιογέννητο κατσίκι, που
το'σφιγγε στο στήθος της
γυναίκα, θρηνώντας εδώ, κάτω από τις βελανιδιές
στην κοιλάδα του ναού της Αφροδίτης;

Τι τρυφερά τα μικρούλια χνουδωτά γονατάκια του, οι οπάλινες οπλές του
Τα αυτάκια του, μικρά και απαλά σαν φύλλα δίκταμου

Κράτα το νιογέννητο φως, άσε τη βάρκα να φύγει

Εκείνος δέχτηκε τα δάκρυά της.

2.

Βαθειά γυναίκα στο τραγούδι του εαυτού μου
Βαθειά γυναίκα μες στο φαράγγι όπου τρεχούμενο νερό βγάζει τις τρεις νότες της ανανέωσης
Βαθειά γυναίκα με μάτια που έχουν δει τα ίδια το απαλό κέντρο μέσα σ'ένα αστέρι τη στιγμή που έσπαγε η καρδιά του

Όλος ο ουρανός δεν μπορούσε να συγκρατήσει εκείνο το σπάσιμο, ούτε να προστρέξει εκείνο τον πόνο, απαλό σαν το κέντρο του αχινού, που προστατεύεται, συνήθως, με τα μαβιά αγκάθια του και ξαφνικά εκτίθεται στη θάλασσα όλη
Βαθειά γυναίκα, εκεί που φυτρώνει η άγρια μέντα, εκεί που ευδοκιμούν οι συκιές, εκεί όπου οι πηγές της γης δεν στερεύουν ποτέ

Βαθειά γυναίκα, που με πήγε κάτω, στον τόπο όπου γεννήθηκαν οι πηγές, όπου ο θρήνος είναι μια απύθμενη χώρα, όπου οι ποταμοί των νεκρών κυλούν

Βαθειά γυναίκα με θαλασσινά κρινάκια που της προσφέρθηκαν στα χέρια στη θέση της απώλειας, και ο πρώτος φθινοπωριάτικος κρόκος, λευκός κι αυτός, μα χαραγμένος από βιολετί γραμμές, όπως οι λέξεις των γραμμάτων που δεν θα γραφτούν ποτέ ξανά σε άντρα έτσι

ποτέ ξανά, ποτέ ξανά, ποτέ ξανά τραγουδάει το τραγούδι του εαυτού μου μέσα στο βαθύ φαράγγι όπου τα νερά της ανανέωσης βγάζουν τις τρεις νότες κυλώντας μέσα σε τρεις διαφορετικές λιθοδεξαμενές.

Βαθειά γυναίκα, με πήρε εκεί, στην άκρη του γκρεμού, και μ'έσπρωξε

Πέφτω μέσα από το πονεμένο, τρομερό σκοτάδι, τρομερό σαν το διανοιγμένο κέντρο του αχινού, αυτή την αδιανόητη ευαλωτότητα μέσα στο αστέρι, αφήνοντάς τον να φύγει, πέφτω μέσα στο σκοτάδι σαν να πέφτω στο ίδιο το κέντρο του εαυτού μου, καταρρέω προς τα μέσα με μια παράξενη φυγόκεντρο δύναμη, πίσω στις απαρχές μου, πριν να τον αγαπήσω, σαν να κινούμαι ανάποδα στο χρόνο, συγκεντρώνοντας την αγάπη μας πάνω μου, σαν ρετσίνι που σκλήρυνε σε πολύτιμο λίθο, κι όμως δεν είναι προς τα πίσω, αλλά προς τα εμπρός που στροβιλίζομαι

Βαθειά γυναίκα πέφτω, πλέω στο σκότος, μέσα στο μικρό σκάφος του εαυτού μου, με μια χαμηλόφωνη μακρόσυρτη ολολυγή στη ρίζα του κορμιού μου, σαν γυναίκα που γεννάει, σαν γυναίκα που θάβει νεκρούς, μια φωνή που στάζει αίμα μες στην επόμενη και δεν είναι ξεκάθαρο ποια είναι η δική μου, ποια είμαι εγώ, μόνο η νότα του πόνου και της απαλλαγής δεν τελειώνει, συνεχίζει ασταμάτητα να κουδουνίζει, είναι η νότα στο κέντρο του στροβίλου, αυτόν το φυγόκεντρο τόπο όπου τα αστέρια καταρρέουν και αναπλάθονται.

Βαθειά γυναίκα, κυρτώνω τα χέρια μου μέσα στην πηγή στο βάθος του φαραγγιού, εκεί που με οδήγησες, εκεί που με οδήγησα εγώ. Εδώ ό,τι είναι κάτω απ'το νερό είναι το ίδιο βαθύ όσο και ό,τι είναι από πάνω, κι εγώ δεν μπορώ να καταλάβω ποιος είναι ο κάτω κόσμος και ποιος είναι ο ουρανός. Πάντα ήμουν εδώ, ακόμα και καθώς έπεφτα, εδώ στην άνοιξη της αρχής, στην άνοιξη του τέλους, και στην άνοιξη που φυτρώνει η άγρια μέντα και η συκιά ρίχνει τα κίτρινα φύλλα της, και το νερό ανακοινώνει τη ζωή παρά τις απώλειες, παρά την ατέρμονη ολολυγή στο σημείο που έσπασα κι άνοιξα, εκεί που μου ζητήθηκε να προσφέρω το πιο απαλό, το πιο ευάλωτο κομμάτι του εαυτού μου στο σκοτάδι, μόνη, μόνη ξανά, χωρίς αυτόν, μόνη όσο δεν έχω υπάρξει ποτέ, έχοντας όμως επιστρέψει, φυγόκεντρη, σ'αυτό που είμαι.

Βαθειά γυναίκα, στον πυθμένα του θρήνου, στον πυθμένα του σκότους, εκεί που πίστευες πως πυθμένας δεν υπάρχει, υπάρχει έδαφος. Βαθειά γυναίκα, που έχει πέσει μέσα από τους τρεις κόσμους που σηματοδοτούν οι τρεις νότες που αντηχεί το νερό που θρηνώντας γεννά, η απύθμενη πτώση σου που κάλεσε τον πυθμένα να φανεί.

Εκεί είμαι. Ένα ήσυχο λιβάδι ποτισμένο από βαθειά πηγή. Το φαράγγι το έφτιαξε. Η πτώση μου το έφτιαξε, οι τρεις κόσμοι που συγκέντρωσα μέσα μου καθώς έπεφτα, ώσπου φτιάχτηκε έδαφος.

Βαθειά γυναίκα αναδυόμενη, ξεκουράσου τώρα στην ήμερη κοιλάδα, εκεί που ξεκινά το φαράγγι.
Βαθειά γυναίκα, ανάμεσα στις κληματσίδες της κολοκυθιάς, ανάμεσα στις πορτοκαλιές, ανάμεσα στα αυλάκια του κήπου όπου συναντιούνται τρεις οροσειρές και τα πλατάνια γέρνουν στον άνεμο και οι παλιές βελανιδιές ακόμα μεγαλώνουν, βαριές από τα τιτιβίσματα μετά τη βροχή.

Βαθειά γυναίκα, υπάρχει ένα μικρό πέτρινο σπίτι, ένας ουρανός γεμάτος άστρα, η ανάμνηση από τα τελευταία γλυκά καλοκαιρινά πεπόνια, η πράσινη κολοκύθα που μεγαλώνει, ο ρόδινος αμάραντος, μια ροδιά κιτρινισμένη απ'το φθινόπωρο, μια ζεστή παραστιά, ένα κορδόνι από πηλό στο κρεβάτι χάμω, ένα παλιό τραγούδι να σου ζεσταίνει τη νύχτα όλη, και τα χέρια σου γεμάτα σπόρους.

Βαθειά γυναίκα, εσύ κάλεσες το έδαφος να φανεί μέσα απ'το θρήνο σου. Βαθειά γυναίκα, εσύ έφτιαξες το έδαφος με τα άλματά σου. Βαθειά γυναίκα, αυτή η τρυφερή καρδιά είναι το τραγούδι μου.

Βροντή, Βροχή, Ρόδο του Βράχου (Λαδανιά)

Ω Μούσα του ρετσινιού,
Λαδανιά, σκίνος, πεύκο
Μέσα στο πήλινο δοχείο, στεφανωμένο με τη χόβολη
Εγώ θα θερμάνω τα φύλλα και θα φτιάξω ένα λάδι
Οι μέλισσες έρχονται πάνω από το βουνό, χορεύοντας για το θυμάρι
Πίνοντας νερό από τα ρυάκια που έφτιαξε η βροχή
Ω κρασί αρχαίων σταφυλιών, αυτών που δόθηκαν στο Διόνυσο από
τις ορεσίβιες γυναίκες, που άγγιζαν πέτρα κι έβγαζαν το μέλι
Έτσι μυρίζει άραγε η άφεση—
πορφυρός ήλιος και κάψα, μικρά φρούτα, λαμπερή γλώσσα

Πριν πολύ καιρό, ξύπνησα από ένα όνειρο πλάι στον εραστή μου
Και τον αποκάλεσα μελοπόταμο.
Πού έχει πάει τώρα εκείνο το ποτάμι,
και σε τι ποτάμι δίπλα στέκω τώρα εγώ χωρίς αυτόν?

Ο ουρανός είναι πλημμυρισμένος βαριά σύννεφα
Μερικά κουβαλούν βροντή
Ο ήχος σείει το στήθος μου
όπως το κάνει η ξαφνική απώλεια
Όταν η βροντή έρχεται, είναι σαν να
έρχεται από κάπου μέσα από το βουνό
και όχι μέσα απ'τον ουρανό
λες και ξαφνικά όλη η γη
μ'ένα τίναγμα θ' αποκολληθεί, και ασβεστόλιθος και φασκόμηλο και σκίνος,
θυμάρι, κοντούλα, πυρόλιθος, λιόδεντρα, πουρνάρια
θα κατηφορίσουν ορμητικά προς τη θάλασσα.

Έτσι λοιπόν είναι κι η ζωή μου, αφού έχασα αυτόν,
η βροντή μες στο βουνό
Οι πέτρες που χαλαρώνουν απ'το χώμα, μια νέα τοπογραφία,
συνέπεια κατολίσθησης

Μετά από τέτοιο χαλασμό, είναι θαύμα:
Εδώ η λαδανιά ακόμα ανθίζει, το πιο παλιό μου όνομα
Λάδι της γης, λάδι εκείνης που την είπαν Αφροδίτη

Μες στη βροντή θα πάω να μαζέψω φύλλα
ώσπου τα χέρια μου να γεμίσουν ρετσίνι
Τρέχω όλο το δρόμο ως το σπίτι μέσα σε μια φριχτή κακοφωνία,
μέσα στη βροχή
Αυτό το ρετσίνι ήταν η μυρωδιά του κορμιού μου πριν απ'όλα
Όταν αγαπούσα πριν από εκατό ζωές,
Όταν είδα το όνομά μου μέσα στο πήλινο δοχείο,
ζεστό από τα αρωματικά έλαια
Μέσα στον ιστό της αράχνης, μέσα στα άστρα του φθινοπώρου,
και ήξερα ήδη
πώς θα χρειαζόταν να τον αφήσω να φύγει

Βροντή στο βουνό
Βροχή, Ρόδο του Βράχου

Ακόμα και με τέτοια ερήμωση, πήρε το μάτι μου ένα παλιό τραγούδι του
λαγούτου μέσα στις αναμμένες στάχτες
Κάποιος μου έφτιαξε κρασί από άγιες πέτρες
κάτω από τη βροντή, την εποχή της ξηρασίας
Το βουνό πέφτει, δεν φαίνεται έδαφος πουθενά
Μα μου προσφέρεται μια κούπα ξέχειλη
Ώστε ακόμα και στη βαθύτατη θλίψη, κάποια καλοσύνη παρεμβαίνει
σπρώχνοντας μπρος ένα μουχρωμένο φως

Δεν ξέρω αν η αγάπη θα είναι ξανά ποτέ τόσο μοναδική ή τόσο ανθρώπινη
Η βροντή έσπασε το βουνό
Ο μελοπόταμος κυλάει σε κάποια άλλη χώρα
Η αγάπη μου φλέβες στην πέτρα τώρα πια
Με τη βροχή, με το άγιο λάδι προσφορά στους θεούς
Δεν είναι πια ευθεία γραμμή από τη γέννηση ως το θάνατο
αλλά ιστός αράχνης, με τη φορά που βάζουμε τα γράμματα στ' αστέρια
και στα ξόρκια της σελήνης, καρφιτσωμένη από φως σε φως
από ρίζα σε ρίζα, σε πλήρη εγρήγορση μέσα σ' ετούτο το θρυψάλιασμα

Βάλε αυτό το λάδι εδώ: μόσχος λαδανιάς, σκίνου και πεύκου
Και ιδού, παρόλο τον καπνό της αγωνίας, χορεύεις ακόμα.
Χαίρε, αυτό είναι ζωή

DECEMBER 2018

Venus meets the Moon as Morning Star
First Vestment of Venus released (She removes Her crown)

Scent of the olive harvest net: oil and thick musk. Scent of the olives secreting their own fresh oil. The cold air, the black and green fruits gathered at the center of the net. The gardener and I stand at opposite sides and bring the corners together. Fresh-picked oranges, the scent of their rinds. Fresh pecans cracked open in my teeth. The Dionysades in the far blue sea, rose-colored at sunset. Hot cinnamon honey raki. Learning to dance the *syrto* in the warm café in the winter dark while he plays. Roasted chestnuts in the fire ashes, potatoes wrapped in foil. Heather blooming magenta across the north-eastern valleys. Learning to dance the *sousta* on the street at night. My visa runs out. Winter solstice sunrise through a Bronze Age door the morning I leave. Christmas in Cornwall. So much green, and the grey Celtic sea. The yellow gorse, the bracken. Stones flecked with mica. Purple violets in the middle of winter.

The Hymnal Tongue

ω.

Maia, midwife of muses
keeper of strays and lost souls
mother of the omphalos, the world's center
the one before the Titans, the one made of stars
How does a woman find her name among
the shattered pithoi of what came before
when she can no longer say who she is
when she no longer knows if she has followed
truth or vanity, if her vision of life is worthy
or if others know better than she does
the spectrum of her shame?

A rainbow arises for the second time in one morning
out of the gulf between islands
out of the ruined walls of the Minoan town called Mochlos
Wind carries the rain away, and there is sun
She knows now that love is not only a thing between lovers
but also between self and all, the thrash of life entire
of grief and illumination, sudden rain and broken light
loss and creation, a weft and warp of saffron and murex yarns
woven by an ancient woman at her doorway
inside one midday's golden light, now four thousand years lost

Maia, midwife of threads
When do we stay and attend to what is broken
and when do we know that only in going will
the breaking ever mend?

α.

If I do not know my name anymore
but only the names of simple things—
candlelight, storm clouds, wool,
a spectrum of color, the pale blue of sea at sunset,
the rocky islands where the falcons nest
the way to gather a thousand olives
into the center of a net—
will I be alright?
Will I be alright without my old name
without your old name, without the ground we made?

If I am mostly nothing now, only threads
what is the star I follow?
What name should I use to know myself?
Am I blue on the dusk sea
Am I island of falcons
Am I shattered rain gone to light
in the season of rainbows
Am I a little girl again, holding a red thread
Am I the snake crushed in a helix on the road
Am I the grape wine boiling over olive coals
into raki, just the steam of my former self
distilled, pouring clear at last?

In such heat, oh my ancestors, oh holy people
oh Earth, may I not lose faith

My star is a bell across the mountains
of eastern Crete at dawn
the bell that is in the lute strings
the bell that is in the sea
Everything I held onto in order to belong
I have surrendered
Only the ringing vessel of my oldest name
remains, the one poured by starlight
before I was born, the one I had forgotten
the one I found again
among the sherds and blue and mountains
among the distaffs full of red
but cannot yet pronounce
for fear it is not true, for fear
it will be taken, for fear I will not believe in it
when at last, gleaming, it teaches me
a new and hymnal tongue

Δεκέμβρης 2018

Η Αφροδίτη συναντά τη Σελήνη ως Πούλια
Το πρώτο Ιερό Ένδυμα της Αφροδίτης πέφτει (αφαιρεί την κορώνα Της)

Μυρωδιά λιόπανου: λάδι και βαρύς μόσχος. Μυρωδιά των ελιών καθώς βγάζουν το δικό τους φρέσκο λάδι. Κρύος αέρας, οι μαυροπράσινοι καρποί μαζεύονται στο κέντρο του διχτυού. Στεκόμαστε στις απέναντι πλευρές και ενώνουμε τις γωνίες. Φρεσκομαζεμένα πορτοκάλια, η μυρωδιά της φλούδας τους. Φρέσκα καρύδια που τ'ανοίγω με τα δόντια μου. Οι Διονυσάδες στη μακρινή γαλάζια θάλασσα, βαμμένες ρόδινες το ηλιοβασίλεμα. Ζεστό ρακόμελο με κανέλα. Μαθαίνοντας να χορεύω συρτό στο ζεστό καφενείο μέσα στο χειμωνιάτικο σκοτάδι ενώ αυτός παίζει λύρα. Ψημένα κάστανα στη χόβολη, πατάτες τυλιγμένες στο αλουμινόχαρτο. Η ερείκη ανθίζει φούξια σε όλες τις βορειοανατολικές κοιλάδες. Μαθαίνοντας να χορεύω σούστα στο δρόμο μια νύχτα. Η βίζα μου λήγει. Το χειμερινό ηλιοστάσιο ανατέλλει μέσα από μια πόρτα της Εποχής του Χαλκού το πρωινό που φεύγω. Χριστούγεννα στην Κορνουάλλη. Τόσο πράσινο, και το γκρίζο της κέλτικης θάλασσας. Ο κίτρινος ασπάλαθος, η φτέρη. Πέτρες πιτσιλισμένες με μαρμαρυγία. Μωβ βιολέτες το καταχείμωνο.

Η Γλώσσα των Ύμνων

ω.

Μαία, μαμή των νυμφών
φύλακα των αδέσποτων και των χαμένων ψυχών
μάνα του ομφαλού, του κοσμικού κέντρου,
αυτή που στέκει μπρος στους Τιτάνες, αυτή η αστερόπλαστη
Πώς βρίσκει μια γυναίκα τ' όνομά της ανάμεσα
στους διαλυμένους πίθους αυτού που προηγήθηκε
όταν δεν ξέρει πλέον να πει ποια είναι
όταν δεν ξέρει πλέον αν την αλήθεια ή τη ματαιοδοξία
τελικά ακολούθησε, αν το δικό της όραμα ζωής έχει κάποια αξία
ή αν άλλοι ξέρουν καλύτερα απ'ό,τι ξέρει εκείνη
το φάσμα της ντροπής της;

Ένα ουράνιο τόξο αναδύεται για δεύτερη φορά σε ένα πρωί
μέσα απ'τον κόλπο ανάμεσα στα νησιά
μέσα από τα ερείπια των τειχών της μινωικής πολίχνης
που τη λένε Μόχλος
Ο άνεμος παρασύρει μακριά τη βροχή και βγαίνει ήλιος
Εκείνη γνωρίζει πια πως η αγάπη δεν είναι ανάμεσα στους εραστές
και μόνο
αλλά και ανάμεσα στον εαυτό και σ'όλα τ'άλλα,
στο σπασμό της ζωής ολόκληρης,
στη θλίψη και στη φώτιση, στην ξαφνική βροχή
και στο διαθλασμένο φως,
στην απώλεια και στη δημιουργία, ένα υφάδι με νήματα βαμμένα κρόκο
και πορφύρα
υφασμένο από μιαν αρχαία γυναίκα στο κατώφλι της

μέσα στο χρυσαφένιο φως ενός μεσημεριού, χαμένου πια εδώ και τέσσερεις χιλιάδες χρόνια

Μαία, μαμή των μίτων
Πότε μένουμε και φροντίζουμε αυτό που έσπασε
και πότε το ξέρουμε πως μόνο φεύγοντας μπορεί
η ρωγμή κάποτε να φτιαχτεί;

α.

Αν δεν γνωρίζω πια το όνομά μου
μα μόνο τα ονόματα απλών πραγμάτων—
φως κεριού, σύννεφα καταιγίδας, μαλλί,
φάσμα χρωμάτων, το γλαυκό της θάλασσας το ηλιοβασίλεμα,
τα βραχώδη νησάκια που φωλιάζουν τα γεράκια
τον τρόπο να μαζευτούν χίλιες ελιές
μέσα στο κέντρο ενός διχτυού—
θα είμαι εντάξει;
Θα είμαι εντάξει χωρίς το παλιό μου όνομα
χωρίς το παλιό σου όνομα, χωρίς το χώρο που κερδίσαμε μαζί;

Αν είμαι τώρα σχεδόν τίποτα, παρά κλωστές
Ποιο είναι το άστρο που ακολουθώ;
Ποιο όνομα να μου δώσω για να με γνωρίσω;
Είμαι μπλε πάνω στη θάλασσα του δειλινού
Είμαι νησί των γερακιών
Είμαι θραύσματα βροχής που έγιναν φως
μέσα σε μια εποχή ουράνιων τόξων
Είμαι και πάλι κοριτσάκι, κρατώ μια κόκκινη κλωστή
Είμαι το φίδι, αυτή η πατημένη κουλούρα πάνω στο οδόστρωμα
Είμαι το κρασί του σταφυλιού που βράζει πάνω από κάρβουνα λιόξυλου

και γίνεται ρακή, μόνο ο ατμός του περασμένου εαυτού μου
απόσταγμα, που ρέει επιτέλους διαυγές;

Μέσα σε τέτοια κάψα, ω πρόγονοί μου, ω άγιε λαέ
ω Γη, είθε να μη λιγοψυχήσω

Το άστρο μου είναι μια καμπάνα που ηχεί σε όλα τα βουνά
της ανατολικής Κρήτης το ξημέρωμα
η καμπάνα που υπάρχει μέσα στις χορδές του λαγούτου
η καμπάνα που υπάρχει στη θάλασσα
Όλα όσα από πάνω τους κρατήθηκα για να ανήκω
τα έχω παραδώσει
Μόνο ο απόηχος που κουδουνίζει το όνομά μου το αρχαιότερο
παραμένει, εκείνος που χύθηκε από το αστρόφως
πριν γεννηθώ, εκείνος που είχα ξεχάσει
εκείνος που τον ξαναβρήκα
ανάμεσα στα θρύψαλα και στα μπλε και στα βουνά
ανάμεσα στις ρόκες του γνεσίματος γεμάτες κόκκινο
αυτό που δεν μπορώ ακόμα να προφέρω
φοβάμαι μη δεν είναι αληθινό, φοβάμαι μη και
μου το πάρουν, φοβάμαι μη δεν το πιστέψω
όταν στο τέλος, λάμποντας, μου μαθαίνει
μια νέα γλώσσα μόνο για τους ύμνους.

JANUARY 2019

Venus' maximum elongation from the Sun
Venus conjunct Jupiter, near Antares
Second Vestment released (She removes Her royal staff)

London, the city of my books. Black tea in the early cold mornings. Swans on the lake in the park, and the quiet oaks. The frosted apple orchard in Devon. Sleeping in the house-truck in the holly hedge, and the smell of the woodfire lit all night to stay warm. I wake through the cold to add logs. Reading stories early in the morning in bed to my friends' son. We race about the orchard pretending to be hares, eating dandelions with our bare teeth. The River Dart is a scrim of ice, noses red, home quick for a cocoa. All the Westcountry trees. I gather twigs and carve the old letters. Apple, ash, holly, hawthorn, ivy, oak, gorse, heather. Then home to my girlhood mountain—home to California; home to redwoods. The first green under the live oaks. Acorn woodpeckers calling. Their flashing red heads.

BRITOMARTIS, AT THE BEGINNING

A Fragment

They say she was ancestress of the House of Seeds, high in the hills of Lasithi where in the distance the snow-capped mountains shone. Many lineages flowed down from the House of Seeds across the valleys and lower ranges of eastern Crete. They flowed along inland footpaths and jutting gulfs and coast, so that once, everybody had an uncle or grandmother whose blood touched the blood of Britomartis, whose blood touched the blood of the holy mountains, whose blood carried her oread dances and her wind-filled, howling songs. This was the way of the gods of old Crete. All clans, all Houses, followed lines back into their mountain, back into their gorge, back into the highest spring, the wind, the sea, the rain, back into the cave, as far back even as the stars. These lines were born from mountain into oread, from oak into dryad, from spring to naiad and sea to nereid, from star to centaur, from field to satyr, and on into the blood.

So it was that before Britomartis was goddess of high mountains, sweet virgin of the feral hunt, protectress of the wildest places and keeper of all that can never be tamed, she was a young woman of the House of Seeds when it was just in its beginnings. A young woman who defied the ways of her foremothers because of an even older craving in her soul. Britomartis, virgin of the hunting nets, long-limbed maiden of the desolate peak—who later the great Daedalus would carve into a wooden xoanan worshipped at Olous, the shining city west and north on the sea's fine edge—her hands were too wild for the distaff or the loom, too leaping for the fine-threaded flax. They were suited best of all for gut-strung bow and arrows fletched with hoopoe quill, for antler bone and carving knife, for buckskin and the mountain height.

She was a long, dark child when she slid shrieking from her mother's womb, lithe as a marten and as fierce-eyed too. Her mother Karme told her later that she was a little frightened of her wildness those first years. How sharp her teeth were on the nipple as they came in one by one. How reckless her first lunging steps, taken unexpectedly while her mother was washing linens with her cousins in the broad stream at the base of the mountain. Those first incautious steps took little Britomartis right into the current, as if she was certain she could walk on water, or even swim. She could do neither of course, and splashed in headlong like a stone, demonstrating that her affinity was not so much for water as it was for earth, for when Karme, cursing, fished her out, the girl's mouth was full of silt and pebbles and she had a strange, smooth red stone clutched in her left palm.

It was a carnelian, fat as a late summer grape. Her mother took the child and the stone to the priestess down at Lion's Rock then, for this seemed too strange and serious a sign to ignore. The priestess of Lion's Rock sought illumination alone in a small cave by the sea and Earth's great slate cliffs. Winter storms that blew from the north pushed the sea high up the shore, right to the base of the lime outcrop where the woman prayed. She was kept warm during the three moons of Snow-on-the-Mountains by a flock of shaggy-coated goats, who fed her all year round with their milk, as did the wild greens and fruit trees up the winding gorge valley.

"The child has hot blood", the priestess told Karme after balancing the carnelian in her palm and touching the girl's throat to feel her quick pulse. She blinked at the stone like the small owls that nightly haunted the pine trees, her eyes wide. Solitude and the shade of caves had made her pale and her voice thin and strange—part seabird, part northern wind, part reed. She seemed to speak in poems. But it was her hands she read the signs with—feeling the carnelian, Britomartis' throat, then her cheeks, the curled dark thicket of her hair, the curve of her nose. She even felt the insides of each of her palms, which her mother could never, despite all scrubbing, keep clean. The child stared wildly, silent and still for perhaps the first time in her young life, so still her mother started, thinking the girl had stopped breathing. "Hot blood and the paws of a young hound", the priestess said, her hands now flashing light as doves over Britomartis' head.

Her two gold rings shone, strange against the poverty of her cave and her attire. She wore rough-spun linen and a deeply angled, faded black shawl crossed over her breast and tucked into the goatskin belt at her waist. She had been extremely beautiful when young. She was beautiful still, of queenly bearing, refined in movement and in form, with the nobility strong animals carry, at home in their bodies. She had a dancer's movements, exquisitely trained. Nobody knew quite where she had come from, only that one day she had been there in the cave by the sea beside the Lion's Rock cliffs, an aging priestess of upright bearing and silver hair to her waist, unbound and heavy as a girl's, as capable with the goats as if she had been a shepherdess. But her hands were unlined and all her clothes were of faded finery, and her manner strange. Her accent and her way of speaking were lilting, allegorical and dense. People whispered about the Great House of the Labrys at Malia or even Knossos, but did not ask. Her owl-eyed stare frightened them, as did her voice and the manner of her words.

Britomartis was silent before her, but she was not afraid. The priestess moved like a great cat, and this Britomartis understood, for she had the same movement in her.

"You will not contain this child in the stone walls of a family House", the priestess said, turning back to Karme. "You will not contain her even within the boundaries of a lineage. Her children will be hound and stag, her lineage will be stone and root, the claw and beak, the bow, the flint, the translucent peak. Try to contain her and she will wither. Free her, and she will abandon the name of her foremothers in favor of the mothers of rock and wind. She will be chased by the most powerful of men, who will be driven mad with desire for her wildness. She will be merciless with those who trespass upon her sovereignty and defend to the death those who are in need of her protection, as the lioness does, and the hare-hound bitch, the wheeling hawk and marten too. Her name will ring for millennia among the stones if you let her, Karme of the House of Seeds, for she is no ordinary daughter. This girl is not the daughter of your husband but the daughter of high spring and the night the Kouretes dance the flowers to open and the bees to plunge ecstatic in their folds. Am I not right? Were you not the spring queen then, crowned in deep-furred peony and cyclamen, the three-cleft iris and the ephemeral petals of the red field poppy? Did you not dance the dance of blooming for the crowned bull-king, the one in horn and copper, the one in leaf and vine, the one who danced as virile Zagreus, lord of increase, lord of vigor, lord of quickening, lord of wine? The one who keeps the rainclouds, the one who is the lightning bolt that strikes the mountains high? This girl is his daughter, and Earth's, for on that day you were the Lady of the seed and furrow, red as the wild poppy flower, yielding deep and open as does She. This Britomartis is daughter of the Forces more than of your blood. Pierce the carnelian, make of it a pendant, and it will settle her power and for a time contain her, so that she does not run off wild with the hunting dogs before the age of five. But do not try to shape her to the ways of House and lineage, for she will surely break, and you will lose her forever".

Little Britomartis was bored of all the talking now the priestess had let go her hands. A falcon flew low and unwavering, fast as light, past the cave mouth. All its feathers were the color of smoke. Without hesitation Britomartis was after him, shrieking, and would have kept running on her plump young legs right off the rocks and into the air, as if her arms were wings just as grey and just as swift, if the priestess had not said a word of power from deep in her belly: the lioness's word to her cub. The word stopped Britomartis so abruptly that she fell to her knees and skinned both. She was too stunned by that word even to cry. Her mother scooped her up, scolding, cooing, paid the priestess with a large clay jar of oil and a little horn hairpin tipped with quartz which she said, blushing, would look fine in the woman's silver hair, then backed out of the cave.

Karme, though of a sturdy personality and not easily scared, was nevertheless frightened of that word of power and the effect it had had on her daughter, of the woman's owl-eyed look and the way she moved that was somehow not all the way human, and most of all the way she had stirred the truth as easily as stirring soup, and sifted up the memories of that day and night almost three years ago when she had been spring queen for the first time, when she had danced and poured wine into the earth with the man who was Zagreus.

Her desire had frightened her, and his had too. What had moved through them was something other than human, touched by the drop of mandrake root the Pasiphaë of the House of Seeds had given them in barley mead. Karme only remembered that day and night of equal length in shards, like sun through storm clouds, shafting down sudden on a peak. Some of her memories were of her body as a dove's body and his desire the wind; her body Earth's body and his desire the snake; her body the hound's body and his the leaping hare. Her senses had been so strange that though she watched the flirting cow and sacrificial bull who was lured by her raised-up tail from a distance, she felt her body as the cow's body. She felt her body as the wild bull's body, even as the net was thrown to capture him live and bring him kicking to the offering place, where his blood was fed to the tree roots and to the House foundation, to the growing field, to the olives on the hill and the bones of a thousand foremothers and forefathers. When his throat was cut she screamed the heifer's scream, thinking he was Zagreus the spring queen's lover, though the man who danced for Zagreus was alive the next day and the bull who danced for Zagreus was not. So the mandrake visions wove her, in and out of sensuality and terror, union and dissolution, beyond law or reason, inside life and the powers that birth and grow, kill and seed.

As hound swallowing hare we must have made her, Karme thought as she carried her sleeping daughter home, swaddled in her grandmothers' blue-dyed swaddling cloth on her back. She blushed some at the memory. For once the girl was dreaming in silence and not like a twitching pup, thanks to the priestess's dousing word of power. The child had been born a full month early if she was the daughter of Zagreus, and so naturally Karme had assumed her the daughter of her long, good husband and not the spring's own seed. But now, walking the steep road up among heather and rough stone, among the thyme gone green again with winter's rain and the little forests of fruit and olive trees cultivated around the mountain springs, she wondered how it was she hadn't seen it from the start—that this was a god-made child. A child of the Forces. Of course one such as Britomartis would have come a month early, eager to be among the crush of air and the shadow of mountains, eager to flex her young body like a hound.

And so it was that Britomartis began, and so it was she grew, wearing that pierced carnelian round her neck like a drop of bright blood and visiting the cave of the priestess of Lion's Rock when her restlessness grew so acute it made her limbs ache. She grew as hound puppies grow, her hands and feet enormous while the rest of her remained small as sticks for years. Finally, at her first bleeding, she suddenly grew tall as her mother's husband, but so willowy no other woman was quite her equal in speed or grace.

It was at that time she lost the carnelian bead in a footrace during the festivities at the rising of Arcturus. It was very near the finish line, when a third or fourth cousin, a boy of longer limb even than her and a light flashing eye that seemed to mock her wildness, snapped its cord from her neck on a dare, thinking it would gain him victory because of an old rumor that it was the stone of her power. Little did he know that it was the stone that had kept her power calm and clamped until she was mature enough to handle herself. Dizzy with the lightness she felt, Britomartis ran like a true hare-hound then, faster even. A falcon, the light of a star. So swift and fierce that the falcon god himself noticed her, as did the sun. Her cousin stood in her wake, holding the carnelian, dazzled, angry and frightened—all.

In that moment, the trouble began. In that moment, her life began too.

The Threshing Floor

In the end, you could do nothing but lay down on the threshing floor
and let the weight of it press you into
what it was you were always going to become
Husked, soft with desire, broken with grief
vulnerable as new seed

The dark moon and her twin sister, the full, are the grinding stones
The earth is the great donkey who turns them
She watches you with compassionate eyes
Her long brown ears listen always to the ringing in the spheres

Somewhere above there is a star that knows your name
It is shining through the open window
It knows what you are made of, it fills you and the threshing floor with light
You can hear the birds of your home country
calling to each other in the oak trees
You can hear them talking in the shining green bushes
on the mountain of your childhood

Years ago you went up to the serpentine vein
when the summer mariposa lilies bloomed and the rattlesnakes were out
You sat among the green stones, listening for your name
We are dragons, said the serpentine,
and showed you a primordial ocean trench
where magma touched seawater and became bright stone
where stone folded in the heat of uplift and became green as dragonskin
Stone of water, stone of fire, stone of transmutation

This time, after laying for months under such great weight
when you went up the mountain of your childhood
the stones called you sister: you are dragon now, they said

In the temple where the goats give birth to wriggling kids
where the stone by the spring is the last and eternal spoken hymn
long after the walls have fallen, long after the final worshippers have gone
the women surround you

It has taken everything in you to come here
You crawled the last league and the scales on your belly are torn
They are almost entirely worn away

Once you thought you might walk thus for ten thousand leagues
for the beloved, thinking the Beloved could be contained
solely in the body of a man

Now you see that the only desert you could ever survive this way
shedding skin after skin, crushed beneath planetary grinding stones
was kept in a country in your own soul, which is but a fragment of Love's
and that no man nor woman is the final object of this Love
for it arises only and without cease
from the spring of yourself, there beside the oldest stone
there where the snake sheds the skin
beneath the skin
beneath the skin
she thought she was shedding

A naked woman is beneath

Her body receives everything the stars are pouring down
everything the desert is whispering

indigo at dusk, pearlescent at dawn
the hundred thousand ephemeral flowers
that bloom for one day along the vernal pools
She is just as yielding as they to what the sky and earth are giving
Her forehead is crossed with a circlet of the first purple anemones
from the mountains of her soul's original occurrence
They open their dark centers without resistance to what pours down
from every conceivable direction:
light and darkness, both scented with myrrh
The darkness is not darkness
only the shadow the sun casts, touching Earth's body

For the first time in her life both sides of the light go all the way in
They touch everything, they go under everything
into the places she had lost, into the places she had closed
and which had become orphaned and desperate, ravenous
blind to what was pouring, auroral, green as the Nile god
down from the sky and up from the ground
seething bright from every tree and stone
as well as her name which was a fragment of that eternal name
the one beyond gender or duality, who makes the cosmos spin
and the seed take, the green rise and the heart break the way
the sea floor breaks with magma when it is time to make new earth

All of this she receives
All of this you receive
until you are ground to a flour gold as pollen
and are baked in oceanic trenches and the nomad ashes of a desert fire
Then you find that love is yourself
that you are its end and its beginning
that what you have been ground into is being offered
at the stone by the spring in the temple where the goats are born
and where the wind has never stopped singing love for the stars

Γενάρης 2019

Μέγιστη απομάκρυνση της Αφροδίτης από τον Ήλιο
Η Αφροδίτη σε σύνοδο με το Δία, κοντά στον Αντάρη
Το δεύτερο Ιερό Ένδυμα πέφτει (αφαιρεί το βασιλικό Της σκήπτρο)

Λονδίνο, η πόλη των βιβλίων μου. Μαύρο τσάι χαράματα κρύων πρωινών. Κύκνοι στη λίμνη του πάρκου, και οι σιωπηλές βελανιδιές. Πρωινή πάχνη στον οπωρώνα με τις μηλιές στο Ντέβον. Ύπνος στο φορτηγόσπιτο μέσα στον φράχτη από αρκουδοπούρναρο και μυρωδιά από τα ξύλα της φωτιάς που καίει όλη νύχτα για ζεστασιά˙ ξυπνάω μέσα στο κρύο να προσθέσω κουτσούρια. Διαβάζοντας ιστορίες νωρίς το πρωί στο κρεβάτι στο γιο των φίλων μου. Κυνηγιόμαστε στον οπωρώνα, παίζουμε ότι είμαστε λαγοί, τρώμε πικραλίδες με τα δόντια μας. Ο ποταμός Νταρτ είναι μια κουρτίνα πάγου, κόκκινες μύτες, σπίτι γρήγορα για κακάο. Όλα τα δέντρα στο Γουεστκάντρι. Μαζεύω κλαδιά και σκαλίζω τα αρχαία γράμματα. Μηλιά, φράξος, αρκουδοπούρναρο, κράταιγος, κισσός, δρυς, κουφοξυλιά, ερείκη. Μετά, πίσω στο βουνό της κοριτσίστικης ζωής μου—πίσω, στην Καλιφόρνια˙ πίσω στις σεκόιες. Οι πρώτες πρασινάδες κάτω από τις ζωντανές βελανιδιές. Οι δρυοκολάπτες της βελανιδιάς να κελαηδούν. Τα κόκκινα κεφάλια τους να πηγαινοέρχονται ρυθμικά.

Βριτόμαρτις, η Απαρχή

Απόσπασμα

Λένε πως ήταν μια πρόγονος του Οίκου των Σπόρων, ψηλά στους λασιθιώτικους λόφους, εκεί που πέρα μακριά έλαμπαν τα χιονοσκέπαστα βουνά. Πολύ αίμα από τον Οίκο των Σπόρων είχε περάσει στις κατοπινές γενιές, σε όλη την έκταση των κοιλάδων και των πεδινών της ανατολικής Κρήτης, κατά μήκος των μονοπατιών της ενδοχώρας, στους τεθλασμένους κόλπους και στις ακτογραμμές, έτσι που κάποτε όλοι είχαν έναν θείο ή μια γιαγιά με αίμα που άγγιζε το αίμα της Βριτόμαρτης, που το αίμα της άγγιζε το αίμα των ιερών βουνών, που το αίμα της κουβαλούσε τους χορούς των ορειάδων και τα τραγούδια τους ήταν ουρλιαχτά που τα φούσκωναν άνεμοι. Αυτός ήταν ο τρόπος των θεών της αρχαίας Κρήτης: όλες οι φατρίες, όλοι οι Οίκοι, κρατούσαν δεσμούς αίματος πίσω ως το βουνό τους, πίσω ως το φαράγγια τους, πίσω ως την ψηλότερη πηγή, ως τον άνεμο, ως τη θάλασσα, ως τη βροχή, πίσω ως τη σπηλιά, πίσω ακόμα και ως τα άστρα. Αυτοί οι δεσμοί αίματος γεννιόνταν από το βουνό στις Ορειάδες˙ από τις δρύες στις Δρυάδες, από τις πηγές στις Ναϊάδες και από τη θάλασσα στις Νηρηίδες, από τα αστέρια στους Κενταύρους, απ'τα χωράφια στους Σατύρους και έτσι περνούσε μέσα στο αίμα τους.

Έτσι λοιπόν, πριν η Βριτόμαρτις γίνει η θεά των ψηλών βουνών, η γλυκειά παρθένα του άγριου κυνηγιού, η προστάτιδα των πιο αδάμαστων τόπων και φύλακας όλων αυτών που δεν μπορούν ποτέ να εξημερωθούν, ήταν μια νεαρή κοπέλα, του Οίκου του Σπόρων, όταν ήταν ακόμα στις αρχές του, μια νεαρή κοπέλα που αψήφησε τις παραδόσεις των μανάδων της, εξαιτίας μιας ακόμα αρχαιότερης λαχτάρας μέσα στην ψυχή της. Η Βριτόμαρτις, η παρθένα των κυνηγετικών διχτυών, η ψιλόλιγνη κοπέλα της απόκρημνης κορφής, την οποία αργότερα θα σκάλιζε ο Δαίδαλος σε ξύλινο ξόανο και θα λατρευόταν στην Ολούντα, τη λαμπρή πόλη δυτικά και βόρεια πάνω στην όμορφη κόψη της ακτής, τα χέρια της παραήταν άγρια για τη ρόκα και τον αργαλειό, παραήταν αεικίνητα για λεπτοδουλεμένο λινάρι, αλλά απόλυτα ταιριαστά για τη χορδή από έντερα του τόξου και για τα βέλη με το φτερό του τσαλαπετεινού στην ουρά, για κόκκαλα από κέρατα ελαφιού και μαχαίρια για σκάλισμα, για δέρματα ελαφιού και για το ύψος των βουνών.

Ήταν ένα μακρύ, μελαχρινό παιδί, όταν γλίστρησε τσιρίζοντας από τη μήτρα της μάνας της, λυγερή σαν κουνάβι και το ίδιο αγριομάτα. Η μάνα της, η Κάρμη, της είπε αργότερα πως τη φοβόταν λιγάκι την αγριάδα της εκείνα τα πρώτα χρόνια –τι κοφτερά που ήταν τα δόντια της επάνω στη θηλή, έτσι όπως έβγαιναν ένα ένα, κι αυτά σαν κουναβιού, πόσο τολμηρά και ορμητικά ήταν τα πρώτα της βήματα, που τα'χε κάνει απρόσμενα, ενώ η μάνα της έπλενε ασπρόρουχα με τις ξαδέλφες της στο φαρδύ ρυάκι, στα ριζά του βουνού. Εκείνα τα πρώτα απρόσεκτα βήματα έριξαν τη μικρή Βριτόμαρτη κατευθείαν μέσα στο ρέμα, σαν να ήταν απόλυτα βέβαιη ότι θα μπορούσε να περπατήσει πάνω στο νερό ή ακόμα και να κολυμπήσει. Φυσικά δεν μπορούσε τίποτα από τα δυο να κάνει, κι έτσι βούτηξε με το κεφάλι σαν την πέτρα, καταδεικνύοντας πως η συγγένειά της δεν ήταν τόσο με το νερό, αλλά περισσότερο με τη γη, γιατί όταν η Κάρμη, βρίζοντας, την ψάρεψε από το νερό, το στόμα του κοριτσιού ήταν γεμάτο λάσπες και βότσαλα και κρατούσε σφιχτά στην αριστερή χούφτα της μια παράξενη, λεία, κόκκινη πέτρα.

Ήταν ένα καρνεόλιο, χοντρό σαν μεστωμένο καλοκαιρινό σταφύλι. Η μάνα τότε πήγε το παιδί της και την πέτρα στην ιέρεια, κάτω στο Βράχο του Λιονταριού, γιατί αυτό της φάνηκε πολύ παράξενο και σοβαρό σημάδι για να το αγνοήσει. Η ιέρεια στο Βράχο του Λιονταριού αναζητούσε τη φώτιση μόνη, μέσα σε μια μικρή σπηλιά πλάι στη θάλασσα και στους επιβλητικούς σχιστολιθικούς βράχους της γης, με τις πορφυρές ραφές και τα φιδογυρίσματα.

Οι χειμωνιάτες καταιγίδες που φυσούσαν απ'το Βορρά έσπρωχναν τη θάλασσα ψηλά στην ακτή, ακριβώς στη βάση της ασβεστολιθικής προεξοχής όπου προσευχόταν η γυναίκα. Αυτά τα τρία φεγγάρια της εποχής του Χιονιού στο Βουνό, την κρατούσε ζεστή ένα κοπάδι από τραχύμαλλες κατσίκες, που την έτρεφαν ολόκληρο το χρόνο με το γάλα τους, όπως και τα άγρια χόρτα και τα καρποφόρα δέντρα μέσα στη στριφογυριστή κοιλάδα του φαραγγιού.

Το παιδί έχει καυτό αίμα, είπε η ιέρεια στην Κάρμη, αφού ζύγιασε το καρνεόλιο στην παλάμη της και άγγιξε το λαιμό του κοριτσιού για να νιώσει τον ταχύ παλμό της. Προσηλώθηκε στην πέτρα και ανοιγόκλεισε τα βλέφαρά της, όπως οι μικρές κουκουβάγιες που κάθε νύχτα στοίχειωναν τα πεύκα, με τα μάτια της ορθάνοιχτα. Η μοναξιά και το ημίφως της σπηλιάς της είχαν δώσει μια ιδιαίτερη χλωμάδα και η φωνή της ήταν λεπτή και παράξενη – λίγο σαν θαλασσοπούλι, λίγο σαν το βοριά, λίγο σαν καλαμιά. Έμοιαζε να μιλάει με στίχους. Τα σημάδια όμως τα διάβαζε με τα χέρια της –ψηλάφισε το καρνεόλιο, το λαιμό της Βριτόμαρτης, μετά τα μάγουλά της, το θάμνο των μαύρων κατσαρών μαλλιών της, την καμπύλη της μύτης της. Άγγιξε ακόμα και το εσωτερικό της κάθε παλάμης της, που η μάνα της, παρά το τόσο τρίψιμο, ήταν αδύνατο να τις κρατήσει καθαρές. Το παιδί κοιτούσε αγριεμένο, σιωπηλό και ακίνητο, ίσως για πρώτη φορά στη μικρή ζωή του, τόσο ακίνητο που η μάνα της αναπήδησε, πιστεύοντας πως το κορίτσι είχε σταματήσει ν'αναπνέει. Καυτό αίμα και πατούσες νεαρού κυνηγόσκυλου, είπε η ιέρεια, με τα χέρια της τώρα να πεταρίζουν ανάλαφρα σαν περιστέρια πάνω απ'το κεφάλι της Βριτόμαρτης.

Φορούσε δύο χρυσά δαχτυλίδια που έλαμπαν, σε παράξενη αντίθεση με την ένδεια της σπηλιάς και της φορεσιάς της. Φορούσε ένα χοντροϋφασμένο λινό ρούχο κι ένα ξεθωριασμένο μαύρο σάλι με έντονες γωνίες, σταυρωμένες επάνω στο στήθος της και χωμένες μέσα στη ζώνη από κατσικόδερμα στη μέση της. Ήταν εξαιρετικά όμορφη όταν ήταν νέα, και ήταν ακόμα όμορφη, με βασιλικό παράστημα, εκλεπτυσμένες κινήσεις και μορφή, με την ευγένεια που φέρουν τα δυνατά ζώα, την άνεση στο σώμα τους. Οι κινήσεις της θύμιζαν χορεύτρια, εξαιρετικά δουλεμένη. Κανείς δεν ήξερε από πού ακριβώς είχε έρθει, μόνο ότι μια μέρα βρέθηκε εκεί, στη σπηλιά κοντά στη θάλασσα, στους λόφους του Βράχου του Λιονταριού, η γηραιά ιέρεια με τη στητή κορμοστασιά και τα ασημένια μαλλιά ως τη μέση της, λυτά και βαριά σαν κοπέλας, και ικανή με τις κατσίκες σαν να'ταν κάποτε τσοπάνα. Μα τα χέρια της ήταν αρυτίδιαστα και σε όλα της τα ρούχα φαινόταν μια ξεθωριασμένη πολυτέλεια και οι τρόποι της ήταν παράξενοι. Η προφορά της ήταν τραγουδιστή, όπως και ο λόγος της αλληγορικός και πυκνός εξίσου. Ακούγονταν ψίθυροι για τον Μέγα Οίκο της Λάβρυς των Μαλλίων ή ακόμα και της Κνωσού, αλλά κανείς δε ρώτησε. Το κουκουβαγίσιο βλέμμα της τους τρόμαζε, όπως και η φωνή της και ο τρόπος που τα έλεγε.

Η Βριτόμαρτις σώπαινε μπρος της, αλλά δεν φοβόταν. Η ιέρεια κινιόταν σαν μια μεγάλη γάτα και αυτό η Βριτόμαρτις το καταλάβαινε καλά, επειδή είχε μέσα της την ίδια κίνηση.

Δεν θα περιορίσεις αυτό το παιδί μέσα στους πέτρινους τοίχους κάποιου οικογενειακού Οίκου, είπε η ιέρεια γυρνώντας προς την Κάρμη. Δεν θα το περιορίσεις ούτε καν μέσα στα όρια της γενιάς. Τα παιδιά της θα είναι το κυνηγόσκυλο και το ελάφι, η γενιά της θα είναι η πέτρα και η ρίζα, η αρπάγη και το ράμφος, η τσακμακόπετρα, η ημιδιάφανη κορφή. Προσπάθησε να την περιορίσεις, και θα μαραζώσει. Ελευθέρωσέ την, και θα εγκαταλείψει το όνομα των μανάδων της γενιάς της για τις μάνες του βράχου και του ανέμου. Θα την κυνηγήσουν οι πιο ισχυροί άντρες, θα τους τρελαίνει ο πόθος για την άγρια φύση της. Θα είναι αμείλικτη με εκείνους που παραβιάζουν το αυτεξούσιό της και θα υπερασπίζεται μέχρι θανάτου όσους χρειάζονται την προστασία της, όπως κάνει η λέαινα κι η σκύλα του λαγόσκυλου, η γερακίνα με το σπειρωτό πέταγμα και το κουνάβι. Το όνομά της θα αντηχεί για χιλιετίες ανάμεσα στις πέτρες, αν την αφήσεις, Κάρμη του Οίκου των Σπόρων, γιατί αυτή δεν είναι μια συνηθισμένη κόρη. Αυτό το κορίτσι δεν είναι η κόρη του άντρα σου, αλλά η κόρη της καρδιάς της άνοιξης και της νύχτας που οι Κουρήτες χορεύουν και τα λουλούδια ανοίγουν και οι μέλισσες βουτούν εκστατικές μέσα στις πτυχές τους. Δεν έχω δίκιο; Δεν ήσουν εσύ η βασίλισσα της άνοιξης τότε, στεφανωμένη με το πυκνό βελούδο της παιώνιας και με κυκλάμινα, με την τριπλή ίριδα και τα εφήμερα πέταλα της κατακόκκινης παπαρούνας του αγρού; Εσύ δεν χόρεψες το χορό της ανθοφορίας για τον στεφανωμένο ταυρο-βασιλιά, εκείνον με τα κέρατα και το χαλκό, εκείνον με τα φύλλα και τα κλήματα, εκείνον που χόρεψε ως σφριγηλός Ζαγρέας, τον κύριο της πληθώρας, τον κύριο του σφρίγους, τον κύριο της διέγερσης, τον κύριο του κρασιού; Αυτόν τον νεφεληγερέτη, αυτόν που είναι ο ίδιος κεραυνός που πέφτει ψηλά στα βουνά; Το κορίτσι αυτό είναι κόρη δική του, και της Γης, γιατί εκείνη τη μέρα ήσουν η Κυρά του σπόρου και του σκαμμένου χωραφιού, κόκκινη σαν το αγριολούλουδο της παπαρούνας, ενδοτική βαθιά και ορθάνοιχτη, όπως το κάνει Εκείνη. Ετούτη η Βριτόμαρτις είναι κόρη των Δυνάμεων περισσότερο, παρά αίμα σου. Κάνε μια τρύπα στο καρνεόλιο, φτιάξε ένα περιδέραιο μ' αυτό, και θα καταλαγιάσει τις δυνάμεις της και για λίγο θα την περιορίσει, έτσι που δεν θα το σκάσει ξαφνικά αγριεμένη μαζί με τα κυνηγόσκυλα πριν κλείσει τα πέντε της χρόνια. Αλλά, μην προσπαθήσεις να την ταιριάξεις με τους τρόπους του Οίκου και της γενιάς, γιατί στα σίγουρα θα σπάσει, και θα τη χάσεις μια για πάντα.

Η μικρή Βριτόμαρτις είχε βαρεθεί με όλες αυτές τις κουβέντες, τώρα που η ιέρεια είχε αφήσει τα χέρια της. Ένα γεράκι γλίστρησε χαμηλά με τα ανοιχτά φτερά του ακίνητα, γρήγορο σαν το φως, πετώντας μπροστά από το άνοιγμα της σπηλιάς, όλα του τα φτερά στο χρώμα του καπνού. Χωρίς δισταγμό, η Βριτόμαρτις όρμησε στο κατόπι του, τσιρίζοντας, και θα συνέχιζε να τρέχει πάνω στα τροφαντά παιδικά ποδαράκια της ώσπου να πεταχτεί από την άκρη των βράχων και να ορμήσει στον αέρα, λες και τα χέρια της ήταν φτερά εξίσου γκρίζα, εξίσου σβέλτα, αν η ιέρεια δεν είχε προφέρει την πανίσχυρη λέξη από το βάθος της κοιλιάς της: τη λέξη της λέαινας προς το μικρό της. Η λέξη ακινητοποίησε τη Βριτόμαρτη τόσο απότομα, που έπεσε στα γόνατα και τα έγδαρε και τα δυο. Είχε αποσβολωθεί τόσο από τη λέξη, που δεν μπορούσε καν να κλάψει. Η μάνα της τη σήκωσε από κάτω, τη μάλωσε τρυφερά, πλήρωσε την ιέρεια με ένα μεγάλο πήλινο βάζο λαδιού και μια μικρή κεράτινη καρφίτσα για τα μαλλιά, στολισμένη στην άκρη με χαλαζία, ο οποίος, όπως είπε κοκκινίζοντας, θα ταίριαζε πολύ όμορφα στα ασημένια μαλλιά της γυναίκας, κι ύστερα βγήκε πισωπατώντας απ'τη σπηλιά.

Η Κάρμη, παρόλο που ήταν δυνατή προσωπικότητα και δε σκιαζόταν εύκολα, τρόμαξε ωστόσο μ'εκείνη την πανίσχυρη λέξη και την επίδραση που είχε πάνω στην κόρη της, με το κουκουβαγίσιο βλέμμα της γυναίκας και με τον τρόπο που κινιόταν, που δεν ήταν εντελώς ανθρώπινος, και περισσότερο απ'όλα με τον τρόπο που είχε ανακινήσει την αλήθεια με την ίδια ευκολία που ανακατεύεις μια σούπα, πώς είχε κάνει να αναδυθούν οι μνήμες εκείνης της μέρας και της νύχτας, πριν από τρία χρόνια σχεδόν, όταν είχε στεφθεί βασίλισσα της άνοιξης για πρώτη φορά, όταν είχε χορέψει και κάνει σπονδή το αίμα στη γη μαζί με τον άντρα που ήταν ο Ζαγρέας.

Είχαν και οι δύο τρομάξει με τον ίδιο τους τον ποθο. Αυτό που είχε ανακινηθεί μέσα τους ήταν κάτι άλλο από ανθρώπινο, που το 'χε αγγίξει η μια σταγόνα της ρίζας του μανδραγόρα που η Πασιφάη του Οίκου των Σπόρων τους είχε δώσει μέσα σε ζύθο από κριθάρι. Οι αναμνήσεις της Κάρμης για εκείνο το ισομερές μερονύχτι έρχονταν με αναλαμπές, όπως ο ήλιος όταν προβάλλει μέσα από τα σύννεφα της καταιγίδας και ξαφνικά στέλνει μια στήλη φωτός σε μια κοιλάδα, ένα χωριό, έναν οπωρώνα, μια κορφή. Κάποιες από τις μνήμες της ήταν για το κορμί της σαν κορμί περιστεριού και ο πόθος ο δικός του σαν τον άνεμο˙ το κορμί της –κορμί της Γης κι ο πόθος ο δικός του φίδι˙ το κορμί της —κορμί κυνηγόσκυλου κι εκείνου λαγού που κάνει σάλτα. Οι αισθήσεις της ήταν τόσο αλλόκοτες, ώστε ενώ παρακολουθούσε την αγελάδα να φλερτάρει με τον ταύρο της θυσίας, που τον προσέλκυσε η υψωμένη ουρά της από μακριά, εκείνη ένιωθε το κορμί της σαν το κορμί της αγελάδας. Ένιωθε το κορμί της σαν το κορμί του άγριου ταύρου, ακόμα και την ώρα που έριξαν το δίχτυ για να πιαστεί ζωντανός και να μεταφερθεί, κλωτσώντας, στο σημείο της προσφοράς, εκεί όπου το αίμα του προσφέρθηκε τροφή στις ρίζες των δέντρων και στα θεμέλια του Οίκου, στο φυτεμένο χωράφι, στα λιόδεντρα του λόφου και στα οστά των χιλιάδων μανάδων και πατεράδων του παρελθόντος. Όταν έκοψαν το λαιμό του, εκείνη ούρλιαξε με ουρλιαχτό σαν της δαμάλας, πιστεύοντας πως θυσιάστηκε ο Ζαγρέας, ο εραστής της ανοιξιάτικης βασίλισσας, παρόλο που ο άντρας που χόρεψε για τον Ζαγρέα ήταν ζωντανός και την επόμενη, ενώ ο ταύρος που χόρεψε για τον Ζαγρέα όχι. Έτσι την έπλεξε το όραμα του μανδραγόρα, μια παλινδρόμηση ανάμεσα στον αισθησιασμό και στον τρόμο, στην ένωση και τη διάλυση, πέρα από νόμους και λογική, μέσα στη ζωή και στις δυνάμεις που είναι γέννηση και ανατροφή, θάνατος και σπόρος.

Σαν κυνηγόσκυλο που καταπίνει το λαγό πρέπει να την κάναμε, σκέφτηκε η Κάρμη, καθώς κουβαλούσε την αποκοιμισμένη κόρη της σπίτι στην πλάτη της, φασκιωμένη μέσα στο μπλε βαμμένο πανί της γιαγιάς της που ήταν γι'αυτή τη δουλειά. Πρώτη φορά που το κορίτσι ονειρευόταν ήσυχα κι όχι σαν κουτάβι με σπασμούς, χάρη στην κατευναστική πανίσχυρη λέξη της ιέρειας στη γλώσσα του λιονταριού. Το παιδί είχε γεννηθεί έναν ολόκληρο μήνα νωρίτερα, κι ας ήταν κόρη του Ζαγρέα, και με τόση ευκολία που η Κάρμη τη θεώρησε κόρη τού καλού της άντρα, εδώ και χρόνια, κι όχι σπορά της ίδιας της άνοιξης. Τώρα πια, περπατώντας πάνω στο απότομο μονοπάτι ανάμεσα στα ρείκια και τις τραχιές πέτρες, ανάμεσα στα θυμάρια που είχαν πρασινίσει πάλι με τη χειμωνιάτικη βροχή και με τις συστάδες από οπωροφόρα και λιόδεντρα που καλλιεργούσαν τριγύρω από τις πηγές του βουνού, αναρωτήθηκε πώς και δεν το είχε δει από την αρχή—ότι αυτό ήταν ένα παιδί θεόπλαστο. Παιδί των Δυνάμεων. Και βέβαια κάποια σαν τη Βριτόμαρτη θα έβγαινε νωρίτερα ένα μήνα, με τη λαχτάρα να βρεθεί μέσα στη συντριβή του αέρα και στη σκιά των βουνών, με τη λαχτάρα να τεντώσει το νεαρό κορμάκι της, σαν το κυνηγόσκυλο.

Αυτό λοιπόν ήταν το ξεκίνημα της Βριτόμαρτης, έτσι μεγάλωσε, φορώντας εκείνο το τρυπημένο καρνεόλιο στο λαιμό της, σαν μια σταγόνα λαμπερό αίμα και πήγαινε κάθε τόσο να επισκεφτεί τη σπηλιά της ιέρειας στο Βράχο του Λιονταριού, όταν η ταραχή γινόταν τόσο έντονη, που την πονούσαν τα μέλη της. Μεγάλωσε όπως μεγαλώνουν τα κουτάβια του κυνηγόσκυλου, χέρια και πόδια τεράστια, ενώ το υπόλοιπο είχε μείνει μικρούλι για χρόνια, ως το πρώτο αίμα της, όταν ξαφνικά έφτασε στο ύψος τον άντρα της μάνας της, αλλά ήταν τόσο λυγερή, που καμιά άλλη γυναίκα δεν την έφτανε σε ταχύτητα ή χάρη. Εκείνη την εποχή έχασε και τη χάντρα από καρνεόλιο σ'έναν αγώνα τρεξίματος, στους εορτασμούς της ανατολής του Αρκτούρου. Ήταν πολύ κοντά στη γραμμή τερματισμού, όταν ένας τρίτος ή τέταρτος ξάδελφος, ένα αγόρι με πιο μακριά κανιά κι από την ίδια και μια λάμψη στα μάτια που έμοιαζε να περιπαίζει την αγριάδα της, άρπαξε κι έσπασε το κορδόνι από το λαιμό της για ένα στοίχημα, πιστεύοντας ότι έτσι θα τη νικούσε, εξαιτίας μιας παλιάς φήμης που έλεγε πως αυτή ήταν η πέτρα της δύναμής της. Μόνο που δεν ήξερε ότι η πέτρα ήταν αυτή που είχε κρατήσει τη δύναμή της σε ηρεμία και υπό έλεγχο, ώσπου να ωριμάσει αρκετά για να την δαμάσει η ίδια. Ζαλισμένη ξαφνικά με την ελαφράδα που ένιωσε, η Βριτόμαρτις έτρεξε τότε σαν πραγματικό λαγόσκυλο, και πιο γρήγορα ακόμα. Έγινε γερακίνα, έγινε αστρόφως. Τέτοια ήταν η σβελτάδα κι η αγριάδα της, που την πρόσεξε ο ίδιος ο γερακοθεός, το ίδιο και ο ήλιος. Ο ξάδελφός της είχε σταθεί παραπίσω κρατώντας το καρνεόλιο, θαμπωμένος, θυμωμένος και τρομαγμένος, όλα μαζί.

Εκείνη τη στιγμή, άρχισαν τα προβλήματα. Εκείνη τη στιγμή, άρχισε κι η ζωή της.

Το αλώνι

Τελικά, τίποτα δεν μπορούσες πια να κάνεις,
παρά να ξαπλωθείς χάμω στο αλώνι
και ν'αφήσεις το βάρος του να σε συνθλίψει σε αυτό
που πάντα ήταν να γινόσουν
Κελυφωτή, απαλή μέσα στον πόθο, τσακισμένη από θλίψη
ευάλωτη σαν νιο σποράκι

Η σκοτεινή σελήνη και η δίδυμη αδελφή της,
η γεμάτη, είναι οι μυλόπετρες
Η γη είναι ο μεγάλος γάιδαρος που τις γυρνά
Σε παρακολουθεί με μάτια συμπονετικά
Τα μακριά καφετιά αυτιά της πάντοτε συντονισμένα
στο βουητό των σφαιρών

Κάπου εκεί ψηλά, υπάρχει ένα αστέρι που ξέρει τ'όνομά σου
Λάμπει μέσα από το ανοιχτό παράθυρο
Ξέρει από τι είσαι φτιαγμένη, γεμίζει εσένα και το αλώνι με φως
Εσύ ακούς τα πουλιά της πατρίδας σου
να καλούν το ένα τ'άλλο μέσα στις βελανιδιές
Τα ακούς να μιλούν μέσα στους φωτεινούς πράσινους θάμνους
στο βουνό της παιδικής σου ηλικίας

Πριν χρόνια, ανέβηκες να βρεις τη φλέβα του σερπεντίνη
όταν τα καλοκαιρινά κρινάκια του αγρού είχαν ανθίσει
και οι κροταλίες είχαν ξυπνήσει
Κάθισες ανάμεσα στις πράσινες πέτρες κι έστησες αυτί
ν'ακούσεις το όνομά σου
Είμαστε δράκοι, είπε ο σερπεντίνης, και σου έδειξε
ένα αρχέγονο ωκεάνιο ρήγμα

όπου το μάγμα άγγιζε το θαλασσινό νερό και γινόταν λαμπρή πέτρα
εκεί που η πέτρα δίπλωνε καθώς ανυψωνόταν μέσα στη λάβα
και γινόταν πράσινη σαν δρακόδερμα
Πέτρα του νερού, πέτρα της φωτιάς, πέτρα της μετουσίωσης

Αυτή τη φορά, μετά από μήνες
που κείτεσαι κάτω από αυτό το τεράστιο βάρος,
όταν ανέβηκες το βουνό της παιδικής σου ηλικίας οι πέτρες
σε αποκάλεσαν αδελφή: είσαι δράκος τώρα, λένε

Μέσα στο ναό, όπου οι κατσίκες φέρνουν στον κόσμο ριγηλά κατσικάκια
εκεί όπου η πέτρα δίπλα στην πηγή είναι
ο τελευταίος και αιώνιος προφορικός ύμνος
πολύ μετά που έχουν πέσει οι τοίχοι, πολύ μετά
που έχουν φύγει οι τελευταίοι προσκυνητές
οι γυναίκες σε κυκλώνουν

Σου πήρε ό,τι είχες και δεν είχες μέσα σου για να φτάσεις μέχρι εδώ
Την τελευταία λεύγα τη διέσχισες έρποντας και τα λέπια στην κοιλιά σου
έχουν γδαρθεί
Έχουν φαγωθεί σχεδόν τελείως

Κάποτε πίστευες πως μπορούσες έτσι
να περπατήσεις και δέκα χιλιάδες λεύγες
για τον αγαπημένο, πιστεύοντας
πως ο Αγαπημένος μπορούσε να περιοριστεί
αποκλειστικά στο σώμα ενός άντρα

Τώρα που βλέπεις πως η μοναδική έρημος
όπου θα μπορούσες να επιβιώσεις μ' αυτόν τον τρόπο
αλλάζοντας το ένα δέρμα μετά το άλλο, καθώς συνθλίβεσαι
από τις πλανητικές μυλόπετρες
υπάρχει φυλαγμένη σε μια χώρα στην ψυχή σου που δεν είναι

παρά ψήγμα της Αγάπης,
Και πως κανένας άντρας καμιά γυναίκα δεν είναι
το τελικό αντικείμενο αυτής της Αγάπης
γιατί αυτή αναδύεται μόνο τότε, ακατάπαυστα
από την πηγή του εαυτού σου, εκεί πλάι στην πιο αρχαία πέτρα
εκεί όπου το φίδι αλλάζει το δέρμα του
κάτω απ'το δέρμα
κάτω απ'το δέρμα
που εκείνη πίστευε πως άλλαζε

Μια γυναίκα γυμνή βρίσκεται εκεί κάτω απ'όλα

Το σώμα της είναι δέκτης όλων όσων τ'αστέρια διαχέουν σε εμάς
όλων όσων ψιθυρίζει η έρημος
λουλακί το ηλιοβασίλεμα, μαργαριταρένια την αυγή
τα εκατό χιλιάδες εφήμερα λουλούδια
που ανθίζουν για μια μέρα στις όχθες των εαρινών λιμνών
Είναι το ίδιο δεκτική με αυτά, σε όσα της δίνουν ο ουρανός κι η γη
Το μέτωπό της διατρέχει ένα στεφάνι από τις πρώτες μωβ ανεμώνες
απ'τα βουνά του αρχέγονου συμβάντος της ψυχής της
Ανοίγουν τα σκοτεινά κέντρα τους χωρίς αντίσταση
σ'αυτό που ρέει καθοδικά
από κάθε πιθανή κατεύθυνση:
φως και σκοτάδι, και τα δυο αρωματισμένα με μύρο
Το σκοτάδι δεν είναι σκοτάδι
μόνο η σκιά που ρίχνει ο ήλιος καθώς αγγίζει το σώμα της γης

Για πρώτη φορά στη ζωή της
και οι δυο πλευρές του φωτός μπαίνουν μέχρι μέσα
Αγγίζουν τα πάντα, μπαίνουν κάτω από τα πάντα
μέσα στα μέρη που είχε χάσει, μέσα στα μέρη που είχε κλείσει
και είχαν ορφανέψει κι είχαν απελπιστεί, κι είχανε γίνει αδηφάγα,

τυφλά μπροστά σ' αυτό που έρεε, σαν σέλας, πράσινο σαν το θεό του Νείλου,
που έρρεε κατεβαίνοντας από τον ουρανό, και ανεβαίνοντας από τη γη
που αναδινόταν αστραφτερό από κάθε δέντρο και κάθε πέτρα
όπως και τ' όνομά της, που ήταν ένα ψήγμα από εκείνο το αιώνιο όνομα
εκείνο που ξεπερνά τα φύλα και το δυισμό, που κάνει τον κόσμο να γυρίζει
και το σπόρο να πιάνει, την πρασινάδα να ανελίσσεται και την καρδιά να διαρρηγνύεται έτσι όπως
διαρρηγνύεται ο πυθμένας της θάλασσας από το μάγμα, όταν είναι η ώρα να φτιαχτεί νέο έδαφος

Όλα αυτά αυτή τα δέχεται
Όλα αυτά εσύ τα δέχεσαι
ώσπου να κονιορτοποιηθείς σε ένα αλεύρι χρυσό
και να ψηθείς σε ωκεάνια ρήγματα και στη στάχτη
μιας φωτιάς στην έρημο που άναψαν νομάδες
Μετά βρίσκεις πως η αγάπη είναι ο εαυτός σου
ότι εσύ είσαι το τέλος και η αρχή της
ότι αυτή η σκόνη που έχεις γίνει δίνεται προσφορά
στην πέτρα πλάι στην πηγή μες στο ναό όπου γεννιούνται οι κατσίκες
και όπου ο άνεμος ποτέ δεν έπαψε να τραγουδά αγάπη για τα αστέρια

FEBRUARY 2019

Venus conjunct Saturn
Venus conjunct Pluto
Venus conjunct South Node
Third Vestment released
(She removes the necklace of lapis from Her throat)

Condors along the old coast highway 101 to Santa Barbara to visit my oldest friend who is almost my sister. The rain pours and pours. Eucalyptus trees bloom bright pink. Morning after morning after morning; tea first thing in bed to let the words flow. The candle lit. Taste of black tea, smell of beeswax. Dormant fruit-trees at Green Gulch, silver-branched. The gardener sends me photos of the almond trees blossoming in Crete. February sunshine in California. Oak catkins. The magenta filaments of the hazel flowers. Magnolias bloom, huge and pink. They start as furred mouths. The sound of my boots clicking in the long hall of a government building as I walk to an office with my signed divorce papers. I don't know how I am breathing, how I am walking still. A salmon leaps upstream where I sit at the willow's cold root: flash of deep pink and green speckles, flying bravely against the water's rush.

Isolde in the Garden

On the mountain of my girlhood
I dug a hole beneath the madrone tree
and buried the stones and shells and flowers
of a virgin altar that I prayed over long ago
before the beginning
before I knew the name Isolde

In the earth the soil returns
essence back to essence
Nothing is lost
The stones and shells
the ribbons and the dust
return to the memory of eternity

Think of the famous lovers of myth:
Isolde and her Tristan
Aphrodite and her Adonis
They are held forever somewhere out of time
Think too of all the living people
who have loved that way:
the unnamed old men
who loved for a lifetime
the faceless old women
who loved beyond reason, into truth
the forgotten girls
who loved and lost a young sailor
but did not lose him ever from her heart

For a hundred times a hundred thousand years
the earth has held the memory
and the lifespan of each blossom
the body of every being who ever loved

Somewhere Isolde is forever turning
to see her Tristan for the first time
shipwrecked on the shores of Erin
Somewhere our life and the life of the cosmos
is not an unending line behind us
through space and time
but an eternal point of light before us
where everything touches
where what we were
and what we will be hang between
the warp and weft of now
where he will always be looking up
and meeting my eyes across
the circle when I was a schoolgirl
where his wild flute
under the moon
by a pool of water
will never
stop
ringing

On the mountain of my childhood
I buried all the stones of that altar
I gave the love I had been given
back to the roots of the madrone
The trees steamed in the sunlight
and the woodpeckers spoke

in the voices of our ancestors
returning our love to the line of eternity
to the seed and to the root

Somewhere, Tristan and Isolde
lie entwined in a rose bower for eternity
But somewhere else, Isolde has taken a cutting
from the bramble stem of before
and is planting it carefully in a little pot
in a new garden far away

There are lines on her face made by a grief
that will never not be with her
But beside them are new lines
of laughter and of sun
and a child who could not have existed before
playing with pink seashells at her feet

Narcissus

1.

The mother of Narcissus sang her son's lament for three thousand years before the birth of Christ. At first when she sang it, all her people knew the words. It was the song of the dying green, and of everyone who had ever lost a loved one, and it was also the song of the first flowers after autumn's soaking rain, whose beauty was just as ephemeral. Later when she sang it the ways of her people had been lost, taken under the swords of invaders who buried their warriors as if they themselves were gods, and worshipped what could be crafted from bronze above the one who gave the alloy from her body freely. Then, by their reckoning, her Narcissus became a vain youth poisoned by his own beauty because he was not aware of its source, the boy who died of longing over his own reflection in a mountain pool. But before the warlords of Mycenae, before the stories of Theseus and the Minotaur which swallowed whole the older ways of Crete, Narcissus was the force of a thousand green stalks across the winter valleys of that ancient land. He was the deep rain that made the blooming, and the sun that provoked the bulb, and he was a little boy brown as earth running barefoot through his mother's mountain meadow with too many curls too count, all twisted tight as grape tendrils. There was always dirt on his feet. He had his father's big sweet smile and a narrow laughing face that was beautiful. *Be true to what is beautiful in you*, his mother told him when he was small. Sometimes in those days he looked at her with his dark clear eyes, his hands full of spring flowers, and said, *before I was dead I was an iris. Before I was dead I was a rose.*

2.

Once there was a boy who blossomed. Once there was a mother who loved her son beyond all reason. She is every mother. She is still standing in the high mountain meadow near the spring of her lineage, perfectly still, watching her little boy run toward her through the blue-blooming irises, his hands full of petals, and one iris stuck in his curling hair, his sweet brown face and hands and bare feet leaping toward her like a small brown bird, a perfect minnow: her whole life. A part of her will always be standing in that meadow. A part of her will always be catching him up in her arms, too big to carry now, too long and wild, but smelling still of iris roots and spring water and honey. Smelling the way his father had the night they made him, and the way he had when he was born.

3.

His mother was called Liriope, blue nymph of a high mountain spring of Lassithi and the ten-thousand blooming irises in the month of March. His father was the river spirit Kephisos who snaked through the mountain's stones as the source of all groundwater and springs, suffusing the limestone. He had felt Liriope's dancing feet on the mountain stones for an eon before he found the courage to approach her one evening in March, when all the flowers were in their sweetest bloom and the spring water gushed with the scent of nectar from its cleft in the ground. The dusk smelled of nectar too, and the drunken bloom of the cyclamen. He approached among them, up from the deep earth, startling blue Liriope only a little from her reverie. It had been one of those spring days that felt like summer, and she was unbound among her meadow flowers, glistening with sweat, lids half-closed with pleasure. She danced with her blue-black hair all tangled down her back. Her dancing kept the spring alive—it kept the pulse of the roots and bulbs in the earth, it kept the flowers loyal to the rhythm of their opening, so that the bees would find the deep pollen and the year would spin on. Tonight the year was languid in its moving. Her hips swelled. Her hands were stained blue with dusk and iris petals. Kephisos took a step nearer, a liquid shadow. She was so beautiful he could not speak. His longing burst everywhere through him and encircled her with the scent of limestone and the dark blue ouroboros where all of Earth's rivers and streams and springs meet in the subterranean depth. He was so solemn and so tall, encircling her. She laughed. It was a good evening to be seduced by a river god. She had danced a long time without a child of her own. As he encircled her she became the iris. He knelt at the gate of her body, his dark tongue deep in dark pollen, until the dark was all around them and they rolled against the soil, the purple irises staining their bodies. Everything shone. They were both water again among the roots, among the seeds.

4.

From the moment Liriope caught her son, dark as a bulb and as whole, from her body, she knew she would lose him to the spring and to the earth. She knew that her Narcissus was not human enough to keep the form of man. That somehow Kephisos had put a flower seed in her, the essence of the rising and the falling green, and so her son would forever be. She knew that when he reached the height of his fullness, as the flowers do, then he would be lost to her, and she would remain the weeping mother of a rising and a dying god, long before the Virgin Mary and her child.

5.

When Narcissus saw himself in the clear pool that the nymph Echo brought him to, he did not remain crouched before his reflection because of the beauty of his face, as was later written. It was his own eyes, which he had never beheld so clearly before, and which were as clear as the pool itself, that kept him spellbound, because they opened into himself as he stared. They shone, and bloomed. He saw inside. He was a labyrinth, he was a bulb, he was his mother lifting him from her body, bloody with birth, the umbilical cord blue and root-like, twining back before, into his father the river, into his grandmother the keeper of stars and rain, into a lineage of time so deep and shining he thought his heart would break. *I am the scent of the first flower that bloomed at the beginning of the world, the seed of myself is that old,* he whispered, and saw no longer his face in the pool, but only the white face of the narcissus flower. Then Echo, who had been so shy of his human beauty before that she could only follow him but hardly speak, trembled in her virgin body and came forth from the shadows. She was unable to resist the heady scent of the many blossoms and virile green stalk that had taken the place of the shining boy. With both hands she reached to hold him, to stroke what she had trembled at before. And so desire came to her body as it had only come to her mind before, and she sang its ecstasy and its mourning, her voice reverberating. Her voice and the voice of Liriope became one, mother and beloved. They mourned at summer's height when he withered, they celebrated with ecstasy at the heart of every winter when he returned: the springing force of life, a hundred heady salt-white blooms, the little boy running among the meadow flowers to leap, bud-wreathed, into her arms.

Φλεβάρης 2019

Η Αφροδίτη σε σύνοδο με τον Κρόνο
Η Αφροδίτη σε σύνοδο με τον Πλούτωνα
Η Αφροδίτη σε σύνοδο με το Νότιο Δεσμό
Το τρίτο Ιερό Ένδυμα πέφτει
(αφαιρεί το περιδέραιο από λαζουρίτη από το λαιμό Της)

Κόνδορες κατά μήκος της παραλιακής εθνικής οδού 101 προς Σάντα Μπάρμπαρα για να επισκεφτώ την πιο παλιά μου φίλη, που είναι σχεδόν αδερφή μου.. Η βροχή πέφτει πυκνή ασταμάτητη. Ευκάλυπτοι ανθίζουν σε λαμπερό ροζ. Και κάθε μα κάθε πρωί: πρώτο πράγμα, τσάι στο κρεβάτι, για ν'αρχίσουν να ρέουν οι λέξεις. Το κερί από μελισσοκέρι άναψε. Γεύση μαύρου τσαγιού, μυρωδιά από κερί μέλισσας. Φρουτόδεντρα σε λήθαργο στο Γκρην Γκαλτς, κλαδιά από ασήμι. Φλεβαριάτικη λιακάδα στην Καλιφόρνια. Ίουλοι βελανιδιάς. Τα φούξια νήματα του άνθους της φουντουκιάς. Οι μανόλιες ανθίζουν, τεράστιες και ρόδινες. Ξεκινούν σαν χνουδωτά στόματα. Ο ήχος από τις μπότες μου καθώς κροταλίζουν στον μακρύ διάδρομο ενός κυβερνητικού κτηρίου καθώς περπατώ προς το γραφείο με τα χαρτιά του διαζυγίου μου υπογεγραμμένα. Δεν ξέρω πώς αναπνέω, πώς περπατώ ακόμα. Ένας σολωμός πηδάει κόντρα στο ρεύμα εδώ που κάθομαι στην κρύα ρίζα της ιτιάς: αναλαμπή σε βαθύ ροζ με πράσινες πιτσιλιές, να πετά με γενναιότητα κόντρα στην ορμή του νερού.

Η Ιζόλδη στον Κήπο

Πάνω στο βουνό της κοριτσίστικης ζωής μου
έσκαψα μια τρύπα κάτω από την κουμαριά
και έθαψα τις πετρούλες τα κοχύλια και τα λουλούδια
από τον παρθενικό βωμό όπου προσευχόμουν πριν από πολύν καιρό
πριν την αρχή
πριν μάθω το όνομα Ιζόλδη

Μέσα στη γη επιστρέφει το χώμα
ουσία πίσω στην ουσία
Τίποτα δεν χάνεται
Οι πέτρες και τα κοχύλια
οι κορδέλες και η σκόνη
επιστρέφουν στη μνήμη της αιωνιότητας

Σκέψου τους διάσημους εραστές του μύθου:
την Ιζόλδη και τον Τριστάνο της
την Αφροδίτη και τον Άδωνί της
Διατηρούνται παντοτινά κάπου έξω απ'το χρόνο
Σκέψου και όλους τους ζωντανούς
που αγάπησαν έτσι:
τους ανώνυμους γέρους
που αγάπησαν για μια ζωή
τις απρόσωπες γριές
που αγάπησαν πέρα απ'τη λογική, μέσα στην αλήθεια
τα ξεχασμένα κορίτσια
που αγάπησαν κι έχασαν ένα νεαρό ναύτη
μα χωρίς ποτέ να τον χάσουν από την καρδιά τους

Για εκατό χιλιάδες χρόνια εκατό φορές
η γη κρατά τη μνήμη
και το χρόνο ζωής κάθε άνθους
το σώμα κάθε πλάσματος που κάποτε αγάπησε

Κάπου η Ιζόλδη για πάντα θα στρέφει
να δει τον Τριστάνο της για πρώτη φορά
ναυαγό στις ακτές του Έριν
Κάπου η ζωή η δική μας και η ζωή του σύμπαντος
δεν είναι μια ατέλειωτη γραμμή που μένει πίσω μας
μέσα απ'το χώρο και το χρόνο
μα μια αιώνια κουκκίδα φωτός μπροστά μας
όπου τα πάντα αγγίζουν
όπου αυτό που ήμασταν
και αυτό που θα είμαστε κρέμονται ανάμεσα
στο στημόνι και το υφάδι τού παρόντος
εκεί που αυτός πάντα θα σηκώνει το βλέμμα
και θα συναντά τα μάτια μου στην άλλη πλευρά
του κύκλου, τότε που ήμουν μαθήτρια
εκεί που η άγρια φλογέρα του
κάτω από το φεγγάρι
πλάι σε μια λακκούβα νερό
ποτέ δεν θα
πάψει
να ηχεί

Στο βουνό της παιδικής μου ηλικίας
έθαψα όλες τις πέτρες από το βωμό
έδωσα την αγάπη που είχα πάρει
πίσω στις ρίζες της κουμαριάς
Τα δέντρα άχνιζαν μέσα στο ηλιόφως
και οι δρυοκολάπτες μίλαγαν

με τις φωνές των προγόνων μας
επιστρέφοντας την αγάπη μας στην γραμμή της αιωνιότητας
στο σπόρο και στη ρίζα

Σε κάποιο μέρος, ο Τριστάνος και η Ιζόλδη
ξαπλώνουν αγκαλιά μέσα σε μια πυκνή τριανταφυλλιά στην αιωνιότητα
Όμως κάπου αλλού, η Ιζόλδη έχει κόψει ένα κοτσάνι από τη βατομουριά
του χτες
και το φυτεύει με προσοχή σ'ένα μικρό γλαστράκι
σε κάποιον καινούριο κήπο πέρα μακριά

Έχει ρυτίδες στο πρόσωπο φτιαγμένες από μια θλίψη
που ποτέ πια δεν θα λείψει απ'το πλάι της
Όμως δίπλα σ'αυτές, υπάρχουν νέες ρυτίδες
του γέλιου και του ήλιου
κι ένα παιδί που δεν θα μπορούσε να έχει υπάρξει νωρίτερα
παίζει με τα ροδαλά κοχύλια στα πόδια της

Νάρκισσος

1.

Η μάνα του Νάρκισσου τραγουδούσε το θρήνο για το γιο της για τρεις χιλιάδες χρόνια πριν τη γέννηση του Χριστού. Όταν τον τραγουδούσε στην αρχή, όλοι οι άνθρωποι ήξεραν τα λόγια. Ήταν το τραγούδι της βλάστησης που πεθαίνει και οποιουδήποτε έχει χάσει ποτέ αγαπημένο και ήταν επίσης το τραγούδι των πρώτων λουλουδιών μετά την πρώτη καταρρακτώδη φθινοπωρινή βροχή, που η ομορφιά τους είναι εξίσου εφήμερη. Όταν το τραγουδούσε σε κατοπινούς καιρούς, οι τρόποι του λαού της είχαν ξεχαστεί, υποταγμένοι πια στα σπαθιά των εισβολέων που έθαβαν τους πολεμιστές τους σαν να ήταν οι ίδιοι θεοί και λάτρευαν ό,τι μπορούσε να φτιαχτεί από μπρούντζο περισσότερο από εκείνη που τους έδωσε χάρισμα το κράμα μέσα από το σώμα της. Μετά, κατά τα λεγόμενά τους, ο Νάρκισσός της έγινε ένας νέος ματαιόδοξος, που δηλητηριάστηκε από την ίδια την ομορφιά του, επειδή δεν είχε αντίληψη της πηγής της, το αγόρι που πέθανε από πόθο για την ίδια του την αντανάκλαση σε μια λίμνη του βουνού. Όμως, πριν από τους πολέμαρχους των Μυκηνών, πριν τις ιστορίες του Θησέα και του Μινώταυρου που κατάπιαν μονομιάς τους παλιούς τρόπους της Κρήτης, ο Νάρκισσος ήταν η δύναμη των χίλιων πράσινων βλασταριών που γεμίζουν τις χειμωνιάτικες κοιλάδες ετούτης της πανάρχαιης γης. Ήταν η βαθιά βροχή, που έφερνε την άνθιση, και ο ήλιος που γαργαλούσε το βολβό και ήταν ένα μικρό αγόρι, σκουρόχρωμο σαν το χώμα, που έτρεχε ξυπόλυτο στο ορεινό λιβάδι της μάνας του, με τις αμέτρητα πολλές μπούκλες του σφιχτοπλεγμένες όλες μεταξύ τους σαν τα ελικοειδή βλαστάρια του αμπελιού. Τα πόδια του ήταν πάντα μέσα στα χώματα. Είχε το φαρδύ γλυκό χαμόγελο του πατέρα του κι ένα στενό γελαστό πρόσωπο που ήταν πανέμορφο. Να'σαι αληθινός σ'αυτό που είναι όμορφο μέσα σου, του έλεγε η μάνα του όταν ήταν μικρός. Μερικές φορές, εκείνη την εποχή, την κοιτούσε με τα σκούρα καθάρια μάτια του και με τα χέρια του γεμάτα ανοιξιάτικα λουλούδια και έλεγε, πριν να'μαι νεκρός, ήμουν ίριδα. Πριν να'μαι νεκρός, ήμουν ρόδο.

2.

Υπήρχε κάποτε ένα αγόρι που άνθιζε. Υπήρχε κάποτε μια μάνα που αγαπούσε το γιο της πέρα από κάθε λογική. Είναι η κάθε μάνα. Στέκει ακόμα όρθια στα λιβάδια των ψηλών βουνών, κοντά στην πηγή της γενιάς της, εντελώς ακίνητη, να κοιτάζει το αγοράκι να τρέχει προς το μέρος της μέσα από τις γαλάζιες ανθισμένες ίριδες, με τα χέρια γεμάτα πέταλα, και μιαν ίριδα κολλημένη στις μπούκλες του, με το γλυκό σκούρο προσωπάκι του και τα γυμνά του χέρια και πόδια να πηδούν πάνω της σαν μικρό καφετί πουλάκι, σαν μια τέλεια αθερίνα —όλη της η ζωή. Ένα κομμάτι της θα στέκει πάντοτε σε εκείνο το λιβάδι. Ένα κομμάτι της πάντα θα ανοίγει την αγκαλιά της να τον πιάσει, ενώ παραμεγάλωσε τώρα για αγκαλιές, παραψήλωσε, παρα-αγρίεψε, μυρίζει όμως ακόμα σαν τη ρίζα της ίριδας και σαν νερό πηγής και μέλι. Μυρίζει όπως μύριζε ο πατέρας του τη νύχτα που τον έκαναν και όπως μύριζε όταν γεννήθηκε.

3.

Τη μάνα του την έλεγαν Λιριόπη, γαλάζια νύμφη μιας πηγής ψηλά στα βουνά του Λασιθιού και των δέκα χιλιάδων ανθισμένων ίριδων το μήνα Μάρτη. Πατέρας του ήταν το ποτάμιο πνεύμα Κηφισός, που φιδογύριζε ανάμεσα στις πέτρες του βουνού ως κεφαλόβρυσο για όλα τα νερά του εδάφους και των πηγών, διαποτίζοντας την ασβεστολιθική γη. Είχε νιώσει τα πόδια της Λιριόπης να χορεύουν πάνω στις πέτρες του βουνού για έναν αιώνα, πριν βρει το κουράγιο να την προσεγγίσει, ένα βραδάκι του Μάρτη, όταν όλα τα λουλούδια βρίσκονταν στην πιο γλυκιά ανθοφορία τους και το νερό της πηγής ανάβλυζε ευωδιάζοντας νέκταρ από τη σχισμή του στο έδαφος. Το σούρουπο μύριζε κι αυτό νέκταρ και μεθυσμένη ανθοφορία κυκλαμίνων. Την πλησίασε ανάμεσά τους, ανεβαίνοντας από το βάθος της γης και ξάφνιασε τη γαλάζια Λιριόπη, όχι πολύ, μέσα στη ρέμβη της. Ήταν από εκείνες τις ανοιξιάτικες μέρες που μοιάζουν καλοκαίρι, κι αυτή εντελώς ελεύθερη μέσα στα λουλούδια του λιβαδιού, γυάλιζε από τον ιδρώτα, με τα βλέφαρα μισόκλειστα χαμένη στην απόλαυση. Χόρευε με τα κορακίσια μαλλιά της μπερδεμένα και χυμένα στην πλάτη της. Ο χορός κρατούσε την πηγή ζωντανή, κρατούσε τον παλμό των ριζών και των βολβών μέσα στη γη, κρατούσε τα λουλούδια πιστά στους ρυθμούς της άνθισής τους έτσι ώστε οι μέλισσες να βρουν την πιο βαθιά γύρη και η χρονιά να συνεχίσει την περιδίνηση. Απόψε, η χρονιά κυλούσε ραχάτικα. Τα μεριά της φούσκωναν. Τα χέρια της είχαν μπλε λεκέδες από το σούρουπο και τα πέταλα της ίριδας. Ο Κηφισός έκανε ένα βήμα πιο κοντά, υγρός ίσκιος. Ήταν τόσο όμορφη, που του είχε κοπεί η μιλιά. Ο πόθος του ξεχύθηκε παντού από μέσα του και την κύκλωσε με τη μυρωδιά του ασβεστόλιθου και του μπλε σκούρου ουροβόρου, όπου όλα τα ποτάμια, τα ρυάκια και οι πηγές της γης συναντιούνται στο υπόγειο βάθος. Ήταν τόσο σοβαρός και τόσο ψηλός έτσι όπως την κύκλωσε. Εκείνη γέλασε. Ήταν ωραία βραδιά για ν' αφεθεί στην αποπλάνηση ενός ποταμίσιου θεού. Είχε πολύν καιρό χορέψει χωρίς παιδί δικό της. Καθώς την κύκλωνε, εκείνη έγινε ίριδα. Αυτός γονάτισε μπροστά στην πύλη του κορμιού της, η σκοτεινή γλώσσα του βαθιά βουτηγμένη στη σκοτεινή γύρη, ώσπου το σκοτάδι τους τύλιξε και κυλίστηκαν πάνω στο χώμα, ενώ οι μωβ ίριδες έβαφαν τα κορμιά τους. Όλα έλαμπαν. Ήταν και οι δυο πια νερό ξανά, ανάμεσα στις ρίζες, ανάμεσα στους σπόρους.

4.

Απ'τη στιγμή που η Λιριόπη έπιασε στα χέρια της το γιο της, σκούρο σαν το βολβό και εξίσου αυτάρκη, καθώς βγήκε από το σώμα της, ήξερε πως θα της τον έπαιρνε η άνοιξη και η γη. Ήξερε πως ο Νάρκισσός της δεν ήταν αρκετά ανθρώπινος ώστε να διατηρήσει την αντρική μορφή του. Ότι με κάποιο τρόπο, ο Κηφισός είχε βάλει μέσα της το σπόρο λουλουδιού, την ουσία της ανάπτυξης και της φθοράς όλης της βλάστησης, και πως έτσι θα ήταν και ο γιος της στο διηνεκές. Ήξερε πως, όταν έφτανε στο απόγειο της ωριμότητάς του, όπως γίνεται και με τα λουλούδια, τότε θα τον έχανε κι εκείνη θα έμενε πίσω, μια μάνα που θρηνεί για το θεό που ανασταίνεται και πεθαίνει, πολύ πριν από την Παρθένο Μαρία και το δικό της παιδί.

5.

Όταν ο Νάρκισσος είδε τον εαυτό του στην καθαρή λιμνούλα όπου τον είχε πάει η νύμφη Ηχώ, δεν έμεινε εκεί γονατισμένος μπρος στην αντανάκλασή του εξαιτίας της ομορφιάς του προσώπου του, όπως γράψαν αργότερα. Ήταν τα μάτια του, που δεν τα είχε ξαναδεί ποτέ τόσο καθαρά, και που ήταν καθάρια σαν την ίδια τη λίμνη˙ αυτό ήταν που τον άφησε έκθαμβο, επειδή τα μάτια του άνοιξαν προς τα μέσα του καθώς κοιτούσε. Έλαμψαν και άνθισαν. Εκείνος είδε μέσα του. Είδε πως ήταν λαβύρινθος, ήταν βολβός, ήταν η μάνα του που τον σήκωνε απ'το κορμί της γεμάτο αίματα ακόμα από τη γέννα, ο ομφάλιος λώρος μπλε και σαν μια ρίζα, να συστρέφεται πάλι προς τα πίσω, προς τον πατέρα του τον ποταμό, πίσω στη γιαγιά του, φύλακα των αστεριών και της βροχής, πίσω σε μια γενιά του χρόνου τόσο βαθιά και λαμπερή, που νόμισε πως θα έσπαγε η καρδιά του. *Εγώ είμαι η μυρωδιά του πρώτου λουλουδιού που άνθισε στις απαρχές του κόσμου, τόσο παλιός είναι ο σπόρος του εαυτού μου*, ψιθύρισε, και πια δεν έβλεπε το πρόσωπό του στη λιμνούλα, αλλά μονάχα το λευκό πρόσωπο του άνθους του νάρκισσου. Τότε η Ηχώ, τόσο συνεσταλμένη μπρος στην ανθρώπινη ομορφιά του λίγο νωρίτερα, ώστε μόνο να τον ακολουθεί μπορούσε δίχως σχεδόν καθόλου να μιλά, ρίγησε μέσα στο παρθενικό κορμί της και ξεπρόβαλλε από τις σκιές. Της ήταν αδύνατο να αντισταθεί στη μεθυστική μυρωδιά των πολλών λουλουδιών και στον στητό πράσινο μίσχο, που είχε πάρει τη θέση εκείνου του αστραφτερού αγοριού. Άπλωσε τα δυο της χέρια να τον κρατήσει, να χαϊδέψει αυτό που πριν την έκανε να τρέμει από φόβο. Κι έτσι ο πόθος επισκέφτηκε το κορμί της, ενώ νωρίτερα περιδιάβαινε μόνο το νου της, κι εκείνη τραγούδησε την έκσταση και το θρήνο της, με φωνή παλλόμενη. Η φωνή της και η φωνή της Λιριόπης ενώθηκαν, μάνα και αγαπημένη. Θρηνούσαν μέσα στην καρδιά του καλοκαιριού, όταν αυτός μαραινόταν, γιόρταζαν εκστατικά μέσα στην καρδιά κάθε χειμώνα, όταν επέστρεφε: η αναδυόμενη δύναμη της ζωής, εκατό πεισματάρικα, λευκά σαν το αλάτι λουλούδια, και το αγοράκι να τρέχει μέσα στο ανθισμένο λιβάδι στεφανωμένο με μπουμπούκια, και να πέφτει στην αγκαλιά της.

MARCH 2019

Fourth Vestment released
(She removes the necklace of carnelian from Her heart)

Hilma af Klint's paintings at the Guggenheim in New York on my way back to Crete. Lilac. Honey. Petal. Tree of Life. Ovary. Olive wreath and serpent. Two swans. Seeing Crete rise out of the Mediterranean from the airplane window: the unending mountains. How I feel them rise up out of me too, viscerally. The late almond blossoms, in person. Purple anemones carpet the olive fields. Snow on the mountains behind Agios Nikolaos. The gardener and I drive west to the wet peaks of Kissamos, where I turn 30. Scent of pine needles in the bee smoker. Scent of the beehive: this is my first time ever opening one, with him. Planting the year's potatoes in ochre soil. Wild calendula, wild roses. Blooming *faskomilo* and red poppies on the mountain. Vegetable seedlings on our porch. Sound of olivewood popping in our woodstove every morning and night, the *tick tick* of metal heating. *Horta* to gather on the wayside. Freesias bloom in pots.

Virgin

A thousand years ago you took my hand
When I let go, I did not know
there would be no path back to you

Longer ago even than that
I put my mouth to new honeycomb
I saw the pollen and the many cells of wax
at the beginning of the world
I dreamed of a bee inside my hand
and wept in the field under feral pomegranates
where a green beetle shone bronze-flecked
like the jewel of a woman three-thousand years dead

Then, I heard a voice from the ancient olive
that seemed to be my own, an echo from
some other eon, when the roads of time
that led to the mountain vineyards were not
broken by poison, when Dionysos was not
a melancholy man, the lost dog-star, trying
desperately to keep his light going
among the ravages of so much forgetting
when the women's love-songs had not been
shattered by a thousand years
of occupation, of uprising, of war
now only a quiet pollen left inside the moon

back before I lost the way to you
back before some unfathomable power asked me
to smash the sturdy clay *pithoi* of my plans
room by room in the cool magazines of the temple
until the corridors ran with oil, with wine
with the crumbled tablets of a beloved archive
where I had so carefully kept the records of
love's consequence and love's light

Among the ruins the bees are piecing
clay sherds back together with new wax
It is the season the queen bee takes her flight

She is filled by a dozen lovers
in the soft bright air
I don't think any of us can imagine
the intensity of it:
her love dance, filled with the language
of every living flower
and all the dead
When it's over, she will have enough eggs
to fill her hive with life for years

This is a season I never lived with you
It is not a road I know
A sorrowful Dionysos guards me
but weeps for all he lost
before he came here,
before he found Ariadne
on the island of Dia
uncertain, abandoned, alone
She was covered in salt, a pearl

The queen bee is that color
before she emerges from the wax

I draw a shape around me on the hillside
Hexagonal, the six corners of the labyrinth
There is a part of me which is virgin still
that flies wildly into the flowered spring

This is a different path
It does not lead backward or forward
but in

Μάρτης 2019

Το τέταρτο Ιερό Ένδυμα πέφτει
(αφαιρεί το περιδέραιο από καρνεόλιο από την καρδιά Της)

Οι πίνακες της Χίλμα αφ Κλιντ στο Γκούγκενχάιμ της Νέας Υόρκης στην επιστροφή μου προς την Κρήτη. Λουλακί. Μέλι. Πέταλο. Δέντρο της Ζωής. Ωοθήκη. Στεφάνι από λιόκλαδα και ερπετό. Δύο κύκνοι. Βλέποντας την Κρήτη να ξεπροβάλει μέσα από τη Μεσόγειο από το παράθυρο του αεροπλάνου: τα ατελείωτα βουνά της. Πώς τα νιώθω να υψώνονται και μέσα από μένα, μέσα από τα σπλάγχνα μου. Τα όψιμα άνθη μυγδαλιάς. Μωβ ανεμώνες χαλί στα λιόφυτα. Χιόνι στα βουνά πίσω από τον Άγιο Νικόλαο. Οδηγούμε δυτικά, προς τις υγρές κορυφές του Κισσάμου˙ γίνομαι 30. Μυρωδιά από πευκοβελόνες στο καπνιστήρι για τις μέλισσες. Μυρωδιά της κυψέλης: η πρώτη μου φορά που ανοίγω μια. Φυτεύοντας πατάτες για τη χρονιά σε γη σαν ώχρα. Άγρια καλέντουλα, άγρια τριαντάφυλλα. Ανθισμένο φασκόμηλο και κόκκινες παπαρούνες στο βουνό. Φυτώρια λαχανικών στη βεράντα. Ήχος του ελιόξυλου που τρίζει στη σόμπα μας κάθε πρωί κάθε βράδυ και το τικ-τικ του μετάλλου που ζεσταίνεται. Χόρτα για μάζεμα στην άκρη του δρόμου. Φρέζες ανθίζουν σε γλάστρες.

Παρθένος

Πριν από χίλια χρόνια πήρες το χέρι μου
Όταν το άφησα, δεν ήξερα
πως δεν θα υπήρχε μονοπάτι επιστροφής σε σένα

Παλιότερα ακόμα και από τότε
άγγιξα το στόμα μου στην καινούρια κερήθρα
είδα τη γύρη και τα πολλά κέρινα κελλιά
στην αρχή του κόσμου
Ονειρεύτηκα μια μέλισσα μέσα στο χέρι μου
κι έκλαψα στο χωράφι, κάτω από τις ξέφρενες ροδιές
όπου ένα πράσινο σκαθάρι έλαμπε με χάλκινες ανταύγειες
σαν κόσμημα γυναίκας νεκρής πριν από τρεις χιλιάδες χρόνια

Τότε, άκουσα μια φωνή από την αρχαία ελιά
που έμοιαζε να'ναι η δική μου, μια ηχώ
από κάποιον άλλο αιώνα, όταν τα μονοπάτια του χρόνου
που έβγαζαν στα αμπέλια του βουνού δεν ήταν
κατεστραμμένα από το δηλητήριο, όταν ο Διόνυσος δεν ήταν
ένας μελαγχολικός άντρας, ο χαμένος αστερισμός του κυνός, που προσπαθεί
απεγνωσμένα να διατηρήσει το φως του αναμμένο,
ανάμεσα στα σκυλέματα της τόσης λήθης,
όταν τα τραγούδια των γυναικών για την αγάπη δεν είχαν
ήδη γίνει θρύψαλλα από τα χίλια χρόνια
κατοχής, εξέγερσης, πολέμου
μια ήσυχη γύρη μόνο μέσα στη σελήνη ό,τι απέμεινε απ'αυτά

παλιά, πριν χάσω το δρόμο που έβγαζε σε εσένα
παλιά, πριν κάποια αδιανόητη δύναμη μου ζητήσει
να συντρίψω τους στιβαρούς πήλινους πίθους των σχεδίων μου
σε όλα τα δωμάτια, ένα προς ένα, μέσα στις δροσερές αποθήκες του ναού
ώσπου οι διάδρομοι να ρέουν λάδι, κρασί,
και κομμάτια από τις πλάκες του αγαπημένου αρχείου
όπου πολύ προσεκτικά είχα κρατήσει τα γραφτά
για τις συνέπειες της αγάπης και για το φως της

Ανάμεσα στα ερείπια, οι μέλισσες ξανακολλούν
πήλινα θραύσματα με καινούριο κερί
Είναι η εποχή που η βασίλισσα υψώνεται για την πτήση της

Μια ντουζίνα εραστές την γεμίζουν
μέσα στον απαλό φωτεινό αέρα
Δε νομίζω κανείς μας να μπορεί να φανταστεί
μια τέτοια ένταση:
τον ερωτικό χορό της, γεμάτο από τη γλώσσα
κάθε ζωντανού άνθους
και όλων των νεκρών
Όταν πια ολοκληρωθεί, θα έχει μέσα της τόσα αυγά
που θα της φτάσουν για να δώσει στην κυψέλη της ζωή για χρόνια

Αυτή είναι μια εποχή που δεν την έζησα ποτέ μαζί σου
Δεν είναι μονοπάτι που γνωρίζω
Ένας θλιμμένος Διόνυσος με φυλάει
αλλά θρηνεί για όσα έχασε
πριν έρθει εδώ,
πριν βρει την Αριάδνη
στο νησί της Δίας
αβέβαιη, εγκαταλειμμένη, μοναχή
Ήταν καλυμμένη με αλάτι, ένα μαργαριτάρι

Η βασίλισσα των μελισσών έχει αυτό το χρώμα
πριν να βγει μέσα από το κερί

Σχεδιάζω ένα σχήμα γύρω μου πάνω στο λόφο
Εξάγωνο, οι έξι γωνίες του λαβυρίνθου
Υπάρχει το κομμάτι μου που είναι ακόμα παρθένο
που ορμάει ασυγκράτητο μέσα στην ανθισμένη άνοιξη

Αυτό είναι ένα άλλο μονοπάτι
Δεν πάει πίσω ούτε μπρος
μα μέσα

APRIL 2019

Venus conjunct Neptune
Venus conjunct Chiron
Venus conjunct Vesta
Fifth vestment released (She removes Her ring of power)

Purple wisteria on trellises over the village crossroads. Month of a thousand wildflowers. Everybody says there are more than in twenty years. All of Crete is blooming. There are wild greens everywhere, and old women with aprons and knives. Asphodel blooms in torches. The tiny wild iris called barbary nut by the Minoan threshold at Papadiokambos. Easter. The bells that toll Jesus' death until midnight. Bonfires at His arising, tripe soup, the red eggs. Watching the Pleiades nightly in the west from the porch. The horror of killing queen cells in the beehive. He says we have to. I get stung six times, and wonder if I trust him. The bees swarm anyway. Partridge feathers on the mountain in the rain. A night of south wind and storm. The kitchen floods. I gather mallow flowers. Sometimes in the morning the sea is an opal. There is late-light birdsong. Orange blossoms. Morning light on the mountains, and all the wild orchids. Fields of dark blue lupines. The first pomegranate blossom. Fresh sheep's milk. Rockroses opening: Aphrodite's inner pink.

Nautilus

1.[1]

A vine that grows up trees (173)

At the spring
grows the oldest plane tree
encircled with ivy—
fat thyrsus of Dionysos
and his maenads

The great rock is sung by
satyrs and the fresh water
by the nymphs of Underneath
of Okeanos' world-encircling water

There is ecstasy in the berries

I have wished for such release
To be unburdened of wrongdoing
To be unburdened of wrongdoing

Maenads nurse the spring alive
Milk runs from the holy stones
The ivy shakes in the wind
at the tree's crown

1. The section titles in Part One are fragmentary lines of Sappho's poetry, from Anne Carson's translation *If Not Winter: Fragments of Sappho* (London: Virago Press, 2002)

I hope that one day, on the porch
past my life's turning point
a great vine makes such glad shade

By now I've gone beyond
the map of my lineage
Only the tree, the spring
the stone, the vine
know the way

I keep climbing, and hold on
to whatever
holds me up

Channel (174)

In the lower field out of the wind
she showed me how they plant onions
Six across in a channel in the earth
so the water doesn't run away

There are irrigation pipes everywhere now
They start at the source of a spring
and cross the land, long and black
bringing water to the olives

Once the hills were a mosaic
Gardens grew between the thickets
of fragrant sage and thyme, cistus, asphodel
Springs were gathering places for birds,
for women, for shepherds

A thousand songs sing
bright flowers and wild mint into her hair
beside the cool water, in his arms

From what source does the water run?
The thousand unseen channels
of life that wind beneath the earth

On what avenue of life's water
did I lose you, my beloved
the one I thought I would watch
grow old? Somewhere I let go

I find myself in a faraway country
planting onions for another woman's family
in a channel in the earth
thinking of my wedding skirt
the woven band of red
the snake bones and bells
the promises I made and could not keep

Dawn (175)

I watch it on the mountains
in the west
One by one
they are filled with light
And the sea
the sea
the sea

2.[2]

she is woman
her hips are soft
she crouches over murex shell
(purple was only the first mystery)

and iris stains dawn

she spells the morning

sea light
moves

her hands
sort

the tide
rises

there is nautilus
between her carob-dark
thighs
or there is pink anemone

there is an anemone
open-eyed
as her thighs strong in beauty, open
joy among rocks
Calypso

---

2. Part Two is based on the grammar and sentence structure of a passage in H.D.'s "The Master" from her *Collected Poems: 1912-1944* (New York: New Directions Books, 1986)

there is a soft
violet sea snail
in the tide

O muse, what is
spiral, what is purple

her deft hands
stain
the morning

3.

I touch the green mulberry leaves
the fruits that will soon be white and sweet
I remember other mulberry trees
on other streets, sharing their sweetness with you,
and give thanks for both

I touch the pomegranate flowers
just beginning to swell red, to crack open
their vermilion silk
I remember other pomegranate flowers
and a hot summer wind on a swing
under the oak trees while you sat nearby
and give thanks for both

I touch the blue sea
heating under the last days of April
and stand still, for the map is at my feet
and the spring that was dry for years
is running again
in the heart of the village

Aphrodite & Adonis

Ten thousand years ago, the Queen mourned her lover on the mountain peak among the season's last anemones. Their petals were his blood falling where the boar had pierced him. Their petals were his body as he fell away from her in the center of a spring sky.

Queen of Honey, Queen of the Almond Blossom, Queen of Quince and Queen of Wild Pear, Queen of Red Heather Pollen and Queen of Despair, you know the labyrinth's dark turning. Queen of the Stone, oiled with rose. Queen of the Spring, sprinkled with nectar from the throne. At the center of your life you will lose him. At the center of your power you will fall to your knees, crying out, over his bones.

He was a beautiful child when you first found him at the heart of the myrrh tree which had once been his mother Myrrha; when you bundled him into a little sweet-scented box to protect his shining beauty and gave him to your sister in the underworld. You did not expect him to grow up to be so beautiful, or to have to fight her for him, your other half—she of the pomegranate crown, she of the wet, deep-scented autumn and the dark moon's incantations.

But in such matters you always win, Mountain Queen of Pollen and the Bright Moon, you who know above all how to love without reservation, how to surrender, soft-petalled, to the most intense directive of the spring. You of the rose and myrtle-scented girdle, whose red-dyed threads whisper the spell of the ten-thousand passions, and all the seventeen dimensions the Bee Queen knows. For you are also her, and have known the virgin marriage flight, that whirlwind in the soft spring air, the pierce of handsome, dark-eyed lovers, and how their loving brings about their death. Bee Queen among beautiful, strong-armed princes, you have watched each fall dead from the gentle sky, and still you gave your heart, because it is your destiny and your duty to love without withholding, to lose without hope of recovery. It is this which keeps the season turning, and your glistening body full of life.

And so you loved him when he came out of the darkness, out of that six-sided box and the arms of the underworld, all grown. He was golden. He smelled of myrrh resin, and he too knew how to surrender. He did not shield himself from your beauty or your love. He was not afraid. Unarmored, he loved you. He did not care for defenses. You loved as if it were the first love in the world. Earth came into spring. Queen Antheia of the flowers, queen of the season that quickens, that warms, that ripens and then falls away, you are the force which conjures the body to its senses and does not waste the almond-blossomed day, no matter that it will too soon be over, no matter how many have been lost. He will always be the first, the first in the last, the first in every other, the one made of your essence—of the soft spring's resin and the scent of wild cones burning on the blossom altars they have made.

Later, they spoke only of your physical beauty, your voluptuous backside, your hungry sex, your passion, your dangers, your faithlessness. They had forgotten the great courage of your love, and its essential sacrifice. They had forgotten how you mourned the death of your beloved without eating for forty days, and at the end returned to your sanctuary full of new eggs, weeping, to continue the mystery of the honey inside the moon, because it was all you could do.

Psyche
Zoë
Bloom

On the mountaintops they roast lamb to this day. They dye the eggs red, and cover the body of Jesus in flowers, weeping, singing, before he again arises, the anemone flower, the one you lost so long ago. Every spring is like the first time. He was always as beautiful as the day you first walked with him out of the underworld and into the mountain's gentle valley. There, the almond trees were just coming into blossom and the bees were doing their early spring work in preparation for the love-flight of their queen.

When you loved him, the mountain went into you all over again, and the sea. You became the stars of your origin, and the foam, the honey and the primordial architecture of the comb. The spring seemed to promise to last forever. The new scent of his body. The unraveled light in his eyes.

By the sea in the dawn light on the day of your birth, with the full moon a pale rose setting in the west, he brought you purple irises and asked you to marry him. A herd of wild deer went running across the low marsh hills. The sun and the sand were everywhere, and soft. You said yes, because it had always been in your heart to love him, because it has always been so, but even as you said it a dark note crossed through you: that you could not be contained, that you would lose him anyway, from a place deeper even than the heart. That even in the yes your heart was already starting to break. That the place you also reigned over as your darker sister—Mistress of the Labyrinth, to whom they brought honey—that utter darkness where the seed roots and is made to grow, knew more still than the part of you that was the spring.

The spring does not want to stare into its own withering. There is no thinking here, and even the heart does not always know the way. This is where they forgot you long ago, in the labyrinth that was your other dancing floor, your dark comb of vision, underground and pregnant with all that you would become. Your queendom once included this depth of sorrow. Your tears in the forty days of mourning are the nectar the bees take to the waiting dead.

When the boar ripped him open and spilled his blood across the earth, you buried yourself inside the seven dimensions of darkness. You let go of his myrrh-wood coffin at the banks of Okeanos' great river beneath the world, where both the Milky Way and the Nile have their source. You turned his blood into the anemone flowers. Even at the height of spring and blossoming, the wind carries the note of your weeping—this beauty will not last forever. His beauty is but a day.

But it is your destiny to keep going, Queen of the Ocean's Rivers, Queen of the Deep, Queen of the Morning Star and Queen of the Evening, Queen of the Thousand-Scarred Heart. Yours is fractal, after all these eons. Every time you lose him to the wild boar, every time you lose him to the fire, the flood, the enemy's sword, your own primordial growth, and you are sure nothing in you will ever rise again, what was shattered becomes hexagonal. New platelets form in the broken places, until your heart is the hive and each loss a cell salved with propolis from the myrrh.

O Queen of Heaven, your heart is a beehive. It is a sweet, heavy thing. The Queen knows what she sacrifices in a thousand days of darkness for the illumination of that single flight. Her maidens in the flowers, her guards with fierce sting who do not hesitate to sacrifice their lives in the hive's defense, gather round on her return. The whole hive tastes her ecstasy in the cells so full of eggs. The whole hive tastes her loss.

At dawn you are made of pollen, blood and foam. You gather the dead bodies of the *kifínes* where they've fallen out of the sky, willing sacrifices for love. You cradle them in your cupped palms and carry each to the tide to float out to sea, free. His face is in every one, his myrrh-wood coffin released upon the oceanic river beneath the world. Your maidens, the dancing Horae—graces of the seasons, of the flowers, of the seeds—have to pull you, weeping, from the prow.

Let him go they whisper, wrapping you in the soft red shroud of your inner sanctum, guiding you back to the place of your solace and your virginity, lit with beeswax and rose cones. There is hot water from the earth for your bath, and doves nesting in the wall cotes, and one humming hive of honeybees beside the kiln. Sleep, Queen of Love, Queen of Mourning. Your wild boy is rising now among the late spring stars. Rest, Queen of Heartbreak, Queen of Promise. Out of your true loving is born the spring. You gave him away, in order to give to everything inside you. O Queen of Seafoam, alight. Renew yourself in the salt and in the spiraled shell. There where time is a spiral and not a line, where you are forever looking up to see him among the mountain trees, on the dunes by the sea, his hands full of iris, full of anemone.

Easter, an Essay

Into the dark night, the bells of the neighboring village ring that Jesus is dead. It is a slow, two-toned ringing over and over, hour by hour as the stars thicken and the small owls call. Dogs bark. The sea is darker even than the sky. The sound—into the stars and dark and mountains, the sea, the quiet night green, the barking dogs, the loneliness of distances—loosens itself somewhat from its religion. Jesus is dead. Mary is weeping on her knees, her hair cut off to the chin in mourning. Her headscarf has slipped, and she is covered in stars. She will not leave the lemon-blossom woven coffin. Her keening is in the bells and in the dark warm night.

Loosened from their religion, the bells are older than Christ. They loosen everything by their sorrowing, sorrowing repetition, on and on and on. Whatever we may be hiding from ourselves, grief can do nothing before such a sound but rise through the body and stop you where you stand to listen. This is the sound of what it means to lose someone you loved, whether to life or to death, whether human or animal. This is the sound that says, he will not return ever again in this form, he will not return, he is gone, he is gone, he has gone beyond the beyond, where I cannot follow.

The bell is the sorrow of Mary, the sorrow of Jesus. It is their humanness, even though divine, that reverberates across millennia, so that people kiss the coffin still, and the old man in the corner weeps. I saw him while I sat obedient in the church, nervous that I'd forget to keep my legs uncrossed. I listened to the songs of mourning in Greek, recognizing only the word mother again and again and again. There was the scent of myrrh. I admired the flowers the village women had adorned the white coffin with, the red and white wreaths, the wild roses, the burning candles, the needled strands of lemon blossom.

Sitting there, my feeling was abstract—here is the death of the vegetation god, I thought. See how he is honored, just like all the older flower kings, lovers of their Goddess—Isis's Osiris, Aphrodite's Adonis,

Ishtar's Tammuz. See how all of this is really an elaborate metaphor for the life and death of green, of plants, of that which nourishes us. The queen bee and her sacrificed lovers, the moon-priestess and her sun-beloved, rising and dying and rising again.

But alone, under the stars, the long, slow tolling is first of all the sound of loss. It sets a rhythm of loss through my body, so that there is nowhere to hide from what I mourn, nowhere to turn away, only the name of one I loved, and let go of, over and over, not in death but still a loss so great that it is the only space to understand it in, for what was is dead, and what will be can never return to what was. And so I wonder now, out on the porch under the darkness, in the bell's reverberations, if after all the rituals of the dying god are really about the arising and the withering of the green fields, or if they are first observed so that we can stand under the stars and hear our own grief, our own heartache, inside the mourning bells, inside the mourning of Mary, and know that our human grief is not unseen. That she has travelled this broken place, that we are not alone, that he went there, beyond the beyond, the one for whom the bell tolls, and she knelt weeping, hair shorn in the dark of the mountain valley as the stars thickened softly in the warm night. That they have gone before us. That we too will survive it.

At the height of spring, she lost him. But in the anemone flowers he returns. And so our loss becomes the green god too, the year-god, he who lives and dies by the green life of Earth, he who promises, through her, that what dies will rise again in spring. The asphodel carries an ancestor in every white flower. Each spring they arise from the underworld, blooming.

I wonder how many others have stopped on their porch or at their kitchen window, hearing the bell ring slow and solemn into the darkness. I wonder how many others have wept, remembering someone, feeling grief rise and rise to their throats, pulled up by the sound. Maybe only into such vastness, the bell tolling mountains and ages, can we surrender what we have carried. Finally he is not just a silent scream inside me, but the reverberation across the whole land, and everybody is carrying him with me.

There is peace in the silence that follows, beyond midnight. Only cricket song, and the dogs barking, and the small shy owls, and the stars again. Mary remains in the sea-warm dark, head bowed, holding a soft but unwavering light. Under her cloak she is another woman. Under her cloak, she comes bearing deep red eggs, for she knows something secret—that out of death comes life. That in the heart of loss rests birth.

By the sea the next night, they burn a great effigy of Judas in the bonfire. Jesus is resurrected, and something in me too. People carry candles of his renewed light out of the church. Children light firecrackers and somebody sets off a series of fireworks over the island of Mochlos, so that briefly the four-thousand-year old ruins are illuminated under the showers of sparks. My favorites are the golden ones that fade slowly, falling in arcs of light like grape clusters. I've loved those best since I was a girl. Young men—and old—light off homemade bombs that make me nearly jump out of my skin. The village dogs are terrified. One goes into a panic and tries to dig herself to safety in the hearth. The whole next day her face is gray from the ashes.

I am not fond of the unexpected bomb-blasts—why do people celebrate Jesus' rebirth with so much gunpowder, I ask a friend, getting a little sick of the sound. But sometime in the night I wake, remembering the Kouretes, the young men called on by Rhea to protect baby Zeus from Kronos in a cave high in the Cretan mountains, which they did by dancing and shouting and banging great shields in a deafening cacophony. I'm still not entirely sure what it means, but maybe, like the burning of Judas—as old as Beltane, as old as Dionysos—the fire and the blasts burn away the old year, burn away poison, dread, fear, betrayal, and all that needs to die in order to make way for life.

The red egg sits on the other side.

After midnight, after Jesus has arisen, I eat a traditional meal, a soup of goat intestine and liver, artichoke and fennel, with the gardener's family. We hit our red-painted eggs against each other's to see whose shell is strongest. His mother wins, and I am glad. She's been at church all evening with the other women of her village, praying, mourning Jesus' death. It's the older women in the church who come out with the light. It has always been so.

The next morning the feasting begins. Small birds seem to be making love constantly on the roof-tiles. Bees fly in and out of my studio all day, and swallows. One lands on the lightbulb, swinging. All the traditional songs are love songs. The flowers are starting to go to seed, and Orion and Taurus and the Pleaides set before midnight in the sea.

Every day for the next forty, people will greet each other saying Christ Has Arisen, and In Truth He Has—*Christos anesti; aleithos anesti*. It is said that on these forty days, the ancestors walk among us, and maybe the old gods too. I think they are in the flowers blooming everywhere, and in the seeds.

Απρίλης 2019

Η Αφροδίτη σε σύνοδο με τον Ποσειδώνα
Η Αφροδίτη σε σύνοδο με τον Χείρωνα
Η Αφροδίτη σε σύνοδο με την Εστία
Το πέμπτο Ιερό Ενδυμα πέφτει
(αφαιρεί το δαχτυλίδι της δύναμής Της)

Μωβ γουιστέρια σε κρεβατίνες πάνω απ'τα σταυροδρόμια του χωριού. Ο μήνας των χίλιων αγριολούλουδων. Όλοι λένε ότι τόσα πολλά έχουνε πάνω από είκοσι χρόνια να δουν. Όλη η Κρήτη ανθίζει. Υπάρχουν άγρια χόρτα παντού και γριές με ποδιές και μαχαίρια. Ο ασφόδελος ανθίζει σε δαυλούς. Η μικροσκοπική ίρις που λέγεται αβουρλίτακας πλάι στο μινωικό κατώφλι στον Παπαδιόκαμπο. Πάσχα. Οι καμπάνες που μηνούν το θάνατο του Ιησού ως τα μεσάνυχτα. Πυρές στην Ανάστασή του, μαγειρίτσα, κόκκινα αυγά. Παρακολουθώντας τις Πλειάδες κάθε νύχτα στα δυτικά από τη βεράντα. Η φρίκη να σκοτώσουμε αγέννητες βασίλισσες στα κελλιά τους μέσα στην κυψέλη. Αυτός λέει ότι έτσι πρέπει. Με τσιμπάνε έξι φορές και αναρωτιέμαι αν τον εμπιστεύομαι. Οι μέλισσες ορμάνε επάνω μας έτσι κι αλλιώς. Φτερά πέρδικας στο βουνό μέσα στη βροχή. Μια νύχτα νοτιά και καταιγίδας—η κουζίνα πλημμυρίζει. Εγώ μαζεύω λουλούδια μολόχας. Μερικές φορές το πρωί η θάλασσα είναι γλαυκή. Το καθυστερημένο κελάιδημα στο τελευταίο φως. Άνθη πορτοκαλιάς. Πρωινό φως πάνω στα βουνά και όλες οι άγριες ορχιδέες.

Χωράφια με σκούρα μπλε λούπινα. Τα πρώτα λουλούδια στη ροδιά. Φρέσκο πρόβειο γάλα. Λαδανιές ανοίγουν παντού, το εσώτερο ρόδινο της Αφροδίτης.

Ναυτίλος

1.[1]

Το κλήμα που μεγαλώνει πάνω στα δέντρα (173)

Την άνοιξη
μεγαλώνει το πιο παλιό πλατάνι
τυλιγμένο με κισσό
τους χοντρούς θύρσους του Διόνυσου
και των μαινάδων του

Ο μέγας βράχος εξυμνείται από
τους σάτυρους και το φρέσκο νερό
από τις νύμφες του Υποχθόνιου
Ωκεανού με τα ύδατα που τυλίγουν τον πλανήτη

Υπάρχει έκσταση στα μούρα

Την έχω ευχηθεί μια τέτοια απελευθέρωση
Ν'απαλλαγώ από το βάρος ν'αδικήσω
Ν'απαλλαγώ από το βάρος ν'αδικήσω

Οι μαινάδες τροφοί της πηγής τής δίνουν ζωή
Το γάλα ρέει από τους ιερούς βράχους
Ο κισσός σείεται με τον αέρα
στην κορφή του δέντρου

1. Οι τίτλοι των κομματιών στο Μέρος Ένα είναι θραύσματα στίχων από ποιήματα της Σαπφούς, από τη μετάφραση της Anne Carson, *If Not Winter: Fragments of Sappho* (London: Virago Press, 2002)

Ελπίζω πως μια μέρα, στη βεράντα
μετά την καμπή της ζωής μου
ένα μεγάλο αναρριχώμενο θα φτιάχνει τέτοια χαρούμενη σκιά

Ως τώρα έχω ξεπεράσει
το χάρτη της γενιάς μου
Μόνο το δέντρο, η πηγή
η πέτρα, το κλήμα
ξέρουν το δρόμο

Εγώ συνεχίζω να σκαρφαλώνω και να κρατιέμαι
σε οτιδήποτε
με κρατά όρθια

Κανάλι (174)

Στο χωράφι που 'ναι χαμηλά, μακριά απ'τον άνεμο
εκείνη μου έδειξε πώς φυτεύουν τα κρεμμύδια
Έξι στη σειρά, κάθετα σ'ένα κανάλι μέσα στη γη
έτσι που το νερό να μην ξεφεύγει

Παντού υπάρχουν σωλήνες άρδευσης πια
Ξεκινούν από το κεφαλοβρύσι μιας πηγής
και διατρέχουν τη γη, μακριές και μαύρες,
φέρνοντας νερό στις ελιές

Κάποτε οι λόφοι ήταν ένα μωσαϊκό
Κήποι φύτρωναν ανάμεσα στα σύδεντρα
από αρωματικό φασκόμηλο και θυμάρι, λαδανιά, ασφόδελο
Οι πηγές ήτανε μέρη σύναξης για τα πουλιά
για τις γυναίκες, για τους βοσκούς,

Χίλια τραγούδια τραγουδούν
τα λαμπερά ανθάκια κι η άγρια μέντα στα μαλλιά της
πλάι στο δροσερό νερό, μέσα στην αγκαλιά του

Από ποια πηγή άραγε τρέχει το νερό;
Τα χίλια αθέατα κανάλια
της ζωής που διακλαδώνονται κάτω απ'τη γη

Σε ποιαν υδάτινη λεωφόρο της ζωής
σ'έχασα, αγαπημένε μου,
εσένα, που πίστευα ότι θα σ' έβλεπα
να γερνάς; Κάπου εγκατέλειψα

Βρίσκομαι σε μια χώρα πολύ μακρινή
να φυτεύω κρεμμύδια για την οικογένεια μιας άλλης γυναίκας
σ'ένα κανάλι μες στο χώμα
να σκέφτομαι τη φούστα του νυφικού μου
με τη ραμμένη κόκκινη λωρίδα
τα κόκκαλα φιδιού και τα κουδουνάκια
τις υποσχέσεις που έδωσα και δεν μπόρεσα να κρατήσω

Αυγή (175)

Τη βλέπω στα βουνά
προς τη δύση
Ένα ένα γεμίζουν με φως
Και στη θάλασσα
στη θάλασσα
στη θάλασσα

2.[2]

είναι η γυναίκα
τα λαγόνια της είναι μαλακά
κουκουβίζει πάνω από κοχύλι πορφύρας
(το πορφυρό ήταν απλώς το πρώτο μυστήριο)

και η ίρις βάφει την αυγή

συλλαβίζει το πρωινό

φως της θάλασσας
ανυψώσου

τα χέρια της
τακτοποιούν

η παλίρροια
ανεβαίνει

ένας ναυτίλος βρίσκεται
ανάμεσα στα σκούρα σαν το χαρούπι
μεριά της
ή μια ροδαλή ανεμώνη

υπάρχει εκεί μια ανεμώνη
ανοιχτομάτα
καθώς τα μεριά της, δυνατά στην ομορφιά τους, ανοίγουν
χαρά στα βράχια
Καλυψώ

2. Το Δεύτερο Μέρος βασίζεται στη γραμματική και στη σύνταξη ενός αποσπάσματος από το "The Master" της H.D. (*Collected Poems: 1912-1944*, New York: New Directions Books, 1986)

υπάρχει ένα απαλό
βιολετί θαλάσσιο σαλιγκάρι
μέσα στην παλίρροια

Ω Μούσα, τι είναι
σπείρα, τι είναι πορφυρό

τα επιδέξια χέρια της
πιτσιλίζουν
το πρωινό

3.

Αγγίζω τα πράσινα φύλλα της μουριάς
τα μούρα σύντομα θα ασπρίσουν και θα γλυκάνουν
Θυμάμαι άλλες μουριές
σε άλλους δρόμους, να μοιράζομαι τη γλύκα τους μαζί σου,
και να είμαι ευγνώμων και για τα δύο

Αγγίζω τα λουλούδια της ροδιάς
μόλις που αρχίζουν να φουσκώνουν ολοκόκκινα, να σκάζουν
το κατακόκκινο μετάξι τους
Θυμάμαι άλλα λουλούδια της ροδιάς
κι έναν καυτό καλοκαιρινό άνεμο πάνω σε μια κούνια
κάτω από βελανιδιές, ενώ εσύ καθόσουν εκεί κοντά
και είμαι ευγνώμων και για τα δύο

Αγγίζω τη γαλάζια θάλασσα
καθώς ζεσταίνεται κάτω απ' τις τελευταίες μέρες του Απρίλη
και μένω ακίνητη, γιατί ο χάρτης είναι στα πόδια μου
και η πηγή που είχε χρόνια πια στερέψει
τρέχει και πάλι
στην καρδιά του χωριού

Αφροδίτη και Άδωνις

Δέκα χιλιάδες χρόνια πριν, η Βασίλισσα θρήνησε τον εραστή της στην κορυφή του βουνού ανάμεσα στις τελευταίες ανεμώνες της εποχής. Τα πέταλά τους ήταν το αίμα του που έτρεξε εκεί που τον τρύπησε το αγριογούρουνο. Τα πέταλά τους ήταν το σώμα του, καθώς εκείνος έπεφτε μακριά της στο κέντρο ενός ανοιξιάτικου ουρανού.

Βασίλισσα του Μελιού, Βασίλισσα του Άνθους της Αμυγδαλιάς, Βασίλισσα του Κυδωνιού και Βασίλισσα του Άγριου Αχλαδιού, Βασίλισσα της Κόκκινης Σκόνης της Ερείκης και Βασίλισσα της Απόγνωσης, εσύ γνωρίζεις τα σκοτεινά στριφογυρίσματα του λαβυρίνθου. Βασίλισσα της Πέτρας, αλειμμένη με ροδέλαιο. Βασίλισσα της Άνοιξης, πασπαλισμένη με νέκταρ από το θρόνο. Στο επίκεντρο της ζωής σου θα τον χάσεις. Στο επίκεντρο της ισχύος σου θα πέσεις στα γόνατα, κλαίγοντας γοερά, πάνω απ'τα κόκκαλά του.

Ήταν ένα όμορφο παιδί, όταν τον είχες πρωτοβρεί στην καρδιά της μυρτιάς που ήταν κάποτε η μάνα του η Μύρρα, όταν τον φάσκιωσες μέσα σ'ένα μικρό μοσχομύριστο κουτί για να προστατέψεις τη λαμπρή ομορφιά του και τον έδωσες στην αδελφή σου, στον κάτω κόσμο. Δεν περίμενες ότι θα γινόταν τόσο όμορφος μεγαλώνοντας, ούτε πως θα χρειαζόταν να τσακωθείς για χάρη του μαζί της, με το άλλο σου μισό—εκείνη της κορώνας από ρόδια, εκείνη του υγρού, βαθύοσμου φθινοπώρου και των εκκλήσεων στη σκοτεινή σελήνη.

Όμως σε τέτοια θέματα πάντοτε κερδίζεις, Ορεινή Βασίλισσα της Γύρης και της Λαμπρής Σελήνης, εσύ, που πάνω απ'όλους ξέρεις πώς ν'αγαπάς χωρίς επιφυλάξεις, πώς να δίνεσαι, με τ'απαλά σου πέταλα, στην πιο έντονη εντολή της άνοιξης. Εσύ, με το περίζωμα το αρωματισμένο ρόδο και μυρτιά, που οι βαμμένες άλικες κλωστές του ψιθυρίζουν το ξόρκι των δέκα χιλιάδων παθών και όλες τις δεκαεφτά διαστάσεις που η Βασίλισσα των Μελισσών γνωρίζει. Γιατί εσύ είσαι και αυτή, και γνωρίζεις την παρθενική γαμήλια πτήση, αυτή την αλγεινή δίνη μέσα στον απαλό ανοιξιάτικο αέρα, τις σουβλιές των γοητευτικών, σκουρομάτικων εραστών και πώς ο έρωτάς τους επιφέρει το θάνατό τους. Εσύ, Βασίλισσα των Μελισσών ανάμεσα στους όμορφους πρίγκηπες με τα δυνατά μπράτσα—τους κοίταζες έναν έναν να πέφτουν νεκροί από τον τρυφερό ουρανό, και πάλι όμως έδωσες την καρδιά σου, επειδή είναι το πεπρωμένο και το καθήκον σου να αγαπάς χωρίς να τσιγκουνεύεσαι, να χάνεις χωρίς ελπίδα ανάκτησης. Αυτό είναι που κρατά τις εποχές σε κίνηση και το γυαλιστερό κορμί σου γεμάτο ζωή.

Κι έτσι τον αγάπησες όταν βγήκε από το σκοτάδι, όταν βγήκε από εκείνο το εξάγωνο κουτί κι από την αγκαλιά του κάτω κόσμου, αντράκι μεγαλωμένο. Ήταν χρυσαφένιος. Μύριζε ρετσίνι μυρτιάς και ήξερε κι αυτός πώς να δίνεται. Δεν σήκωσε καμία ασπίδα μπροστά στην ομορφιά και στην αγάπη σου. Δεν φοβήθηκε. Χωρίς πανοπλία σε αγάπησε. Δεν τον ένοιαζαν οι άμυνες. Αγαπηθήκατε σαν να ήταν η πρώτη αγάπη στον κόσμο. Η Γη γέμισε άνοιξη. Βασίλισσα Άνθεια των λουλουδιών, βασίλισσα της εποχής που αναντρανίζει, που θερμαίνει, που ωριμάζει και που μετά πέφτει και σαπίζει, εσύ είσαι η δύναμη που σαγηνεύει το κορμί και ξυπνά τις αισθήσεις του, που δεν σπαταλά την ανθοστόλιστη με μυγδαλιά ημέρα, και δεν πειράζει που σε λίγο και αυτή θα 'χει τελειώσει, και δεν πειράζει που τόσες έχουν χαθεί. Εκείνος θα'ναι πάντα ο πρώτος, ο πρώτος μέσα στον τελευταίο, ο πρώτος μέσα στον κάθε άλλον, αυτός που είναι φτιαγμένος απ'την ουσία σου, από το μαλακό ρετσίνι της άνοιξης και το άρωμα από τους καρπούς των άγριων κωνοφόρων που καίγονται στους βωμούς από άνθη που έχουν φτιάξει.

Αργότερα, μιλούσαν μόνο για τη σωματική σου ομορφιά, για τα τορνευτά οπίσθιά σου, για το πεινασμένο φύλο σου, για το πάθος, τους κινδύνους, τις απιστίες σου. Είχαν ξεχάσει το τεράστιο κουράγιο της αγάπης σου, και τη θεμελιώδη του θυσία. Είχαν ξεχάσει πώς θρήνησες το θάνατο του αγαπημένου σου χωρίς να τραφείς σαράντα μέρες και πως στο τέλος γύρισες στο ιερό σου, γεμάτη καινούρια αυγά, ολολύζοντας, για να συνεχίσεις το μυστήριο του μελιού μες στη σελήνη, γιατί αυτό ήταν το μόνο που μπορούσες να κάνεις.

Ψυχή
Ζωή
Άνθιση

Στα κορφοβούνια ψήνουν αρνί στη σούβλα ως και σήμερα. Βάφουν τα αυγά κόκκινα και σκεπάζουν το σώμα του Ιησού με λουλούδια, θρηνώντας, τραγουδώντας, ώσπου να αναστηθεί ξανά, το άνθος της ανεμώνης, αυτός που έχασες πριν τόσο πολύ καιρό. Κάθε άνοιξη είναι σαν την πρώτη φορά. Εκείνος ήταν πάντα τόσο όμορφος όσο τη μέρα που πρωτοπερπάτησες μαζί του καθώς βγήκε από τον κάτω κόσμο και μπήκε στην ήμερη κοιλάδα του βουνού. Εκεί οι αμυγδαλιές τώρα άνθιζαν και οι μέλισσες έκαναν την προετοιμασία τους στην αρχή της άνοιξης προετοιμάζοντας την ερωτική πτήση της βασίλισσάς τους.

Όταν τον αγάπησες, το βουνό ολόκληρο ξαναμπήκε μέσα σου, και η θάλασσα. Έγινες τα άστρα των απαρχών σου, και ο αφρός, το μέλι και η πρωταρχική αρχιτεκτονική της κυψέλης. Η άνοιξη έμοιαζε να υπόσχεται πως θα κρατούσε για πάντα. Η καινούρια μυρωδιά στο σώμα του. Το φως που ξεδιπλωνόταν μέσα στα μάτια του.

Πλάι στη θάλασσα, με το φως της χαραυγής, την ημέρα της γέννησής σου, με την πανσέληνο ένα χλωμό ροζ να γέρνει στα δυτικά, εκείνος σου έφερε μωβ ίριδες και σου ζήτησε να τον παντρευτείς. Ένα κοπάδι άγρια ελάφια πέρασαν τρέχοντας στους λόφους με τη χαμηλή βλάστηση. Ο ήλιος και η άμμος ήταν παντού, απαλά. Είπες ναι, γιατί το είχες πάντα στην καρδιά σου να τον αγαπήσεις, γιατί ήταν πάντα έτσι, μα την ίδια στιγμή που το'πες, μια μαβιά νότα πέρασε μέσα σου: πως ήταν αδύνατο να περιοριστεί, πως θα τον έχανες έτσι κι αλλιώς, θα σου τον έπαιρνε ένα μέρος βαθύτερο ακόμα από την καρδιά. Ότι ακόμα και τη στιγμή του «ναι», η καρδιά σου ήδη είχε αρχίσει να ραγίζει. Ότι ο τόπος που διαφέντευες με τη μορφή της σκοτεινής αδελφής σου –της Κυράς του Λαβυρίνθου, που της έφερναν το μέλι— εκείνο το απόλυτο σκοτάδι, όπου ο σπόρος ριζώνει και σπρώχνεται να μεγαλώσει, ήξερε περισσότερα από το κομμάτι σου εκείνο που ήταν η άνοιξη.

Η άνοιξη διόλου δεν θέλει να παρακολουθεί τον εαυτό της να μαραίνεται. Η σκέψη εδώ δεν πιάνει κι ούτε η καρδιά δεν ξέρει πάντοτε το δρόμο. Εδώ ήταν που σε ξέχασαν πριν καιρό, μες στο λαβύρινθο, τη δεύτερη χορευτική σου αρένα, υπόγεια και γκαστρωμένη με όλα όσα θα γινόσουν. Η βασιλεία σου κάποτε περιλάμβανε αυτό το βάθος της θλίψης. Τα δάκρυά σου, τα σαράντα μερόνυχτα του πένθους, είναι το νέκταρ που οι μέλισσες πηγαίνουν στους νεκρούς που περιμένουν.

Όταν ο αγριόχοιρος τον ξέσκισε και έχυσε το αίμα του σ' ολόκληρη τη γη, εσύ θάφτηκες μέσα στις εφτά διαστάσεις του σκοταδιού. Ελευθέρωσες το φέρετρό του από μυρόξυλο στις όχθες του μεγάλου ποταμού του Ωκεανού στον κάτω κόσμο, εκεί που έχουν τις πηγές τους και ο Γαλαξίας και ο Νείλος. Μετέτρεψες το αίμα του στο άνθος της ανεμώνης. Ακόμα και στο ζενίθ της άνοιξης και της ανθοφορίας, ο άνεμος κουβαλάει τις νότες του θρήνου σου — αυτή η ομορφιά δεν θα κρατήσει για πάντα. Η ομορφιά του δεν είναι παρά μιας μέρας.

Μα είναι το πεπρωμένο σου να συνεχίσεις την πορεία, Βασίλισσα των Ωκεάνειων Ποταμών, Βασίλισσα του Βάθους, Βασίλισσα του Αυγερινού και Βασίλισσα της Εσπέρας, Βασίλισσα της Καρδιάς με τις Χίλιες Ουλές. Είναι πια μορφόκλασμα δικό σου, μετά από όλους αυτούς τους αιώνες. Κάθε φορά που σου τον παίρνει ο αγριόχοιρος, κάθε φορά που σου τον παίρνει η φωτιά, η πλημμύρα, το σπαθί του εχθρού, η ίδια σου η πρωταρχική ανησυχία, και είσαι σίγουρη πως τίποτα μέσα σου δεν θα αναστηθεί ξανά, τότε αυτό που έγινε θρύψαλα γίνεται εξάγωνο. Μικρές πλακίτσες εμφανίζονται στα σπασμένα σημεία, ώσπου η καρδιά σου γίνεται η κυψέλη κι η κάθε απώλεια ένα κελλί στρωμένο με πρόπολη μυρτιάς.

Ω Βασίλισσα των Ουρανών, η καρδιά σου είναι μια κυψέλη. Είναι ένα πράγμα γλυκό, βαρύ. Η Βασίλισσα ξέρει τι θυσιάζει μέσα στις χίλιες νύχτες σκοταδιού για τη φεγγοβολιά εκείνης της μοναδικής πτήσης. Οι θεραπαινίδες της μέσα στα λουλούδια, οι φρουροί της με το τρομερό κεντρί, που δεν διστάζουν να θυσιάσουν τη ζωή τους για να υπερασπιστούν την κυψέλη, μαζεύονται γύρω της όταν επιστρέφει. Ολόκληρη η κυψέλη γεύεται την έκστασή της μέσα στο κύτταρο που είναι τόσο γεμάτο αυγά. Ολόκληρη η κυψέλη γεύεται την απώλειά της.

Την αυγή είσαι φτιαγμένη από γύρη, αίμα και αφρό. Συγκεντρώνεις τα νεκρά σώματα των κηφήνων έτσι όπως έπεσαν από τον ουρανό, πρόθυμη θυσία για την αγάπη σου. Τους τυλίγεις στις κυρτωμένες χούφτες σου και τους κουβαλάς έναν έναν στην παλίρροια, για να ξανοιχτούν στη θάλασσα, στραφταλίζοντας στον ήλιο, ελεύθεροι. Όλοι τους έχουν το πρόσωπό του, το φέρετρό του από μυρόξυλο αφημένο να πλέει στον υπόγειο ωκεάνιο ποταμό. Οι κοπέλες σου, οι χορεύτριες Ώρες, οι χάρες της εποχής, των λουλουδιών, των σπόρων, αναγκάζονται να σε σύρουν, θρηνώντας, από την πλώρη.

Άσε τον να φύγει ψιθυρίζουν, και σε τυλίγουν στο απαλό κόκκινο σάβανο του εσωτερικού ιερού σου αδύτου, οδηγώντας σε πίσω, στον τόπο της παρηγοριάς και της παρθενίας σου, τον φωτισμένο από μελισσοκέρι και κάψα τριαντάφυλλου. Υπάρχει ζεστό νερό από τη γη για το μπάνιο σου και περιστέρια που φωλιάζουν στις προεξοχές των τοίχων και μια πολύβουη κυψέλη μέλισσες πλάι στο καμίνι. Κοιμήσου, Βασίλισσα της Αγάπης, Βασίλισσα του Πένθους. Το άγριο αγόρι σου ανατέλλει τώρα ανάμεσα στα αστέρια του τέλους της άνοιξης. Ξεκουράσου, Βασίλισσα της Ραγισμένης Καρδιάς, Βασίλισσα της Υπόσχεσης. Από την αληθινή αγάπη σου γεννιέται η άνοιξη. Εσύ τον παρέδωσες, για να προσφέρεις στα πάντα. Ω Βασίλισσα του Αφρού της Θάλασσας, ανάψου. Ξαναγέννα τον εαυτό σου μέσα στο αλάτι και στο σπειρωμένο κοχύλι. Εκεί, όπου ο χρόνος είναι σπείρα κι όχι γραμμή, εκεί που αέναα σηκώνεις τα μάτια και τον βλέπεις ανάμεσα στα δέντρα του βουνού, πάνω στις αμμοθίνες πλάι στη θάλασσα, με τα χέρια γεμάτα ίριδες, γεμάτα ανεμώνες.

Πάσχα, ένα Δοκίμιο

Μέσα στη σκοτεινή νύχτα, οι καμπάνες του γειτονικού χωριού ηχούν ότι ο Ιησούς πέθανε, χτυπάνε αργά, σε δυο νότες μόνο, ξανά και ξανά, ώρα την ώρα, καθώς τ'αστέρια πυκνώνουν και οι γκιώνηδες χουρχουρίζουν. Σκυλιά γαυγίζουν. Η θάλασσα είναι πιο σκοτεινή κι από τον ουρανό. Ο ήχος –μέσα στ'αστέρια και στο σκοτάδι και στα βουνά, στη θάλασσα, στη σιωπηλή πρασινάδα της νύχτας, στα σκυλιά που γαυγίζουν, στη μοναξιά των αποστάσεων—αποδεσμεύεται μέσα μου κάπως από τη θρησκεία του. Ο Ιησούς είναι νεκρός. Η Μαρία θρηνεί γονατιστή, με τα μαλλιά της κομμένα ως το πηγούνι πενθώντας. Το κεφαλομάντηλό της έχει γλιστρήσει και είναι καλυμμένη με αστέρια. Αρνείται να αφήσει το φέρετρο με τους κεντημένους λεμονανθούς. Το μοιρολόι της υπάρχει μέσα στις καμπάνες, στη σκοτεινή ζεστή νύχτα.

Απελευθερωμένες από τη θρησκεία τους, οι καμπάνες είναι αρχαιότερες του Χριστού. Απελευθερώνουν τα πάντα μέσα στη θλιβερή, θλιβερή επανάληψή τους, πάλι και πάλι ασταμάτητα. Ό,τι και να κρύβουμε από τον εαυτό μας, η θλίψη είναι ανήμπορη μπροστά σε έναν τέτοιον ήχο κι έτσι αναβλύζει μέσα από το σώμα και σε παγώνει εκεί που στέκεις για ν'ακούσεις. Αυτός είναι ο ήχος που αντιστοιχεί στην έννοια τού να χάνεις κάποιον που αγάπησες, είτε στον παίρνει η ζωή είτε ο θάνατος, είτε άνθρωπο είτε ζώο. Αυτός είναι ο ήχος που λέει, δεν θα γυρίσει ποτέ ξανά μ'αυτή τη μορφή, δεν θα γυρίσει, έφυγε, χάθηκε, έφυγε πέρα από το πέρα, εκεί που δεν μπορώ ν'ακολουθήσω.

Η καμπάνα είναι η θλίψη της Μαρίας, η θλίψη του Ιησού, όχι η θρησκεία του Χριστού. Η ανθρωπιά τους, παρότι θεϊκή, είναι αυτό που αντηχεί μέσα στις χιλιετίες, γι'αυτό οι άνθρωποι φιλούν ακόμα τον Επιτάφιο και ο γεράκος στη γωνιά κλαίει. Όταν κάθισα υπάκουη στην εκκλησία, αγχωμένη να θυμηθώ να μη σταυρώσω τα πόδια μου, αγχωμένη ότι κάποιος θα με μυριζόταν ότι είμαι ειδωλολάτρισσα, ν'ακούω του ύμνους του θρήνου στα Ελληνικά, να αναγνωρίζω μόνο τη λέξη μάνα πάλι και πάλι και πάλι, και τη μυρωδιά του μύρου, να θαυμάζω τα λουλούδια που οι γυναίκες του χωριού είχαν βάλει για να στολίσουν το λευκό φέρετρο—τον Επιτάφιο—τα κόκκινα και λευκά στεφάνια, τα άγρια τριαντάφυλλα, τα αναμμένα κεριά, τις γιρλάντες των λεμονανθών περασμένες με το βελόνι, η αίσθησή μου ήταν αφαιρετική –εδώ έχουμε το θάνατο του βλαστικού θεού, σκέφτηκα.

Δες πώς τον τιμούν, ακριβώς όπως όλους τους άλλους βασιλιάδες του άνθους, τους εραστές της Θεάς τους —τον Όσιρι της Ίσιδας, τον Άδωνι της Αφροδίτης, τον Ταμούζ της Αστάρτης. Να πώς όλα αυτά είναι στην πραγματικότητα μια περίπλοκη μεταφορά για τη ζωή και το θάνατο της φύσης, των φυτών, όλων αυτών που μας τρέφουν. Η βασίλισσα των μελισσών και οι θυσιασμένοι εραστές της, η ιέρεια της σελήνης και ο ηλιακός εραστής της, να ανασταίνονται και να πεθαίνουν και ν'ανασταίνονται ξανά.

Έτσι μόνη όμως, κάτω από τα άστρα, οι συνεχείς, αργοί χτύποι είναι πάνω απ'όλα ο ήχος της απώλειας, και σηματοδοτεί ένα ρυθμό απώλειας σε όλο μου το κορμί, έτσι που δεν υπάρχει τόπος να κρυφτώ από όσα πενθώ, πουθενά να αποστρέψω το βλέμμα, μόνο το όνομα κάποιου που αγάπησα, και που τον άφησα να φύγει, ξανά και ξανά˙ όχι στο θάνατο, μα παραμένει μια απώλεια τόσο τεράστια ώστε ο μόνος χώρος που επαρκεί για να την κατανοήσω είναι αυτός, γιατί αυτό που υπήρχε έχει πεθάνει και αυτό που θα υπάρξει δεν μπορεί ποτέ να επιστρέψει σε αυτό που ήταν. Κι έτσι αναρωτιέμαι τώρα, έξω στη βεράντα κουκουλωμένη με το σκοτάδι, μέσα στο αντιλάλημα της καμπάνας, αν τελικά, όλες αυτές οι τελετουργίες του θνήσκοντος θεού αφορούν ουσιαστικά την ανάσταση και τη φθορά των πράσινων λιβαδιών ή αν τις ασκούμε έτσι ώστε να μπορούμε να στεκόμαστε κάτω από τα αστέρια και ν' ακούμε την ίδια μας τη θλίψη, την ίδια την καρδιά μας που πονάει, μέσα στις καμπάνες που θρηνούν, μέσα στη Μαρία που θρηνεί, και να γνωρίζουμε ότι η θλίψη μας δεν περνάει απαρατήρητη, ότι η καθεμιά από μας έχει περάσει απ' αυτό το ρημαγμένο μέρος, ότι δεν είμαστε μόνες, ότι αυτός πήγε εκεί, πέρα από το πέρα, αυτός που για χάρη του χτυπά η καμπάνα, κι εκείνη γονάτισε κλαίγοντας με λυγμούς, με τα μαλλιά λυτά μέσα στο σκοτάδι της ορεινής κοιλάδας καθώς τα αστέρια πλήθαιναν σιγά σιγά μέσα στη ζεστή νύχτα. Ότι αυτές έχουν περάσει από εκεί πριν από μας. Ότι και εμείς θα επιβιώσουμε απ' αυτό.

Στην καρδιά της άνοιξης τον έχασε. Μέσα απ' τα άνθη της ανεμώνης επιστρέφει. Κι έτσι η απώλειά μας γίνεται κι αυτή βλαστικός θεός, ετήσιος θεός, που ζει και πεθαίνει με τους ρυθμούς της βλάστησης της γης, αυτός που υπόσχεται, μέσα από κείνη, πως αυτό που πεθαίνει, θα αναστηθεί και πάλι την άνοιξη. Ο κάθε ασφόδελος κουβαλάει κι από έναν πρόγονο μέσα σε κάθε λευκό λουλούδι. Κάθε άνοιξη ανασταίνονται από τον κάτω κόσμο ανθίζοντας.

Αναρωτιέμαι πόσες άλλες κοντοστάθηκαν στη βεράντα ή στο παράθυρο της κουζίνας τους ακούγοντας την καμπάνα να χτυπά αργά και πένθιμα μέσα στο σκοτάδι. Αναρωτιέμαι πόσες άλλες έκλαψαν γοερά, μέσα απ' τη θύμηση, καθώς ένιωθαν τη θλίψη να ανεβαίνει, όλο να ανεβαίνει προς το λαιμό τους, τραβηγμένη από τον ήχο. Ίσως μόνο μέσα σε μια τέτοια απεραντοσύνη, με την καμπάνα να λαλεί στα βουνά και στους αιώνες, να μπορούμε να παραδοθούμε σε όλα αυτά που κουβαλούσαμε. Επιτέλους, αυτός δεν είναι πια μια σιωπηρή κραυγή μέσα μου, αλλά το αντιλάλημα σε ολόκληρο τον τόπο, και όλοι τους τον κουβαλούν μαζί με μένα.

Έχει γαλήνη η σιωπή που ακολουθεί, περνώντας τα μεσάνυχτα. Μόνο το τερέτισμα του γρύλου και τα σκυλιά που γαυγίζουν και οι μικρές ντροπαλές κουκουβάγιες και πάλι τα αστέρια. Η Μαρία παραμένει, μέσα στο ζεστό θαλασσινό σκοτάδι, με το κεφάλι σκυμμένο, κρατώντας ένα μικρό αλλά σταθερό φως. Κάτω από τον μανδύα της, είναι μια άλλη γυναίκα. Κάτω από τον μανδύα της, έρχεται φέρνοντας βαθυκόκκινα βαμμένα αυγά, γιατί ξέρει κάτι που κανείς άλλος δεν ξέρει—ότι από το θάνατο έρχεται η ζωή. Ότι στην καρδιά της απώλειας φωλιάζει η αναγέννηση.

Πλάι στη θάλασσα, το επόμενο βράδυ, καίνε το μεγάλο ομοίωμα του Ιούδα στην πυρά. Ο Ιησούς αναστήθηκε, και κάτι μέσα μου επίσης. Ο κόσμος κρατά κεριά με το ανανεωμένο φως του. Τα παιδιά ανάβουν βεγγαλικά και κάποιος πετάει μια σειρά πυροτεχνήματα πάνω απ'το νησί στο Μόχλος, έτσι που για μερικές στιγμές τα ερείπια των τεσσάρων χιλιάδων χρόνων φωτίζονται κάτω από τη βροχή από σπίθες. Τα αγαπημένα μου είναι τα χρυσαφιά, που χάνονται αργά καθώς πέφτουν σε αψίδες φωτός σαν τσαμπιά σταφυλιού. Αυτά ήταν πάντα τα πιο αγαπημένα μου από τότε που ήμουν κοριτσάκι. Νέοι άντρες –και γέροι— πυροδοτούν αυτοσχέδιες βόμβες που με κοψοχολιάζουν. Τα σκυλιά του χωριού είναι τρελαμένα από το φόβο. Ένα, παθαίνει πανικό και προσπαθεί να σκάψει τη στάχτη του τζακιού και να χωθεί μέσα. Όλη την επόμενη μέρα, η μουσούδα της είναι γκρίζα από τις στάχτες.

Δεν έχω καθόλου αδυναμία σ'αυτές τις ξαφνικές εκρήξεις—μα γιατί οι άνθρωποι να γιορτάζουν την αναγέννηση του Χριστού με τόσο πολύ μπαρούτι, ρωτώ έναν φίλο, όταν πια έχει αρχίσει να μ'ενοχλεί ο θόρυβος. Όμως κάποια στιγμή μέσα στη νύχτα ξυπνώ και θυμάμαι τους Κουρήτες, τους νεαρούς που κάλεσε η Ρέα για να προστατέψουν το Δία μωρό από τον Κρόνο μέσα στη σπηλιά ψηλά στα κρητικά βουνά, που χόρευαν και φώναζαν και κοπανούσαν τεράστιες ασπίδες σε μια εκκωφαντική κακοφωνία. Ακόμα δεν είμαι απόλυτα σίγουρη τι σημαίνει αυτό, αλλά ίσως, όπως το κάψιμο του Ιούδα—παλιό όσο κι η πυρά την παραμονή της Πρωτομαγιάς, παλιό όσο και ο Διόνυσος—η φωτιά και οι κρότοι εξαγνίζουν καίγοντας τον παλιό χρόνο, καίνε το δηλητήριο, το τρόμο, το φόβο, την προδοσία και όλα όσα χρειάζεται να πεθάνουν, προκειμένου να δημιουργήσουμε χώρο για τη ζωή.

Το κόκκινο αυγό κάθεται στην άλλη πλευρά.

Μετά τα μεσάνυχτα, αφού αναστηθεί ο Χριστός, τρώω το παραδοσιακό γεύμα, μαγειρίτσα με κατσικίσια αντεράκια και συκωτάκια, αγκινάρα και μάραθο. Τσουγκρίζουμε τα κόκκινα αυγά μας ο ένας με τον άλλον, για να δούμε ποιανού το τσόφλι είναι το ισχυρότερο. Η μάνα του κερδίζει, κι εγώ χαίρομαι. Ήταν στην εκκλησία όλο το βράδυ, μαζί με τις άλλες γυναίκες του χωριού της, κάνοντας προσευχές με το κομποσκοίνι, θρηνώντας το θάνατο του Χριστού. Είναι πάντα οι γηραιότερες που βγαίνουν απ'την εκκλησία με το φως. Πάντα έτσι ήτανε.

Το επόμενο πρωί ξεκινάει η γιορτή. Μικρά πουλιά μου φαίνεται ότι ζευγαρώνουν ακατάπαυστα πάνω στα κεραμίδια. Οι μέλισσες μπαινοβγαίνουν πετώντας από το στούντιό μου όλη τη μέρα, και τα χελιδόνια. Ένα απ'αυτά προσγειώνεται πάνω στον γλόμπο και κάνει κούνια. Όλα τα παραδοσιακά τραγούδια, είναι τραγούδια αγάπης. Τα λουλούδια αρχίζουν να σποριάζουν και ο Ωρίωνας, ο Ταύρος και οι Πλειάδες δύουν πριν τα μεσάνυχτα μέσα στη θάλασσα.

Κάθε μέρα, για τις επόμενες σαράντα, οι άνθρωποι αλληλοχαιρετιούνται λέγοντας Χριστός Ανέστη και Αληθώς Ανέστη. Λένε ότι μέσα σ'αυτές τις σαράντα μέρες, οι πρόγονοι περπατούν ανάμεσά μας και μπορεί και οι παλιοί θεοί. Εγώ πιστεύω ότι υπάρχουν μέσα στα λουλούδια που ανθίζουν παντού και μέσα στους σπόρους.

MAY 2019

Venus conjunct Uranus
Sixth vestment released (She removes Her ankle bracelets)

Fruit is starting on old pear trees, and wild ones. Harvesting fava beans and Queen Anne's lace stems to steam together. The corn seeds sprout. Squash seedlings go into the earth from the porch. Pomegranates are in full blossom: I love their shining calyxes. The bees inside them are buried in sexual ecstasy. First of May, and the flower crowns on everyone's front doors: field daisy, honeysuckle, freesia, gorse, helichrysum. I see the Eleonora's falcons returning from Africa. I learn that the bells on the lyra bow are falcon bells. Olives blossom in tiny white. It is the time of the swallows' flight, or are they swifts? I stop to watch them. Warm loquats. Artichokes and more artichokes, raw with lemon, salt and raki. The bright green summer-portent lizards. Stars of the Corona Borealis over the Minoan island. Purple Lasithi bells blooming. Onions flower, and the oregano. The wild oats are still milky. I discover the blossoming myrtle bush, and make it into a crown for love.

Asterios

There is a tenderness in me
that would risk everything to put
its hands in the font
of the stars' own wellspring

Some days, when we have set
our stories aside and are only skin and soil
salt, mountain, shadow, sea
we find each other there
beside the clear, original water
at the heart's beginning

The stone opens, pouring forth
milky galaxy

I was given a key, a blue paper, wheels
a field full of summer vegetables
the oldest dance steps
from an eastern mountain village

Each is a turn on the twinned labyrinth's path
a signpost on the map to the font at center
Asterios lives there
That is the older name of the Minotaur
It means starry one

One labyrinth moves externally
in the world of things

where we are painting the walls
like pollen, like red ochre, like the light sea
where we are sowing okra seeds
and trying to find the language we share
where summer is opening the squash flowers
and it is best to speak very gently,
conscious of old, unmapped wounds
Shall I peel the potatoes for you?
Tell me what you think of green onions
with the lettuce. Let me help you. I am here.

The south wind blowing hot from the Sahara
lays waste to the just-planted tomatoes
and we rise early to see what
we can protect, what we can salvage

The other labyrinth moves internally
and it is far more unpredictable

When that wind comes pounding
through the crops at midnight
when it comes shaking the windows
and doors and all the flowering olives
of May, it howls also along the unseen
pathways of the soul, asking me to look
without flinching at what has hurt me,
at the places where I am certain
nothing good will ever grow again
no matter how many seeds I start

Sand blows in through
that other labyrinth

obscuring the path
Already it is difficult enough
to navigate the soul's dark places
and sometimes even
the force of my breathing
blows out the small flame
I've made with two sticks
and the last of my courage

But by daybreak, the sand is full
of the footprints of wild grouse and badger
and though I may not know where I am going
I can be certain that they do, and that if
I follow those prints long enough
they will spell an ancient alphabet
they will walk me right to the source
right to the beginning when we saw directly
into each other, untangled
to Aphrodite and her Asterios,
whose spring pours
clear starlight and dawn's shining
over my dusty feet

Μάης 2019

Η Αφροδίτη σε σύνοδο με τον Ουρανό
Το έκτο Ιερό Ένδυμα πέφτει
(αφαιρεί τα βραχιόλια από τους αστραγάλους Της)

Τα φρούτα ξεκίνησαν στις γριές αχλαδιές και στις άγριες. Μάζεμα φάβας μαζί με σταφυλινάσταχα για να βραστούν μαζί στον ατμό. Τα σπόρια του καλαμποκιού πετάνε φύτρο. Τα μωρά κολοκυθιές μεταφέρονται από τη βεράντα στο χώμα. Οι ροδιές είναι στο ζενίθ της άνθισης: λατρεύω τους γυαλιστερούς κάλυκές τους. Οι μέλισσες μέσα τους είναι βουτηγμένες στην ερωτική έκσταση. Η πρώτη του Μάη και τα στεφάνια από λουλούδια πάνω στις πόρτες όλων: μαργαρίτες του αγρού, αγιόκλημα, φρέζες, πουρνάρι, ελίχρισος. Βλέπω τα γεράκια της Ελεωνόρας να επιστρέφουν από την Αφρική. Μαθαίνω ότι τα κουδουνάκια στη λύρα είναι γερακοκούδουνα. Οι ελιές ανθίζουν σε μικροσκοπικό άσπρο. Είναι η εποχή για το ταξίδι των χελιδονιών, ή μήπως είναι πετροχελίδονα; Σταματώ για να τα παρακολουθήσω. Ζεστά μούσμουλα. Αγκινάρες και πάλι αγκινάρες, ωμές με λεμόνι, αλάτι και ρακή. Οι ανοιχτοπράσινες σαύρες που προοιωνίζουν το καλοκαίρι. Άστρα από το Στέμμα της Αριάδνης πάνω από το Μινωικό νησί. Μωβ λασιθιώτικες καμπανούλες ανθίζουν. Ανθίζουν τα κρεμμύδια και η ρίγανη. Η άγρια βρώμη είναι ακόμα γαλακτερή. Ανακαλύπτω τον ανθισμένο θάμνο της μυρτιάς

Αστέριος

Έχω μια τρυφεράδα μέσα μου
που θα ρίσκαρε τα πάντα για να βουτήξει
τα χέρια της στην πηγή
της νερομάνας των ίδιων των αστεριών

Κάποιες μέρες, όταν έχουμε αφήσει
πια τις ιστορίες μας στην άκρη κι είμαστε μόνο δέρμα και χώμα
αλάτι, βουνό, σκιά, θάλασσα
βρίσκουμε εκεί ο ένας τον άλλον
πλάι στο καθαρό, πρωταρχικό νερό
στην αρχή της καρδιάς

Η πέτρα ανοίγει, αναβλύζοντας
τον γλαυκό γαλαξία

Μου δώσανε ένα κλειδί, ένα γαλάζιο χαρτί, ρόδες
ένα περβόλι γεμάτο λαχανικά του καλοκαιριού
τα αρχαιότερα χορευτικά βήματα
από ένα ορεινό χωριό της Ανατολής

Το καθένα τους είναι μια στροφή στο δίδυμο μονοπάτι του λαβυρίνθου
μια πινακίδα στο χάρτη για την πηγή στο κέντρο
εκεί ζει ο Αστέριος
Αυτό είναι το πιο παλιό όνομα του Μινώταυρου
Σημαίνει ο πολύαστρος

Ο ένας λαβύρινθος κινείται προς τα έξω
προς τον κόσμο των πραγμάτων

όπου βάφουμε τους τοίχους μας
στο χρώμα της γύρης, της κόκκινης ώχρας, της φωτεινής θάλασσας
εκεί που σπέρνουμε σπόρους μπάμιας
και προσπαθούμε να βρούμε την κοινή μας γλώσσα
εκεί που το καλοκαίρι ανοίγει τους κολοκυθοανθούς
και είναι καλύτερα να μιλάς πολύ απαλά,
αναγνωρίζοντας τις παλιές, αχαρτογράφητες πληγές
Να σου καθαρίσω τις πατάτες;
Πες μου πώς σου φαίνονται τα φρέσκα κρεμμυδάκια
με το μαρούλι. Άσε με να σε βοηθήσω. Είμαι εδώ.

Ο λίβας που φυσάει καυτός από τη Σαχάρα
τσάκισε τις φρεσκοφυτεμμένες ντοματιές
και σηκωνόμαστε νωρίς να δούμε τι
μπορούμε να προστατέψουμε, τι μπορούμε να σώσουμε

Ο άλλος λαβύρινθος κινείται προς τα μέσα
και είναι πολύ πιο απρόβλεπτος

Όταν εκείνος ο αέρας καταφτάνει καλπάζοντας
τα μεσάνυχτα μέσα από τα σπαρτά
όταν έρχεται σείοντας τα παράθυρα
τις πόρτες και όλες τις ανθισμένες ελιές
του Μάη, τότε ουρλιάζει κιόλας διατρέχοντας τα αφανέρωτα
μονοπάτια της ψυχής, ζητώντας μου να κοιτάξω
με ορθάνοιχτα μάτια αυτό που με έχει πονέσει,
στα μέρη εκείνα που είμαι σίγουρη
ότι τίποτα καλό δεν θα ξαναφυτρώσει
όσες φορές κι αν ρίξω σπόρο

Άμμος μπαίνει με τον αέρα μέσα από
εκείνον τον άλλο λαβύρινθο

κρύβοντας το μονοπάτι
Σα να μη φτάνει που είναι ήδη τόσο δύσκολο
να διαπλεύσεις τα σκοτάδια της ψυχής,
μα μερικές φορές ακόμα
και η δύναμη της αναπνοής μου
σβήνει τη φλογίτσα
που έφτιαξα με δυο ξυλαράκια
κι ό,τι μου είχε απομείνει από κουράγιο

Ως το χάραμα όμως, η άμμος έχει γεμίσει
πατημασιές από αγριοπέρδικες και ασβούς
και μπορεί εγώ να μην ξέρω πού πηγαίνω
μπορώ να είμαι σίγουρη όμως ότι αυτά ξέρουν, και ότι, αν
ακολουθήσω αυτά τα ίχνη για αρκετό διάστημα
θα μου αποκαλύψουν ένα αρχαίο αλφάβητο
θα πάνε τα βήματά μου κατευθείαν στην πηγή
κατευθείαν στην αρχή, τότε που είδαμε καθαρά
ο ένας μέσα στον άλλον, χωρίς μπλεξίματα
ως την Αφροδίτη και τον Αστέριό της,
που η πηγή τους λούζει με
καθαρή αστροφεγγιά και τη λάμψη της χαραυγής
τα σκονισμένα, πονεμένα πόδια μου

JUNE 2019

Venus conjunct Aldebaran
Seventh vestment released (She removes Her crown)

The first proper swim in hot weather with friends. Eating garden cucumbers on the rocks. We dip them in the salt-crevices. I gather bouquets of the last flowers from the fields. The grass is drying gold, like in California. He and I go to tend our summer garden every morning before the day's heat. The squash leaves are enormous. They make a shade I can sit under. Cicadas start to sing, and the purple thyme opens. Caper buds everywhere in the heat. Pomegranate calyxes swell. Runa arrives on our doorstep. My little amber-eyed, black-furred hound. My summer solstice child, the greatest gift of my life. Picking mulberries and eating them from the tree until my hands are entirely red. Liopetro. Goats on the purple cliffs. Lyra song inside the thickness of stars. My eyes return again and again to blue Vega, and I feel desperately alone. The mulberry jam in the morning.

Lyra

Under a midsummer sky, beside the sea
where the sanctuary of Agios Ioannis
roots at the base of the cliffs of Liopetro
those massifs of fathomless orogeny
of purple slate and sideways uplift
I saw the constellation Lyra gleam
as it rose in the north above the ridge
the star Vega brightest of all among
those celestial strings

Down below, on Earth
beneath the monastery's shelter
beside the cave that was holy before
ever the monastery or the chapel came
I listened from my bed out on the bluff
to a lyra played like sweet water

All the men were up late
singing their ecstatic songs to the trance
of bow and string, to the rhythmic lute
They were deep in their own mysteries
drumming up the night, the lyra's tone
as dark and potent as mulberry fruit

I wondered where the women's ecstasies had gone
I and the dog were the only women there
keeping our own mysteries in silence, in dreams
in our tent, under the stars, by the sea

Lyra above, shining
Lyra below, ringing
I felt a thread spin between them
in the darkness, among that fathomless orogeny
where the caves were shaped like cats, like vulvas,
like lost hieroglyphs that I couldn't read
and only the goats could reach

Lyra above, shining
Lyra below, singing

The thread between them is silk
from the mulberry tree, from the woman
at the beginning of the world who spun it
to weave a veil, a ladder, a path back to her beloved
It is made of time and light
It is a song
It is a word
It is a mystery
that only the one
who made the stars can sing

I do not know where the women's trances
went, their ecstasies of lyra and lute
But I saw the star rising, and heard the men playing
and this was something

this thread
between heaven and earth

I touched it
The dog beside me stretched, and dreamed

belly up, nine teats to the sky

They say a female monk
lived alone here once, long ago
I imagine she was very peaceful
and strong as a goat
I imagine she knew every star
and bathed in the sea
Chasteberry still blooms purple near the caves

For a time I drifted between sleep and myth
between song and star
among strings made of night

They say the Lyra in the sky belongs to Orpheus
Kalliope gave birth to him, by the Thracian king
In the darkness the sound of the lyra
seemed to arise out of such depths of time
Bright Vega shone, her light
as sweet as a black summer mulberry, swallowed

The lyra song, rich as wine
aged from the time of Orpheus
tasted like oaks and earth to the ear

'Love has burnt my heart to ashes;
may I make a medicine of this ash,
to heal the hearts of others' *

When at last there was silence, it was near dawn
and I wondered if being pierced by grief

is life's way of making us open
wide enough to let the beauty in

Perhaps ecstasy is not only born of joy
Perhaps the mountain doesn't know the difference
Both are strong enough to carve a place in you
that spring water can fill, and stars, and song
Both are evidence of life, and of loving

In the darkness, the purple cliffs of Liopetro
seemed to have been born only yesterday
out of Chaos
They paid no heed to the horizon
They knew a power older than anything
And the music rang through every cave
filling them like water

* *this is a loose translation of a Cretan mantinada, given to me while listening to music on a winter night in a café in Archanes*

Calypso

Calypso made the thousand orchids flourish. She brought them from every end of her island and tended patches of each near the entrance of her cave. They were elaborate in structure, animal-tongued, strange-scented. They filled the air with dreams. Some resembled spires of tiny flying women, others the young faces of daemons. Velvet, pink and green. Four springs poured water into four streams that met in the meadow below her grotto: the world's center, a pool. There the wild irises grew, the white laced parsleys and valerians, the shining asphodel, and in among them all the thousand orchids, who spoke mysteries.

It was there in the water, clear under a black moon, that Calypso saw what was to come. She had seen it many times before, like when she saw a beautiful man of Crete wearing great white wings of wax and feather fly too near the sun and fall, burning, into the sea. Then, she had known that some unraveling had begun. But never had she seen anything like the visions that came to her the night before Odysseus landed on her Ogygia. She saw a war that turned men first to fire and then to hollowness. She saw a gold-haired woman at the prow of a war ship, weeping, tearing at her clothes, her face, her arms, her breasts. All of the fury of the Pythoness Apollo had killed at Delphi seeped from her like miscarriage blood. Calypso saw her collapse.

The reign of the Horae was ending, those dancing vortices who served the mighty Aphrodite. The reign of the Anemone King her beloved was ending, the reign of the Myrrh Prince, the Wild God of the Vine, the reign of immortality in the life and death of green. The reign of peace fell as Helen fell, as the Pythoness fell, as Troy fell. Clytemnestra killed her husband Agamemnon, war hero of Troy, when he came home, for sacrificing their virgin daughter Iphigenia to the winds in order to secure smooth sailing. When her son Orestes in turn killed her, he was not punished for matricide, only she for murder, and so with her the old world died, for there were new laws now.

Griffin-daemons, the Bird-Women of the seasons who carried the weather and the changing stars, who guarded the gates of life and death, became the Furies then, Erinyes, and filled the sky for a day and a night with their dragon rage. On that night, uncountable stars fell, and a terrible heat swept the palaces of kings. The crops of barley, wheat and grape were blasted to the ground, for the law of Earth had been broken. The code of honor that had bound men to life, not power, had been burned, and the songs of war-glory were all that now could be heard in the litanies of the priests.

Calypso was, and was not, a human woman. Her name meant "that which is concealed." She was the cave's darkness, the unseen face of the moon, but equally she was the knowledge of orchid-root and spring water, star-genius and bird call. She was a lineage of women in hiding, carrying the remnants of the older law. She was a goddess in hiding, daughter of Atlas who held up the sky, a Titan from the time before the war gods of Olympus had come on the shields and hooves of bright-haired kings.

Her braids were black and heavy, her hands were small and brown, her body carob-dark, broad and supple as the tide. Her eyes were sad and amber-colored. They shone.

Her island Ogygia was a vortex in the hot southern sea. She was the bright center where the old powers had come to hide—four springs arising, threaded together to keep the Fates alive. Outside of longitude and latitude, sister of the evening star, Ogygia dwelt outside time's line. It sat rather at the center of a labyrinth.

Anywhere the old laws of Earth hide—even at the feet of Mary where the serpent coils, even at her forehead, for there is Aphrodite's crescent and Aphrodite's crown—there Calypso still resides. East of the Sun, West of the Moon, beyond the sunset, inside the morning star, at the center of the Corona Borealis, in the middle of a dream or in the voice that says *wait, look*, in the power that makes the spring water arise pure and shining from the stone.

She was the last of the old faith to try to stop Odysseus. Neither Scylla and Charybdis, serpent-maiden-monsters of the ocean's chasm, rages of whirlpool and all the swallowing undertows, darkest thrash of storm, of chaos, could stop him, nor the Sirens, nereids of ocean's light and wine-dark song, nor the might of the Cyclopes, stone-children who see clearly with the spirit eye, nor yet the wise, powerful Circe and her alchemies, her bright beauty like beaten gold, her lionesses, her magic words. The innocence of Nausicaä almost succeeded, thrown into his path with her golden ball.

He said he held to his Penelope, twenty years at home, devoted; but just as much he held to the conviction of his own absolute power over wife, son and island. Blood-rage was in him now. War had broken him as it had broken all the veterans of Troy. A poison had come in where balance once rested. He did not know when to stop killing now, for he, like all men who fight for kings, saw how killing brought gold, brought power, brought worship, brought a reign that was not subservient to the old laws, whereby each king ruled only eight years as the ancient lunar calendar decreed. By the new laws he could rule in perpetuity, into old age, when his son and only his son would succeed him.

None could stop him, for the tides of power had shifted. The old forces had been broken down, ruined, melted and beaten into Athena's armor, hiding her snakes and her wings. Here was the moment when the blood of men killed in war took the place of the blood of women shed under the dark moon, and they could not stop him, for the blood of regeneration and peace can only move as the earth and moon and sea move: slowly, in balance, while the blood of war moves fast as cataclysm. It's not the same as the blood of animals who kill to survive; they stay inside the circle, they bow to Earth's laws, and never lie. Odysseus lied and betrayed his way across the Mediterranean. When at last he came home to the household Penelope and their son had been running on their own, in the old way, for two decades, he turned his own hall into a field of massacre. He killed even the handmaids who had consorted with the many suitors that had come for Penelope's favor. He destroyed every threat to his authority, and set his wife once more beneath his rule, though she, some said, was the daughter of wild Pan.

All of this Calypso saw as figures and as shades in the water of her fourfold spring. She saw it by the dark stars, bleeding her monthly blood, silent among the orchids and the irises of her field. The late spring wind pushed warm through the cypress and the alder trees that grew around her valley. It fell upon the young-leafed figs and the carobs hung with long green pods like a woman's thousand earrings. She saw that this man was coming to her. That the ocean had a hand in this. Okeanos of the world-encircling waters would drive Odysseus to wreck upon Ogygia's rocks, and she was being asked to *do something, do something, do something*.

Keep him for the eight years of the old kingship, teach him with your body the rhythm and delight of the foremothers and forefathers. Show him the fourfold spring and the original holiness and Earth's darkness. Teach him the language of the owl and the falcon, the raven and the sparrowhawk, and all the singing passerines. Teach him what the orchid knows, and the grass snake, and the stars, and how the moon records the nineteen different mysteries of the ocean, and of a woman's psyche too. Initiate him, Calypso. Heal what war has broken in his fatherline, and in his life.

The great hall of Ithaca, sick and dripping with the blood and viscera of a hundred men, and the courtyard where the twelve maids hung from the washing line like rags, flashed in the pool. A warning. One possible future. From where she sat there were many. Where she sat was the center. The orchids were closed under the darkness. The fourfold spring sang. The pool grew opaque as blood, the wind strangely hot.

There will be a storm by morning, she felt.

He will be wrecked by morning on my shore.

She knew this all at once, and trembled, understanding it for truth. The massacre in the hall was not yet truth, but his coming by storm ran through her body like fast-swallowed wine, like the taste of salt.

She went slowly through the warm night then, barefoot in the meadow, back to her cave. But she could not sleep. She was too hot, though the warm air did not penetrate very deeply into her grotto. She was afraid. Her hair felt heavy, and even the thinnest shift was too much against her skin. She bound her hair high around her head, and stood naked at her loom until daybreak, weaving her finest thread, purple-dyed from the murex shell, into a great veil. She sang to herself, every song she had ever been taught in the great stone temples of her foremothers. All the parts and the harmonies, and lullabies she had heard from Libya, and hunting songs she had heard from the northern mountains of Thrace. She sang to keep herself from collapsing, as she had seen Helen collapse, to keep herself from hiding her cave and her island in a glamour to avoid the weight of what was coming, to protect the last mysteries, to keep them untouched by shame or violence.

Only later would she understand this also as an animal instinct in her, the blood-instinct of a woman—that she was, more than anything, protecting her own heart from the wreckage sent to her shore. *Danger* something in her had moaned when she had seen his face in the dark pool, when she had seen his heavy arms, his sharp, lonely eyes. Then, she took it for fear of violence. Later, she knew it for fear of love.

At dawn she still stood at her loom, singing. The songs had become circles. She was dizzy. An old light shone through her. There was blood on her thighs. Her hair was a thicket, a crown. The shuttle in her hands flashed golden. The weaving was as violet as the morning sea. A little owl still called in the nearest tree, even after the swallows rose. It was the small scops owl who had taught Calypso most of what she knew of the island's many animal languages.

He is coming, the owl said. Do not fear him, go to him.

I fear him, she replied. Go to bed, it's not the time for owls now. One of the day-hunters will come to knock you from your tree.

You think I am so slow I can't dart from them?

I think you are small, and don't see well by day.

And I think you're afraid, and hiding inside all your woman's mysteries, so he will fear you too much to learn anything from you.

Such a man could never love me.

The words echoed strangely in her mind, in the place she and the little scops owl spoke. Where had they come from? Why was it *love* she had spoken, and not *learn from?* Those words had not come from the Calypso she knew, keeper of Earth's mysteries, keeper of the old language of Titans and stone-speakers, of Okeanos, Tethys, Atlas, Kronos, Rhea. She who had never felt weak before a man's love, who had never feared scorn, who had lived always in the island's heart, according to the custom of creation. Never before had she, Calypso, felt inadequate.

Perhaps, she thought, I am afraid of at last being seen. I whose destiny it has been to remain hidden with the syllabary of forgotten times; I who can spell every stone and ore, every mineral, metal, star, seed and root, I who know the language of changing, the grammar of the Way, the ninety-nine dervish steps to the center of the world, I whose whole purpose is to conceal, as the earth shelters seeds, until the time when the old knowledge will need no shelter, no island veiled by sunset's purple mists.

Perhaps, she thought, I am afraid to fail. Perhaps I know already that I will.

But none of this explained the word *love.*

The owl did not reply. He had gone to roost deeper in the cypress grove. His mind was hidden from her now, that fathomless midnight mind which always felt to her like a many-faceted jasper stone, carven, deep and shining. She wondered what hers felt like to him. Tomorrow night she would ask him, though he would likely give the kind of obtuse reply that only an owl can muster, who sees so easily into shadows.

Sun lit the cave entrance. A man stood there. She was still singing. Now they were the owl's songs, strange and hooting. He had followed the sound and stood there on the rock ledge where the wild valerian grew, and the yellow flowered viper grass, the purple blooms of bitter onion, the pink gladiolas, the grape vine that twined in an arch over the cave mouth, shining now with new green and the first hint of fruit. His chin was wet from where he'd drunk at her spring.

She saw her utter otherness in his eyes. She saw that he was fighting the twins fear and revulsion, and a deeper erotic awe that lifted up from the wet earth, through his weary body. This kind of woman he had never seen. She was very nearly wild. There were hundred-mouthed orchids in the heavy black crown of hair. Menstrual blood now made a line all the way to her inner ankle, and her fingers were purple-stained from the loom. The old light was still shining through her. From the night singing, from the murex weft. Her eyes were a fragrant resin that seemed to scent the whole cave.

She saw the strangeness of her cave, too, in his eyes. They scanned it almost tactically: her bed of sweet rushes, the neat-stacked juniper wood by the hearth, the simple baskets where she kept dried herbs and meats, berries and nuts, the earthenware urn full of fresh water, the big-copper kettle, the red-painted glyphs in deeper shadow, the holy dots, the antlered god, the serpent, the lioness, the evening star. She saw her primitiveness in his eyes, saw how he could not understand the elegance here, the way nothing rang a note of untruth, the way nothing lied.

His eyes revolted at the bright blood on her legs. She felt naked for the first time in her life. She almost took an ochre shawl down from a hook to cover herself, but stopped, and instead took a step closer to him, into the daylight, letting the blood fall, forcing him to look, or look away. She was trembling. He terrified her. But underneath his stricken look she saw how dizzied he was too.

Never had he been encircled so entirely by the dreaming Earth. Never had he wanted so badly to sleep, to weep, never had he come so close to letting go of the hierarchies of his gods, as when Odysseus first beheld Calypso, standing in the half-lit cave, her hair violet in that light, her eyes utterly without guile, and so deep —an animal's depth—that he thought *at last, at last, peace.* This thought alone frightened him more than anything before Calypso had—more even than war—for it shook his sensibilities and the very foundation of his reason. Surely he had stepped into a dream, his mind told him, surely she was a demoness, all bloody, all curved, all bare and dark. But all he felt was a longing so intense, he would later turn it into hate for her, hate for the shuddering possibility poised in her unfathomable, shining eyes—*peace peace peace peace.*

O mysterious, soft-lit, holy peace.

Come Odysseus, you are weary, she said, stepping toward him, the grape vines touching her hair. Come, rest a while here.

Later, he would hate her for disarming him so, for the way his body inside her body in the meadow, in the bed of rushes and the soft marten skins, in the sea, dissolved in an ecstasy he had never known, into a resounding, luminous depth that might have been the beginning of time. He hated her for that uncharted pleasure, for how weak she made him feel, how soft, how dreaming, how the owls and falcons began to speak in his dreams, how his name began to mean little to him, and his kingdom, and even the lineage of his forefathers. How she seemed to be asking him to make himself all over again: to heal.

He hated her because he did not want, in the end, to heal. Not if it meant opening every scar again to lay the poultice in. He'd rather poison, he'd rather poison, he'd rather poison, and keep the story he was made of, or he'd become nothing. Ten years of war and killing had not made him strong enough for this, for the lancing of that pain. It was too easy to scorn her instead, even as he burned for the absolute surrender of her body, of her cave, of her singing, of her laughter, of her bare feet in the meadow where she crouched to dig the orchid bulbs, to teach him of their uses and their many names, or on the high ridges, searching the cliffs for falcons, predicting storms by starshine, or by the cloud patterns over the sea.

*

It was not true, what the poet said of Calypso—that she forced Odysseus to her bed, that she kept him against his will, that she clung to him, pathetic, ravenous, indecent with desire. But it was true that she loved him, and that for all her love, she failed. Then, even the poets could not see beyond her, beyond Odysseus and his Odyssey, to the balance that had been before. They had no map for that country. They had no words.

But the orchids still bloom in the meadow by the fourfold spring, in the vortex in the sea where veiled Calypso lives, guarding her syllabary. She lost nothing of what she knew to Odysseus, only a piece of her heart, which after these three millennia, she regrew.

She is there still, gathering orchid roots, watching the water of her pool. Apocalypse now speaks in it, and revelation too.

Ιούνης 2019

Η Αφροδίτη σε σύνοδο με τον Αλδεβαράν
Το έβδομο Ιερό Ένδυμα πέφτει (αφαιρεί την κορώνα Της)

Το πρώτο κανονικό μπάνιο με ζέστη. Τρώγοντας αγγούρια του κήπου πάνω στα βράχια˙ τα βουτάμε στις κοτύλες του αλατιού. Μαζεύω μπουκέτα από τα τελευταία χωραφολούλουδα. Το χορτάρι ξεραίνεται χρυσαφένιο, όπως στην Καλιφόρνια. Τα φύλλα της κολοκυθιάς είναι τεράστια˙ κάνουν σκιά που με χωράει να κάτσω από κάτω. Τζιτζίκια αρχίζουν το τραγούδι και το μωβ θυμάρι ανοίγει. Μπουμπούκια κάπαρης παντού μέσα στη ζέστη. Ρόδια –κάλυκες που φουσκώνουν. Η Ρούνα φτάνει στο κατώφλι μας. Η μικρή κεχριμπαρομάτα μαυρότριχη κυνηγιάρα σκύλα μου. Το παιδί του θερινού ηλιοστασίου μου, το σπουδαιότερο δώρο της ζωής μου. Κόβω μούρα και τα τρώω από το δέντρο ώσπου τα χέρια μου γίνονται κατακόκκινα. Λιόπετρο. Κατσίκια στους μωβ γκρεμούς. Τραγούδι λύρας μέσα στην πληθώρα των αστεριών. Τα μάτια μου επιστρέφουν ξανά και ξανά στον γαλάζιο Βέγα. Μαρμελάδα μούρο το πρωί.

Λύρα

Κάτω απ'τον ουρανό του μεσοκαλόκαιρου, πλάι στη θάλασσα
εκεί που το ιερό του Άη-Γιάννη
έχει ριζώσει στους πρόποδες των λόφων του Λιόπετρου,
αυτούς τους πέτρινους όγκους της ανείκαστης ορογένεσης
από μωβ σχιστόλιθο που λοξά ανασηκώνεται,
είδα τον αστερισμό της Λύρας να λάμπει
καθώς ανέτειλε στο Βορρά πάνω από τη βουνοκορφή
με τον αστέρα Βέγα λαμπρότερο απ'όλους ανάμεσα
σ'εκείνες τις ουράνιες χορδές

Παρακάτω, στη γη
κάτω από το καταφύγιο του μοναστηριού
πλάι σ'εκείνη τη σπηλιά που ήταν ιερή πριν
ακόμα εμφανιστούν το μοναστήρι ή το παρεκκλήσι
άκουγα από το κρεβάτι μου εκεί έξω, πλάι στο γκρεμό
μια λύρα να παίζει σαν γλυκό νερό

Όλοι οι άντρες ξενύχτησαν
τραγουδώντας τα εκστατικά τραγούδια τους, χαμένοι στην κατάνυξη
του δοξαριού και της χορδής, του ρυθμικού λαούτου
Αποτραβηγμένοι βαθιά στα δικά τους μυστήρια
στο τύμπανο που δονούσε τη νύχτα, στον τόνο της λύρας,
τον σκοτεινό και πανίσχυρο σαν τον καρπό της βατομουριάς

Αναρωτήθηκα πού να'χε πάει η γυναικεία έκσταση
Εγώ κι η σκύλα μου μόνες γυναίκες εκεί
διατηρώντας τα δικά μας μυστήρια μέσα στη σιωπή, μέσα στα όνειρα
μέσα στη σκηνή μας, κάτω από τα αστέρια, πλάι στη θάλασσα

Η Λύρα ψηλά να λάμπει, η λύρα χαμηλά να ηχεί.
Ένιωσα μια κλωστή να υφαίνεται ανάμεσά τους
μέσα στο σκοτάδι, μέσα σ' αυτή την ανείκαστη ορογένεση
όπου οι σπηλιές είχανε σχήμα γάτας, αιδοίου
σαν χαμένα ιερογλυφικά που αδυνατούσα να διαβάσω
και μόνο οι κατσίκες μπορούσανε να φτάσουν

Η Λύρα ψηλά, να λάμπει, η λύρα χαμηλά να τραγουδά.
Το νήμα που τις δένει είναι μετάξι
απ' τη μουριά, απ' τη γυναίκα
που το έκλωσε στην αρχή του κόσμου
για να υφάνει πέπλο, σκάλα, μονοπάτι πίσω σ' εκείνον που αγαπά
Είναι φτιαγμένο από χρόνο κι από φως. Τραγούδι είναι.
Λέξη είναι. Μυστήριο είναι που
μόνο το ον που έπλασε τ' αστέρια μπορεί να τραγουδά

Δεν ξέρω πού πήγε η κατάνυξη των γυναικών,
η δική τους έκσταση φτιαγμένη από λύρα και λαούτο
Είδα όμως το αστέρι να ανατέλλει κι άκουσα τους άντρες να παίζουν
κι αυτό ήταν κάτι,

αυτό το νήμα
ανάμεσα ουρανό και γη

Το άγγιξα
Το σκυλί πλάι μου τεντώθηκε και ονειρεύτηκε
ανάσκελα με τις εννιά θηλές της να κοιτάν στον ουρανό

Έλεγαν πως ήταν κάποτε μια καλόγρια
που ζούσε εδώ μονάχη, πριν από πολύν καιρό
Φαντάζομαι θα 'τανε τόσο γαλήνια
και δυνατή σαν την κατσίκα

Φαντάζομαι πως θα γνώριζε το κάθε ένα αστέρι
και θα έπαιρνε το μπάνιο της στη θάλασσα
Λυγιές ακόμα ανθίζουν μωβ πλάι στις σπηλιές

Για λίγο περιπλανήθηκα ανάμεσα στον ύπνο και στο μύθο
ανάμεσα στο τραγούδι και στο αστέρι
ανάμεσα σε χορδές από νύχτα φτιαγμένες

Λένε πως η Λύρα του ουρανού ανήκει στον Ορφέα
που τον γέννησε η Καλλιόπη, από τον Θράκα βασιλιά
Μέσα στο σκοτάδι, ο ήχος της λύρας
έμοιαζε από τέτοια βάθη του χρόνου να προέρχεται
Ο Βέγας λαμπρός, άστραφτε, με το θηλυκό φως του
γλυκό σαν μαύρο μούρο του καλοκαιριού που καταπίνεις

Το τραγούδι της λύρας, σαν κρασί παλιό
από την εποχή του Ορφέα
με γεύση από δρύες και γη στο αυτί

Καρδιά μου σαν αποκαείς τη στάχτη θα μαζέψω
να τηνε κάμω γιατρικό καρδιές να θεραπέψω

Όταν επιτέλους έγινε σιωπή, κόντευε να χαράξει
κι εγώ αναρωτήθηκα μήπως, έτσι να μας τρυπάει η θλίψη
είναι ο τρόπος που έχει η ζωή να μας ανοίγει
όσο χρειάζεται για να μπει μέσα μας η ομορφιά

Ίσως η έκσταση δε γεννιέται μονάχα από χαρά
Ίσως το βουνό δεν αντιλαμβάνεται τη διαφορά
Και τα δυο έχουν τη δύναμη να σκαλίσουν έναν χώρο μέσα σου
που να μπορεί το ανοιξιάτικο νερό να τον γεμίσει, και τ'αστέρια, και το τραγούδι
Και τα δυο είναι αποδείξεις της ζωής, και πως αγάπησες

Μες στο σκοτάδι, οι βιολετί λόφοι στο Λιόπετρο
μοιάζανε να γεννήθηκαν μόλις χτες
μέσα από το Χάος
Αδιάφοροι εντελώς για τον ορίζοντα
Γνώριζαν τη δύναμη την αρχαιότερη από τα πάντα
Κι η μουσική αντηχούσε σε όλες τις σπηλιές
γεμίζοντάς τες σαν το νερό

Καλυψώ

Η Καλυψώ έκανε τις χίλιες ορχιδέες να ανθίσουν. Τις έφερνε από κάθε γωνιά του νησιού της, θάλποντας παρτέρια για την καθεμιά κοντά στην είσοδο της σπηλιάς της. Ήταν περίπλοκες στη δομή τους —είχαν γλώσσες σαν ζώα, μυρωδιές παράξενες. Γέμιζαν τον αέρα με όνειρα. Κάποιες θύμιζαν οβελίσκους από μικροσκοπικές ιπτάμενες γυναίκες, άλλες πρόσωπα νεαρών δαιμόνων: βελούδινα, ροζ και πράσινα. Τέσσερεις πηγές τροφοδοτούσαν με νερό τα τέσσερα ρυάκια που ενώνονταν στο λιβάδι πιο κάτω από τη σπηλιά της: το κέντρο του κόσμου, μια λιμνούλα. Εκεί φύτρωναν οι άγριες ίριδες και οι λευκές δαντέλες του μαϊντανού και της βαλεριάνας, ο λαμπερός ασφόδελος και ανάμεσα σ' όλα αυτά, όλες οι χίλιες ορχιδέες, που έλεγαν τα μυστήρια.

Εκεί ακριβώς, μέσα στο νερό το διαυγές κάτω από την ολοσκότεινη σελήνη, αντίκρισε η Καλυψώ αυτό που ήταν να έρθει. Είχε ξανασυμβεί κι άλλες πολλές φορές πιο πριν, όπως τότε που είχε δει κείνον τον ωραίο άντρα από την Κρήτη που φορούσε τεράστιες λευκές φτερούγες από κερί και πούπουλα, να πετά πολύ κοντά στον ήλιο, και να πέφτει, φλεγόμενος, μέσα στη θάλασσα. Κατάλαβε τότε πως κάποια αποκάλυψη είχε αρχίσει να ξετυλίγεται. Μα τίποτα απ' όλα αυτά δεν έμοιαζε με τα οράματα που την επισκέφτηκαν τη νύχτα πριν καταπλεύσει ο Οδυσσέας στην Ωγυγία της. Είδε έναν πόλεμο, που πρώτα έκανε τους άντρες φωτιά και μετά κενά ανδρείκελα. Είδε μια χρυσομάλλα γυναίκα στην πλώρη ενός πολεμικού καραβιού να οδύρεται, να ξεσκίζει τα ρούχα, το πρόσωπο, τα μπράτσα, τα στήθια της. Όλη η μανία της Πυθώνισσας που είχε σκοτώσει ο Απόλλωνας στους Δελφούς ανάβλυζε από μέσα της σαν αίμα αποβολής. Η Καλυψώ την είδε να καταρρέει.

Η ηγεμονία των Ωρών –εκείνων των περιδινούμενων χορευτριών που υπηρετούσαν την πανίσχυρη Αφροδίτη— πλησίαζε στο τέλος της. Η ηγεμονία του Βασιλιά της Ανεμώνης, του αγαπημένου της, πλησίαζε στο τέλος της, η ηγεμονία του Πρίγκηπα του Μύρου, του Άγριου Θεού της Αμπέλου, η ηγεμονία της αθανασίας μέσα από τη ζωή και το θάνατο της βλάστησης. Η ηγεμονία της ειρήνης καταλύθηκε μαζί με την πτώση της Ελένης, με την πτώση της Πυθώνισσας, με την πτώση της Τροίας. Η Κλυταιμνήστρα σκότωσε τον άντρα της τον Αγαμέμνονα, ήρωα στον πόλεμο της Τροίας, όταν γύρισε σπίτι του, επειδή θυσίασε την παρθένα κόρη τους Ιφιγένεια στους ανέμους, για να εξασφαλίσει ευνοϊκό πλου. Όταν την σκότωσε ο Ορέστης ο γιος της με τη σειρά του, δεν τιμωρήθηκε για τη μητροκτονία, μόνο εκείνη για το φόνο, κι έτσι, μαζί μ'αυτήν, πέθανε και ο παλιός κόσμος, γιατί υπήρχαν τώρα πια νέοι νόμοι.

Οι γρυπόμορφες δαιμόνισσες, οι Γυναίκες-Όρνια των καιρών που κουβαλούσαν πάνω τους τον χρόνο και τα περιστρεφόμενα άστρα, αυτές που στέκονταν θυροφύλακες μπρος στη ζωή και στο θάνατο, έγιναν τότε οι Μανιακές, οι Ερινύες, και γέμισαν τον ουρανό για μια μέρα και μια νύχτα με το δρακίσιο μένος τους. Εκείνη τη νύχτα αμέτρητα αστέρια έπεσαν και μια ζοφερή ζέστα τύλιξε τα παλάτια των βασιλιάδων. Οι σοδειές του κριθαριού, του σταριού και των σταφυλιών καταστράφηκαν μονομιάς, γιατί ο νόμος της Γης είχε παραβιαστεί. Ο κώδικας τιμής, που έδενε τους άντρες στη ζωή κι όχι στην εξουσία, είχε καεί, και το μόνο που ακουγόταν πια στις ιερατικές λιτανείες ήταν τραγούδια για τη δόξα του πολέμου.

Η Καλυψώ ήταν, και δεν ήταν, ανθρώπινη γυναίκα. Το όνομά της σήμαινε «αυτό που είναι κρυμμένο». Ήταν το σκοτάδι της σπηλιάς, το αθέατο πρόσωπο της σελήνης, αλλά ήταν εξίσου και η γνώση που κρύβεται στη ρίζα της ορχιδέας και στο νερό της πηγής και στην ιδιοφυία των άστρων και στη φωνή του πουλιού. Κρατούσε απ' τη γενιά των γυναικών που πλέον κρύβονταν, κρατώντας στα χέρια τους τα απομεινάρια του παλιότερου νόμου. Ήταν μια θεά εν κρυπτώ, κόρη του Άτλαντα που κρατούσε στη θέση του τον ουρανό, μια Τιτάνισσα, από την εποχή που οι θεοί του Ολύμπου δεν είχαν ακόμα εγκατασταθεί στις ασπίδες και τις οπλές των βασιλιάδων με τον ήλιο στα μαλλιά.

Οι πλεξούδες της ήταν μαύρες και βαριές, τα χέρια της ήταν μικρά και καφετιά, το κορμί της σκουρόχρωμο σαν το χαρούπι, φαρδύ και απαλό σαν την παλίρροια. Τα μάτια της ήταν θλιμμένα, στο χρώμα του κεχριμπαριού. Έλαμπαν.

Το νησί της, η Ωγυγία, ήταν μια δίνη στη ζεστή νότια θάλασσα. Η ίδια ήταν το λαμπρό κέντρο, όπου είχαν έρθει να κρυφτούν οι αρχαίες δυνάμεις—τέσσερεις πηγές που ανάβλυζαν, σφιχτοπλεγμένες για να κρατούν τις Μοίρες ζωντανές. Έξω από γεωγραφικά μήκη και πλάτη, αδελφή του αποσπερίτη, η Ωγυγία κατοικούσε πέρα από τη γραμμή του χρόνου. Ή μάλλον, ήταν καθισμένη στο κέντρο ενός λαβυρίνθου.

Όπου κρύβονται οι αρχαίοι νόμοι της γης—ακόμα και στα πόδια της Παναγίας, όπου κουλουριάζεται ο όφις, ακόμα και στο μέτωπό της, γιατί εκεί βρίσκεται το μισοφέγγαρο της Αφροδίτης και η κορώνα της—σε τέτοια μέρη κατοικεί ακόμα η Καλυψώ. Ανατολικά του Ήλιου, Δυτικά της Σελήνης, πέρα από το ηλιοβασίλεμα, μέσα στον αυγερινό, στο κέντρο του Στέμματος της Αριάδνης, καταμεσίς του ονείρου ή στη φωνή που λέει *περίμενε, κοίτα*, η δύναμη που κάνει το νερό της πηγής να αναβλύζει αγνό και λαμπερό μέσα από την πέτρα.

Ήταν η τελευταία της αρχαίας λατρείας που προσπάθησε να σταματήσει τον Οδυσσέα. Ούτε η Σκύλλα με τη Χάρυβδη, φιδίσιες κόρες-τέρατα στο χάσμα του ωκεανού, μάνητες της ρουφήχτρας και όλου του βορβορώδους αντιμάμαλου, ολοσκότεινο καταχτύπημα της καταιγίδας και του χάους, δεν μπόρεσαν να τον σταματήσουν, ούτε οι Σειρήνες, Νηρηίδες του ωκεάνιου φωτός και του κρασόμαυρου τραγουδιού, ούτε η δύναμη των Κυκλώπων, παιδιά της πέτρας που βλέπουν καθαρά με το μάτι του πνεύματος, ούτε καν η πάνσοφη, πανίσχυρη Κίρκη και οι αλχημείες της, η λαμπρή ομορφιά της, σαν σφυρήλατο χρυσάφι, οι λέαινές της, τα μαγικά της λόγια. Η αθωότητα της Ναυσικάς, που την έριξαν στο μονοπάτι του με τη χρυσή της μπάλα, παραλίγο να τα καταφέρει, αλλά εκείνη ήταν ήδη πολύ υποταγμένη στη νέα τάξη για να φέρει αποτέλεσμα, παρόλο που η ολόφρεσκη καρδιά της ίσως να τον είχε γιατρέψει. Είπε πως ήταν δεσμευμένος με την Πηνελόπη του, είκοσι χρόνια τώρα στο σπίτι, αφοσιωμένη˙ αλλά, εξίσου δυνατά ήταν δεσμευμένος με τη βεβαιότητα της δικής του απόλυτης εξουσίας πάνω στη σύζυγο, στο γιο και στο νησί. Η αιμοσταγής μανία είχε μπει μέσα του τώρα. Ο πόλεμος τον είχε τσακίσει, όπως είχε τσακίσει και όλους τους παλαίμαχους της Τροίας. Ένα δηλητήριο είχε παρεισφρήσει, εκεί που φώλιαζε κάποτε η ισορροπία. Δεν ήξερε πότε να σταματήσει να σκοτώνει πια, επειδή αυτός, όπως και όλοι οι άντρες που πολεμούν για κάποιο βασιλιά, είχε δει πώς έφερναν χρυσάφι οι σκοτωμοί, έφερναν εξουσία, έφερναν λατρεία, έφερναν βασιλείες που δεν υπάγονταν στους αρχαίους νόμους όπου ο κάθε βασιλιάς κυβερνούσε μόνο για οκτώ χρόνια, όπως πρόσταζε το σεληνιακό ημερολόγιο. Με τους νέους νόμους, μπορούσε να κυβερνά εις το διηνεκές, ως τα βαθιά γεράματα, ως τότε που ο γιος του, και μόνο ο γιος του, θα τον διαδεχόταν.

Κανείς δεν μπόρεσε να τον σταματήσει, γιατί το ρεύμα της εξουσίας είχε αλλάξει. Οι αρχαίες δυνάμεις είχαν κατακερματιστεί, ρημαχτεί, είχαν λιώσει στον κλίβανο και σφυρηλατηθεί μέσα στην πανοπλία της Αθηνάς, κρύβοντας τα φίδια και τα φτερά της. Είχαμε φτάσει στη στιγμή που το αίμα των αντρών που σκοτώνονταν στον πόλεμο είχε αντικαταστήσει το αίμα των γυναικών που έρεε κάτω από τη σκοτεινή σελήνη και δεν μπορούσαν να τον σταματήσουν, επειδή το αίμα της αναγέννησης και της ειρήνης δρα μόνο όπως δρουν η γη και η σελήνη: αργά, ισορροπημένα, ενώ το αίμα του πολέμου δρα γρήγορα, σαν τον κατακλυσμό. Δεν είναι το ίδιο με το αίμα των ζώων που σκοτώνουν για να επιβιώσουν˙ αυτά μένουν μέσα στον κύκλο, υποκλίνονται στους νόμους της γης και δεν ψεύδονται ποτέ. Ολόκληρος ο νόστος του Οδυσσέα στη Μεσόγειο ήταν βουτηγμένος στο ψέμα και την προδοσία. Όταν τελικά έφτασε στην πατρίδα του, στο σπιτικό που η Πηνελόπη και ο γιος τους κρατούσαν μόνοι τους, σύμφωνα με τον αρχαίο τρόπο, για δυο δεκαετίες, μετέτρεψε την ίδια του τη σάλα σε πεδίο σφαγής· σκότωσε ακόμα και τις υπηρέτριες που είχαν συνευρεθεί με τους πολλούς μνηστήρες που είχαν έρθει ζητώντας την εύνοια της Πηνελόπης. Διέλυσε κάθε απειλή προς την κυριαρχία του και έθεσε τη σύζυγό του ξανά κάτω από την κυριαρχία του, παρόλο που, όπως έλεγαν μερικοί, ήταν στην πραγματικότητα κόρη του άγριου Πάνα.

*

Όλα αυτά η Καλυψώ τα είδε σαν φιγούρες και σκιές μέσα στο νερό της τετραπλής πηγής της. Τα είδε στο φως των σκοτεινών αστεριών, αιμορραγώντας στα έμμηνά της, σιωπηλή ανάμεσα στις ορχιδέες και τις ίριδες των χωραφιών της. Το αεράκι του τέλους της άνοιξης φυσώντας χλιαρό άνοιγε δρόμο ανάμεσα στα κυπαρίσσια και τις σημύδες που φύτρωναν σε όλη την κοιλάδα της. Έπεφτε πάνω στις συκιές με τα νεαρά φυλλώματα και στις χαρουπιές με τα μακρόστενα πράσινα λουβιά, σαν χιλιάδες γυναικεία σκουλαρίκια. Είδε πως εκείνος ο άντρας ερχόταν σ' αυτήν. Ότι ο Ωκεανός είχε βάλει το χεράκι του. Ο Ωκεανός, με τα νερά που περικύκλωναν τον κόσμο, θα έσπρωχνε τον Οδυσσέα να ναυαγήσει στους βράχους της Ωγυγίας και πως ζητούσαν από κείνη *να κάνει κάτι, κάνε κάτι, κάνε κάτι.*

Κράτα τον για. Τα οκτώ χρόνια της παλιάς βασιλείας, μάθε του με το σώμα σου το ρυθμό και την τέρψη των αρχαίων μανάδων και πατεράδων. Δείξε του την τετραπλή πηγή και την αυθεντική αγιότητα και το σκοτάδι της γης. Μάθε του τη γλώσσα της κουκουβάγιας και του γερακιού, του κόρακα και του ξεφτεριού και όλων των μελωδικών πουλιών. Μάθε του αυτά που ξέρει η ορχιδέα και το χορτόφιδο, και τ' αστέρια και το πώς η σελήνη καταγράφει τα δεκαεννέα διαφορετικά μυστήρια του ωκεανού, και της γυναικείας ψυχής επίσης. Μύησέ τον, Καλυψώ· γιάτρεψε αυτό που χάλασε ο πόλεμος στην πατρογονική γενιά του και στη δική του τη ζωή.

Η μεγάλη σάλα της Ιθάκης, μιασμένη, να στάζει αίμα και σπλάχνα εκατό ανδρών, και η αυλή, όπου οι δώδεκα υπηρέτριες κρέμονταν από το σκοινί της μπουγάδας σαν κουρέλια, άστραψαν μέσα στη λιμνούλα. Προειδοποίηση. Ένα πιθανό μέλλον. Από εκεί που καθόταν, φαίνονταν πολλά. Εκεί που καθόταν ήταν το κέντρο. Οι ορχιδέες είχαν κλείσει μέσα στη σκοτεινιά. Η τετραπλή πηγή τραγουδούσε. Η λιμνούλα έγινε αδιαφανής, σαν το αίμα, ο άνεμος αλλόκοτα ζεστός.

Θα έρθει καταιγίδα ως το πρωί, το ένιωσε.

Θα έχει ναυαγήσει στην ακτή μου ως το πρωί.

Τα κατάλαβε όλα αυτά μονομιάς και τρεμούλιασε, κατανοώντας την αλήθεια τους. Η σφαγή στη σάλα δεν είχε γίνει ακόμα πράξη, αλλά ο ερχομός του μέσα στην καταιγίδα διαπέρασε το κορμί της σαν κρασί που το καταπίνεις πολύ γρήγορα, σαν τη γεύση του αλατιού.

Περπάτησε τότε αργά, μέσα στη ζεστή νύχτα, ξυπόλητη στο λιβάδι και γύρισε στη σπηλιά της. Όμως, δεν μπορούσε να κοιμηθεί. Ζεσταινόταν πολύ, παρόλο που ο θερμός αέρας δεν τρύπωνε πολύ βαθιά μέσα στη σπηλιά της. Φοβόταν. Τα μαλλιά της τα 'νιωθε βαριά, ακόμα και η ελάχιστη μετατόπιση την ενοχλούσε αφόρητα πάνω στο δέρμα της. Έδεσε τα μαλλιά της ψηλά πάνω στο κεφάλι της και στήθηκε γυμνή μπροστά στον αργαλειό της ως το χάραμα, υφαίνοντας με την πιο φίνα κλωστή της, πορφυροβαμμένη με το κοχύλι, ένα τεράστιο πέπλο. Τραγούδησε στον εαυτό της κάθε τραγούδι που της είχαν ποτέ διδάξει μέσα στους πέτρινους ναούς των αρχαίων μανάδων της, όλα τα μέρη και τις αρμονίες τους, και νανουρίσματα που είχε ακούσει από τη Λιβύη και τραγούδια του κυνηγιού που είχε ακούσει στα βουνά του Βορρά, στη Θράκη. Τραγουδούσε στον εαυτό της για να μην καταρρεύσει, όπως είχε δει την Ελένη να καταρρέει, για να εμποδίσει τον εαυτό της να κρύψει τη σπηλιά και το νησί της στην αχλύ για ν' αποφύγει το βάρος του επερχόμενου, να προστατέψει τα τελευταία μυστήρια, να τα κρατήσει ανέγγιχτα απ' την ντροπή ή τη βία.

Αργότερα θα έφτανε να το αντιληφθεί και αυτό ως ζωώδες ένστικτο μέσα της, το ένστικτο στο αίμα της γυναίκας –πως, πάνω απ'όλα, τη δική της καρδιά προστάτευε απ' το ναυάγιο που είχαν στείλει στην ακτή της. *Κίνδυνος*, βόγγηξε κάτι μέσα της, όταν είδε το πρόσωπό του μέσα στη σκοτεινή λιμνούλα, όταν είδε τα στιβαρά μπράτσα του, τα οξυδερκή, μοναχικά του μάτια. Τότε, το είχε πάρει για φόβο για τη βία. Αργότερα το κατάλαβε όπως ήταν: φόβος για την αγάπη.

Η αυγή τη βρήκε ακόμα να στέκει στον αργαλειό της τραγουδώντας. Τα τραγούδια είχαν γίνει κύκλοι. Ζαλιζόταν. Ένα αρχαίο φως άστραφτε από μέσα της. Είχε αίμα στους μηρούς της. Τα μαλλιά της ήταν ένα σύδεντρο, μια κορώνα. Η σαΐτα στα χέρια της άστραφτε χρυσαφένια. Το υφάδι ήταν βιολετί σαν τη θάλασσα το χάραμα. Μια μικρή κουκουβάγια χουχούριζε ακόμα στο διπλανό δέντρο, ακόμα και αφού τα χελιδόνια είχαν ξυπνήσει. Ήταν ο μικρός γκιώνης, που είχε μάθει στην Καλυψώ τα περισσότερα απ'όσα ήξερε για τις πολλές γλώσσες των ζώων του νησιού.

Έρχεται, είπε ο γκιώνης. Μην τον φοβάσαι, πήγαινε σ'αυτόν.

Τον φοβάμαι, απάντησε εκείνη. Πήγαινε για ύπνο, δεν είναι ώρα για γλαύκες τώρα, θα έρθει κανένας ημερόβιος κυνηγός να σε πετάξει από το δέντρο σου.

Νομίζεις ότι είμαι τόσο αργός, που δεν μπορώ να πεταχτώ και να ξεφύγω;

Νομίζω ότι είσαι μικρός και δε βλέπεις καλά τη μέρα.

Κι εγώ νομίζω ότι φοβάσαι και κρύβεσαι μέσα σε όλα αυτά τα γυναικεία σου μυστήρια, και θα σε φοβηθεί τόσο πολύ, που δε θα μάθει τίποτε από σένα.

Ένας τέτοιος άντρας δε θα μπορούσε ποτέ να αγαπήσει εμένα.

Οι λέξεις αντήχησαν παράξενα στο νου της, εκεί στον τόπο που μιλούσαν με το μικρό γκιώνη. Από πού είχαν έρθει; Γιατί είχε πει *αγαπήσει*, αντί *μάθει από*; Αυτές οι λέξεις δεν προέρχονταν από την Καλυψώ που ήξερε, τηρητή των μυστηρίων της γης, τηρητή της αρχαίας γλώσσας των Τιτάνων και εκείνων που-μιλούσαν-με-τις-πέτρες, του Ωκεανού, της Τηθύος, του Άτλαντα, του

Κρόνου, της Ρέας, δεν ανήκαν στην Καλυψώ που ποτέ της δε ένιωσε αδύναμη μπροστά στον αντρικό έρωτα, που ποτέ της δεν φοβήθηκε τον ψόγο, που ζούσε πάντοτε στην καρδιά του νησιού, σύμφωνα με το έθιμο της δημιουργίας. Ποτέ ως τότε δεν είχε η Καλυψώ αισθανθεί ανεπαρκής.

Ίσως, σκέφτηκε, φοβάμαι πως τελικά θα γίνω ορατή. Εγώ, που το πεπρωμένο μου ήταν πάντα να παραμένω κρυμμένη μέσα στο αλφαβητάρι ξεχασμένων καιρών˙ εγώ, που μπορώ να γητέψω κάθε πέτρα και μετάλλευμα, κάθε ορυκτό, μέταλλο, άστρο, σπόρο και ρίζα, εγώ, που ξέρω τη γλώσσα των αλλαγών, τη γραμματική του Δρόμου, τα ενενηνταεννιά βήματα του δερβίση για το κέντρο του κόσμου, εγώ, που μοναδικός σκοπός μου είναι να αποκρύπτω, όπως η γη προφυλάσσει τους σπόρους μέχρι την ώρα που η αρχαία γνώση δεν θα χρειάζεται καμιά κρύπτη, ούτε νησί ολοσκέπαστο μες στα μαβιά πέπλα του ηλιοβασιλέματος.

Ίσως, σκέφτηκε, φοβάμαι μήπως αποτύχω. Ίσως ήδη ξέρω ότι θα αποτύχω.

Τίποτα απ’ όλα αυτά όμως δεν μπορούσε να εξηγήσει τη λέξη *αγάπη*.

Ο γκιώνης δεν απάντησε. Είχε αποτραβηχτεί για να κουρνιάσει βαθύτερα μέσα στο σύδεντρο με τα κυπαρίσσια. Ο νους του ήταν πια κρυμμένος από εκείνη, αυτός ο νους σαν απύθμενο μεσονύχτι, που πάντα τον ένιωθε σαν πολύεδρο ίασπι, λαξεμένο, βαθύ και λαμπερό. Αναρωτήθηκε πώς θα ένιωθε εκείνος τον δικό της νου. Αύριο βράδυ θα τον ρωτούσε, παρόλο που θα της έδινε καμιά απλοϊκή απάντηση απ’αυτές που μόνο οι κουκουβάγιες καταφέρνουν, αυτές που τόσο άνετα βλέπουν μέσα στις σκιές.

Ο ήλιος φώτισε την είσοδο της σπηλιάς. Ένας άντρας στεκόταν εκεί. Εκείνη ακόμα τραγουδούσε. Τώρα ήταν τα τραγούδια του γκιώνη, αλλόκοτα και χουχουριστά. Αυτός είχε ακολουθήσει τον ήχο και στεκόταν εκεί, πάνω στο πάτημα του βράχου, όπου φύτρωνε η άγρια βαλεριάνα και το λουλουδιασμένο κίτρινο πεντάνευρο, τα βιολετί λουλούδια του αγριοκρέμμυδου, οι ροδαλές γλαδιόλες, την κληματαριά που είχε τυλιχτεί σε αψίδα πάνω από την είσοδο της σπηλιάς, λαμπερή τώρα με τα καινούρια βλαστάρια και τις πρώτες υποψίες φρούτων. Το σαγόνι του έσταζε έτσι όπως είχε σκύψει για να πιει στην πηγή της.

Εκείνη είδε πόσο απόλυτα αλλότρια τού ήταν μέσα στα τσακισμένα μάτια του. Είδε ότι πάλευε με τα δίδυμα του φόβου και της αποστροφής κι ένα βαθύ ερωτικό δέος, που αναδυόταν από την υγρή γη και μέσα από το αποκαμωμένο σώμα του. Τέτοια γυναίκα δεν είχε ποτέ του ξαναδεί. Ήταν πολύ κοντά στο άγριο θηρίο. Υπήρχαν ορχιδέες με εκατό στόματα πλεγμένα στη βαριά μαύρη κορώνα των μαλλιών της. Το αίμα από τα έμμηνά της διέγραφε πια μια γραμμή ως κάτω, στο μέσα μέρος του αστραγάλου της και τα δάχτυλά της ήταν βαμμένα πορφυρά από τον αργαλειό. Το αρχαίο φως έλαμπε ακόμα από μέσα της, από το ολονύχτιο τραγούδι, από το υφάδι της πορφύρας. Τα μάτια της ήταν ευωδιαστό ρετσίνι που αρωμάτιζε ολόκληρη την σπηλιά.

Είδε κι εκείνη το αλλόκοτο της σπηλιάς της, μέσα από τα μάτια του, που τη διέτρεξαν σχεδόν στρατιωτικά: το κρεβάτι της από γλυκά ξεραμένα βούρλα, το τακτικά ντανιασμένο κεδρόξυλο δίπλα στην παραστιά, τα λιτά καλάθια που διατηρούσε αποξηραμένα βότανα και κρέατα, μούρα και καρπούς, το πήλινο λαγήνι γεμάτο φρέσκο νερό, το μεγάλο χάλκινο τσουκάλι, τα ζωγραφισμένα κόκκινα σύμβολα στις πιο βαθιές σκιές, τις ιερές κουκκίδες, τον ελαφοκέρατο θεό, το ερπετό, τη λέαινα, τον Αποσπερίτη. Εκείνη είδε τον πρωτογονισμό της μέσα από τα μάτια του, είδε ότι αδυνατούσε να αντιληφθεί την κομψότητα εδώ μέσα, το πώς τίποτα δεν αντηχούσε ούτε μια νότα αναλήθειας, το πώς δεν υπήρχε ίχνος ψεύδους.

Τα μάτια του στράφηκαν στο ζωηρόχρωμο αίμα στα πόδια της. Ένιωσε γυμνή για πρώτη φορά στη ζωή της. Λίγο έλειψε να πάρει ένα σάλι στο χρώμα της ώχρας από τον γάντζο για να καλυφθεί, αλλά σταμάτησε, και αντ᾽αυτού έκανε ένα βήμα πιο κοντά του, μπήκε στο φως, αφήνοντας το αίμα της να κυλήσει, αναγκάζοντάς τον να κοιτάξει, ή να κοιτάξει αλλού. Έτρεμε. Την τρομοκρατούσε. Όμως, κάτω από το τσακισμένο βλέμμα του είδε πόσο ζαλισμένος ήταν κι ο ίδιος.

Ποτέ του δεν είχε βρεθεί τόσο ολοκληρωτικά περιστοιχισμένος από το ονείρεμα της γης. Ποτέ του δεν είχε θελήσει τόσο πολύ να κοιμηθεί, να θρηνήσει, ποτέ του δεν είχε φτάσει σχεδόν να αποποιηθεί τις ιεραρχίες των θεών του ο Οδυσσέας, όσο όταν τα μάτια του αντίκρισαν για πρώτη φορά την Καλυψώ, να στέκεται μέσα στη μισοφωτισμένη σπηλιά, με τα μαλλιά της να φαίνονται βιολετιά σ'εκείνο το φως, τα μάτια της απόλυτα άδολα και τόσο βαθιά –μ'ένα βάθος ζωώδες— και τότε σκέφτηκε, *επιτέλους, επιτέλους γαλήνη*. Αυτή η σκέψη και μόνο τον τρόμαξε περισσότερο από ό,τι κι αν είχε κάνει ποτέ της η Καλυψώ –περισσότερο ακόμα κι από τον πόλεμο— γιατί τάραξε τις αντιλήψεις του και τα ίδια τα θεμέλια της λογικής του. Σίγουρα θα είχε μπει σε κάποιο όνειρο, του είπε ο νους του, σίγουρα αυτή εδώ ήταν μια δαιμόνισσα, έτσι ματωμένη, έτσι ζουμερή, έτσι γυμνή και σκοτεινή. Όμως το μόνο που ένιωθε ήταν μια λαχτάρα τόσο έντονη, που αργότερα θα τη μετέστρεφε σε μίσος για κείνη, μίσος για τη συντριπτική πιθανότητα που αιωρούταν μέσα στα απύθμενα, λαμπερά μάτια της –*γαλήνη γαλήνη γαλήνη γαλήνη*.

Ω, μυστηριώδης, αχνοφώτιστη, ιερή γαλήνη.

Έλα, Οδυσσέα, είσαι εξουθενωμένος, είπε εκείνη, κάνοντας ένα βήμα προς το μέρος του, ενώ το κλήμα άγγιζε τα μαλλιά της. Έλα, ξεκουράσου εδώ για λίγο.

Αργότερα θα τη μισούσε που τον αφόπλισε έτσι, για τον τρόπο που το κορμί του διαλυόταν μέσα στο κορμί της, στο λιβάδι, στο στρώμα από βρύα και απαλά δέρματα κουναβιών, στη θάλασσα, μέσα σε μια έκσταση που δεν είχε ποτέ του αισθανθεί, μέσα σ' ένα ηχογόνο, φωτεινό βάθος που θα μπορούσε να είναι η απαρχή του χρόνου. Τη μίσησε για αυτή την αχαρτογράφητη ηδονή, για το πόσο αδύναμο τον έκανε να αισθάνεται, πόσο πράο, πόσο ονειροπόλο, για το πώς οι κουκουβάγιες και τα γεράκια άρχισαν να μιλούν στα όνειρά του, για το πώς το όνομά του άρχισε να σημαίνει τόσο λίγα γι'αυτόν, και το βασίλειό του, ακόμα και η γενεαλογία των προπατόρων του. Το πώς έμοιαζε να του ζητά να ξαναφτιάξει τον εαυτό του από την αρχή: να γιατρευτεί.

Τη μίσησε, γιατί δεν ήθελε, τελικά, να γιατρευτεί, αν αυτό σήμαινε να ανοίξει πάλι όλες τις ουλές για να τους βάλει το κατάπλασμα. Καλύτερα το δηλητήριο, καλύτερα το δηλητήριο, καλύτερα το δηλητήριο, και να έμενε όπως είναι η ιστορία που τον έπλασε, διαφορετικά θα γινόταν ένα τίποτα. Δέκα χρόνια πολέμου και σκοτωμών δεν του είχαν δώσει τη δύναμη για αυτό εδώ, για το λόγχισμα αυτού του πόνου. Πολύ πιο εύκολο να τη λοιδορήσει καλύτερα, την ίδια στιγμή που φλεγόταν για την απόλυτη παράδοση του κορμιού της, της σπηλιάς της, του τραγουδιού της, του γέλιου της, των γυμνών ποδιών της στο λιβάδι όπου γονάτιζε για να βγάλει τους βολβούς της ορχιδέας, για του διδάξει τις χρήσεις τους και τα πολλά ονόματά τους, ή, πάνω στις ψηλές κορφές, στο ψάξιμο για γεράκια στους γκρεμούς, στην πρόβλεψη της καταιγίδας από την αστροφεγγιά ή από τα σχέδια στα σύννεφα πάνω από τη θάλασσα.

*

Δεν ήταν αλήθεια αυτό που ο ποιητής είπε για την Καλυψώ –ότι εξανάγκασε τον Οδυσσέα στο κρεβάτι της, ότι τον κρατούσε παρά τη θέλησή του, ότι είχε κολλήσει πάνω του, αξιολύπητη, λυσσασμένη, άσεμνη στις ορέξεις της. Ήταν όμως αλήθεια πως τον είχε αγαπήσει και πως, παρόλη την αγάπη της, είχε αποτύχει. Εκείνα τα χρόνια, ούτε καν οι ποιητές δεν κατάφεραν να δουν πέρα απ'αυτήν, πέρα από τον Οδυσσέα και την οδύσσειά του, να δουν την ισορροπία που υπήρχε πρωτύτερα. Δεν είχαν χάρτη για κείνη τη χώρα, δεν είχαν τις λέξεις.

Όμως, οι ορχιδέες ακόμα ανθίζουν στο λιβάδι δίπλα στην τετραπλή πηγή, μέσα στη θαλασσοδίνη όπου ζει η κρυμμένη Καλυψώ, φρουρώντας τα σύμβολά της. Δεν έχασε τίποτα από τις γνώσεις της με την ιστορία του Οδυσσέα, μόνο ένα κομμάτι της καρδιάς της, το οποίο, μετά από αυτές τις τρεις χιλιετίες, κατάφερε να αναπλάσει. Εκεί είναι ακόμα, συλλέγοντας ρίζες από ορχιδέες, παρακολουθώντας το νερό μέσα στη λιμνούλα της. Μέσα της πια μιλάει ο όλεθρος, και η αποκάλυψη επίσης.

JULY 2019

Venus disappears from the morning sky into the underworld
Venus with North Node
Venus conjunct Mercury
Venus conjunct Moon

Long heat, long sun: everything burnishes to copper and gold. The baked clay earth. I cry at night from heat. Sometimes it's just the heat that makes me cry. Other times it's my heart too, with its presentiments of loss. Holy salvation: the turquoise sea, the spring under the plane tree. The cold shower. Cicadas are an orchestra in the trees. The baby watermelons in the garden that never grow large. Endless dusty tomatoes. Pomegranates green and swelling. The eclipse. The bat that sleeps above me one night in my studio in the dark. I know what it's trying to tell me, but I don't want to know it. The stars of Cygnus. The little bronze pendant of an amphora from the jeweler in Sitia. Sunflowers in the garden at sunset. I count thirty-three pairs of falcons at dusk, flying to roost on the Dionysades. Dry mullein spires to dip in beeswax. Chasteberry blooming purple in the heat. Dancing until 3 or 4 am in the great circles at *Panigiria.* Then the knife I gave him as a birthday gift, without knowing the omen, returns to cut me through.

Dreaming the Country in Me

1.

Ruins

There is a country in me where falcons fly
unencumbered to the islands on the northern coast
where his mother's people once worshipped
There is a rose light on those islands at dusk
when the summer wind makes the vesper songs
like the songs the women of the Cyclades sing
asking the sea to be as calm as rosewater
asking angels to still the waves with petals
so their men will come home safe

In the dusk, in the wind, in the roselight
so many never returned
The sea is full of prayers
The sea is full of love songs
The sea is full of salt
and what the dolphins knew
when they still swam here
here in the country that came into
the chasm life had made of my heart

In a dream, before I came here
I saw ruined white columns

rising from a sea of lapis
In the dream, rainbows climbed among
the ruins and blue
Everything shone, impossibly
I was sure this was not a real place
But my first autumn on the island
there were more rainbows
than I had ever seen in my life
Thick ones, bright as wildflowers—
poppy, anemone, orchid
Kerazoza, in the island dialect: the Holy Lady's Belt
I imagined the famous girdle of Aphrodite
which it was said none could resist
The sky's colors streamed from her hip

Inside the mountains, when I'm not looking
I see a light like the high summer sea
and something shining
at the edges of my perception
Those lost corridors and courtyards
full of dancing people
invisible temples, abandoned roads
uncountable libation vessels
They don't pour oil now, but blue light
invisibly: mountain light, star light

2.
Moon

There is a country in me
where I came to stand among
squash vines and the rambling watermelons
where I picked mulberries at daybreak
until my hands looked bloodied
where I sang at the spring under the big sycamores
where I felt the moon's weight
coming and going, bright, then dark, then bright again,
as if inside my skin, in my ovaries, in my blood, in my tears
visceral, of viscera, my body waters lunar
pulled by something with that much gravity

This is not a very
comfortable arrangement
but it is a true one

The way the moon rolls over me
is not a pathology
It is my ancestors, talking
It is the earth, talking
It is my soul, talking, cratered and entirely bare
There is nothing covering me now
Every dry sea is naked to the solar winds
There is another way
It is not loneliness

When the earth's shadow turned the moon red
in the month of high summer
I felt the tearing of many lifetimes

letting go of me
My psyche opening, ripping
a butterfly with torn wings
May the wounds fill with gold
fill with gold
fill with gold

The only thing for healing a torn wing
is holy water from a high mountain cave
like the one where the sanctuary
to the Panagia Faneromeni now stands
sanctuary to the Mother of God, Revealed
In that cave, I lit a beeswax candle, golden
My heart filled with mineraled water

Under the pecan tree in another life
in the country in me
you are looking up
through the spotted light
your hands full of sleek pecans
Your eyes are very bright
In the vegetable garden in another life
I see a small child
Her feet are bare, her hair is wildly curly
She is my daughter
I have missed her so much
I didn't even know until now that I'd lost her

In my dream the sea was full of pearlescent ruins
Awake, in the deepest cave, on my third day
I found a piece of myself
that had been long buried
It terrified me

3.

Egg

Under the sand by the water
in the middle of a German resort
A new mother sea turtle
came to lay her hundred eggs

They are dreaming now, in silence
It has not yet been forty days
The moon will tell them when to come out

Something rests just under the surface here
I can't see what lives in the mountains but I know
it is like those turtle eggs, like my dream
of ruins shining out of the sea
waxing, waiting, robust with life

Once every peak had a sanctuary
There are still churches on most
But now we look up, not down, for blessing
while all the time, some power underground
is laying bright eggs

You say you are lost
that your mind is a mountain now
I say the only way to climb a mountain
is one step at a time
Letting your feet pray
and your mind quiet

You never know where

the Mother has laid her eggs
Where your soles touch
has always been consecrated ground
and it has nothing to do with priests

4.

Island

There is a country in me
that opens when your dark hand
touches the small of my back
I do not know its name, but today the sea
is the color of all I do not want to lose
The north wind is in it
The little boat won't go to the island
where four thousand years ago a woman stood
looking toward the mountain from
the temple's central shrine
I stand now on the shore, looking toward her
Looking up the narrow city road
three thousand years ruined
to where the temple stood

Outside of time
inside the wind
our eyes meet

In the middle of this poem
between writing of her standing there
and me standing here
I fell asleep

and dreamed of her
A woman among the island's liongold stones
who looked at me like an old friend and said
You are full of fertility

I tried to ask her more
what she meant
but outside something slammed
and the dog beside me stirred
and she was gone
I was left alone, awake
with the cicadas' chant
and the wind on the island

Fertility is first a matter of soul
I am just as likely full of stars,
turtle eggs, words and charms as I am of children
Fertility is what makes the summer garden flourish
It is a quality of earth, of mineral and light
It is what ground you stand on,
and what life it will bear
what will flourish there

Yesterday I wasn't certain
if I could belong to the country in me
to the country I have come to, so often weeping
Today the hibiscus flowers glow
the pomegranates are deepening their red

And when I close my eyes, what was ruined
for so long grows whole, and luminous as moon
This is not always a comfortable arrangement
but it is a true one.

Ιούλης 2019

Η Αφροδίτη εξαφανίζεται από τον πρωινό ουρανό μέσα στον Κάτω Κόσμο
Η Αφροδίτη σε σύνοδο με τον Βόρειο Δεσμό
Η Αφροδίτη σε σύνοδο με τον Ερμή
Η Αφροδίτη σε σύνοδο με τη Σελήνη

Ζέστη διαρκείας, ήλιος διαρκείας: τα πάντα γυαλίζουν μπρούτζινα και χρυσά. Η γη ψημένος πηλός. Μερικές φορές κλαίω τη νύχτα από τη ζέστη. Άλλες φορές κλαίω κι απ'την καρδιά μου, μ'εκείνα τα ψυχανεμίσματά της για την απώλεια. Άγια σωτηρία: η τυρκουάζ θάλασσα, η πηγή κάτω από τον πλάτανο. Το κρύο ντους. Τα τζιτζίκια είναι ορχήστρα στα δέντρα. Τα μωρά καρπουζάκια στον κήπου που ποτέ δεν μεγαλώνουν. Άπειρες σκονισμένες ντομάτες. Ρόδια πράσινα που φουσκώνουν. Η έκλειψη. Η νυχτερίδα που κοιμάται από πανω μου μια νύχτα, στο στούντιό μου μέσα στο σκοτάδι. Ξέρω τι προσπαθεί να μου πει, αλλά δε θέλω να το ξέρω. Τα άστρα του Κύκνου. Το μικρό μενταγιόν, μπρούτζινος αμφορέας, από έναν κοσμηματοπώλη στη Σητεία. Ηλιοτρόπια στην κήπο το ηλιοβασίλεμα. Μετράω τριάντα τρία ζευγάρια γερακιών το σούρουπο, να πετάνε για να φωλιάσουν στις Διονυσάδες. Ξεροί κώνοι φλόμου για να βουτηχτούν στο μελισσοκέρι. Λυγαριές που ανθίζουν μωβ μέσα στη ζέστη. Χορεύοντας ως τις 3 ή τις 4 το πρωί στους μεγάλους κύκλους των πανηγυριών. Το μαχαίρι που έδωσα δώρο, χωρίς να γνωρίζω τον οιωνό, επιστρέφει για να με κόψει πέρα για πέρα.

Πώς ονειρεύομαι τη Χώρα Μέσα Μου

1.

Ερείπια

Υπάρχει μια χώρα μέσα μου όπου τα γεράκια πετούν
ανεμπόδιστα στα νησιά της βορινής ακτής
εκεί που κάποτε ήταν τόπος λατρείας για το λαό της μάνας του
Υπάρχει ένα ρόδινο φως πάνω σ'εκείνα τα νησιά το σούρουπο
τότε που τα μελτέμια κάνουν τους ψαλμούς του εσπερινού
να ακούγονται σαν τα τραγούδια που λένε οι γυναίκες των Κυκλάδων
ζητάνε από τη θάλασσα να'ναι ήρεμη σαν ροδόνερο
ζητάνε απ'τους αγγέλους να ησυχάσουν τα κύματα με πέταλα
για να γυρίσουν πίσω οι άντρες τους με ασφάλεια

Μέσα στο σούρουπο, μέσα στον άνεμο, μες στο ροδόχρου του φωτός
τόσοι πολλοί δε γύρισαν ποτέ
Η θάλασσα είναι γεμάτη προσευχές
Η θάλασσα είναι γεμάτη τραγούδια της αγάπης
Η θάλασσα είναι γεμάτη αλάτι
κι αυτό που γνώριζαν τα δελφίνια
όταν ακόμα κολυμπούσαν εδώ
εδώ στη χώρα που τρύπωσε
στο χάσμα που έφτιαξε η ζωή μες στην καρδιά μου

Μέσα στ'όνειρο, πριν έρθω εδώ
είδα ερείπια λευκές κολόνες
να ανυψώνονται από μια θάλασσα αλγεινού λαζουρίτη

Μέσα στ'όνειρο, ουράνια τόξα σκαρφάλωναν ανάμεσα
στα ερείπια και το μπλε
Όλα έλαμπαν, απίστευτα
ήμουν σίγουρη ότι δεν ήταν τόπος αληθινός αυτός
Μα το πρώτο μου φθινόπωρο στο νησί
είδα τα πιο πολλά ουράνια τόξα
που είχα δει ποτέ στη ζωή μου
Συμπαγή, φωτεινά σαν τα αγριολούλουδα—
παπαρούνα, ανεμώνη, ορχιδέα
Κεραζώζα, στη διάλεκτο του νησιού: η Ζώνη της Παναγίας
Εγώ φαντάστηκα το διάσημο περίζωμα της Αφροδίτης,
που λέγανε ότι κανένας δεν μπορούσε να του αντισταθεί
Τα χρώματα του ουρανού ξεχύνονταν απ'τα λαγόνια της

Μέσα στα βουνά, όταν δεν κοιτάζω
βλέπω ένα φως σαν τη θάλασσα το κατακαλόκαιρο
και κάτι ν' αστράφτει στο περιθώριο της αντίληψής μου
Εκείνους τους χαμένους διαδρόμους, τις αυλές
γεμάτες ανθρώπους που χορεύουν
αόρατους ναούς, ερειπωμένους δρόμους
αμέτρητα δοχεία προσφορών
Δεν κερνάνε λάδι πια, αλλά γαλάζιο φως
αόρατα: βουνίσιο φως, αστρόφως

2.
Σελήνη

Υπάρχει μια χώρα μέσα μου
όπου ήρθα για να σταθώ καταμεσίς
στις κληματσίδες της κολοκυθιάς και τις ξεφρενιασμένες καρπουζιές

όπου μάζεψα μούρα ξημερώματα
ώσπου τα χέρια μου μοιάζανε ματωμένα
όπου τραγούδησα στην πηγή κάτω από τα μεγάλα πλατάνια
όπου ένιωσα το βάρος της σελήνης
να'ρχεται και να φεύγει, φωτεινή, μετά σκοτεινή, μετά ξανά φωτεινή,
λες και μέσα στο δέρμα μου, στις ωοθήκες μου, στο αίμα μου,
στα δάκρυά μου,
στα σπλάχνα μου, και σπλαχνικά, του κορμιού μου τα υγρά τα σεληνιακά,
έλκονται από κάτι με τόσο μεγάλη βαρύτητα.

Δεν είναι βολική αυτή η τοποθέτηση, μα είναι αληθινή.

Ο τρόπος που η σελήνη κυλάει επάνω μου
δεν αποτελεί παθολογία
Είναι οι πρόγονοί μου, μιλάνε
Είναι η γη, μιλάει
Είναι η ψυχή μου, μιλάει, γεμάτη κρατήρες και ολόγυμνη
Τίποτα δε με καλύπτει τώρα
Όλες οι ξεραμένες θάλασσες γυμνές μπρος στους ηλιακούς ανέμους
Υπάρχει κι άλλος δρόμος
Δεν είναι η μοναξιά

Όταν η σκιά της γης κοκκίνισε τη σελήνη
το μήνα του μεσοκαλόκαιρου
ένιωσα να διαρρηγνύονται πολλές προηγούμενες ζωές μου
να ξεκολλάνε πια από πάνω μου
Και την ψυχή μου να ανοίγει, να ωριμάζει,
μια πεταλούδα με φτερά σκισμένα
Είθε οι πληγές με χρυσάφι να γεμίσουν
με χρυσάφι να γεμίσουν
με χρυσάφι να γεμίσουν

Μόνη γιατρειά για ένα σκισμένο φτερό
είναι το αγιασμένο νερό από σπηλιά ψηλά στα βουνά
όπως εκείνο, που το ιερό
της Παναγιάς Φανερωμένης βρίσκεται τώρα
ιερό στη Μάνα του Θεού, που Φανερώθηκε
Σ'εκείνη τη σπηλιά κερί από μελισσοκέρι άναψα, χρυσαφένιο
Η καρδιά μου γέμισε
μεταλλικό νερό

Κάτω απ' την καρυδιά, σε μιαν άλλη ζωή
στη χώρα μέσα μου
σηκώνεις το βλέμμα
μέσα από το διάστικτο φως,
τα χέρια σου γεμάτα στιλπνά καρύδια
τα μάτια σου πολύ λαμπερά
Μέσα στο μποστάνι σε μιαν άλλη ζωή
βλέπω ένα μικρό παιδί
Τα πόδια της γυμνά, τα μαλλιά της άγρια κατσαρά
Είναι η κόρη μου
Μου έχει λείψει τόσο
Δεν το ήξερα καν, ώσπου την έχασα

Στο όνειρό μου η θάλασσα ήταν γεμάτη φιλντισένια ερείπια
Ξυπνητή, μέσα στην πιο βαθιά σπηλιά, την τρίτη μέρα μου
Βρήκα ένα κομμάτι από μένα
που χρόνια πολλά ήταν θαμμένο. Με τρομοκράτησε.

3.
Αυγό

Κάτω απ’την άμμο πλάι στο νερό
καταμεσίς σε ένα θέρετρο για Γερμανούς
Μια πρωτόγεννη θαλάσσια χελώνα
ήρθε να γεννήσει τα εκατό αυγά της

Τώρα ονειρεύονται, σιωπηλά
Δεν είναι σαράντα μέρες ακόμα
Η σελήνη θα τους πει πότε να βγουν

Κάτι αναπαύεται εδώ, κάτω ακριβώς από την επιφάνεια
Δεν βλέπω τι είναι αυτό που ζει στα βουνά, ξέρω όμως
ότι είναι σαν τα αυγά της χελώνας, σαν το όνειρό μου
με τα ερείπια που λάμπουν και έξω από τη θάλασσα
καθώς γεμίζει, περιμένει, σφύζει από ζωή

Κάποτε κάθε κορφή είχε ένα ιερό
Στα περισσότερα ακόμα υπάρχουν εκκλησάκια
Μα τώρα στρέφουμε το βλέμμα ψηλά για ευλογία, αντί κάτω
ενώ την ίδια ώρα, κάποια δύναμη κάτω απ’το χώμα
γεννάει λαμπερά αυγά

Λες πως είσαι χαμένος
πως ο νους σου είναι τώρα βουνό
Εγώ λέω, πως ο μόνος τρόπος να σκαρφαλώσεις το βουνό
είναι βήμα βήμα
Αφήνοντας τα πόδια σου να προσευχηθούν
και το νου σου να ησυχάσει

Ποτέ δεν ξέρεις πού
έχει γεννήσει η Μάνα τα αυγά της
Εκεί που αγγίζουν οι πατούσες σου
ήταν ανέκαθεν καθαγιασμένος τόπος
κι αυτό δεν αφορά καθόλου τον κλήρο

4.
Νησί

Υπάρχει μια χώρα μέσα μου
που ανοίγει όταν το σκούρο χέρι σου
αγγίζει στη ράχη μου χαμηλά
Δεν γνωρίζω το όνομά της, αλλά σήμερα η θάλασσα
είναι στο χρώμα όλων αυτών που δε θέλω να χάσω
έχει βοριά μέσα της
Το βαρκάκι δεν θα περάσει στο νησί
όπου πριν τέσσερεις χιλιάδες χρόνια στάθηκε μια γυναίκα
κοιτάζοντας προς το βουνό από
το κεντρικό ιερό του ναού
Στέκομαι τώρα στην ακτή, κοιτώντας προς το μέρος της
Κοιτώντας το στενό δρομάκι της πόλης ν' ανηφορίζει
τρεις χιλιάδες χρόνια ερειπωμένο
ως το σημείο που έστεκε ο ναός

Έξω απ' το χρόνο
μέσα στον άνεμο
τα μάτια μας συναντιούνται

Στη μέση ετούτου του ποιήματος
αφού έγραψα πως αυτή στέκει εκεί
και πριν γράψω για μένα που στέκω εδώ

αποκοιμήθηκα
και την ονειρεύτηκα
Μια γυναίκα ανάμεσα στις λιονταροχρυσαφένιες πέτρες
που με κοίταξε σαν παλιά φίλη και είπε
Είσαι γεμάτη γονιμότητα

Πήγα να τη ρωτήσω περισσότερα
τι εννοούσε
αλλά κάπου έξω κάτι έκλεισε με πάταγο
και το σκυλί δίπλα μου αναδεύτηκε
κι εκείνη χάθηκε
κι έμεινα εγώ μονάχη, ξυπνητή
με την ψαλμωδία των τζιτζικιών
και τον αέρα στο νησί

Η γονιμότητα είναι πρώτα θέμα ψυχής
Εξίσου πιθανό είναι να είμαι μέσα μου γεμάτη αστέρια
αυγά χελώνας, λέξεις και γητειές, όσο και με παιδιά
Η γονιμότητα είναι αυτό που κάνει τον κήπο να θάλλει το καλοκαίρι
Είναι ποιότητα της γης, των ορυκτών και του φωτός
Είναι τι χώμα στέκεις και πατάς
και ποια ζωή θα φέρει
και τι θα φουντώσει εκεί

Χθες δεν ήμουν σίγουρη
αν μπορούσα να ανήκω στη χώρα μέσα μου
στη χώρα που έχω έρθει, θρηνώντας πιο συχνά
Σήμερα τα λουλούδια του ιβίσκου αστράφτουν
και τα ρόδια κοκκινίζουν περισσότερο μέρα με τη μέρα

Όταν κλείνω τα μάτια, αυτό που ήταν κατεστραμμένο
τόσο καιρό γίνεται πάλι ολόκληρο και φωτεινό σαν σελήνη

Δεν είναι πάντα βολική αυτή η τοποθέτηση
μα είναι αληθινή.

AUGUST 2019

Exterior conjunction with the Sun
Venus conjunct Mars
Venus conjunct Moon

The garden is a heavy treasury of vegetables—peppers tomatoes eggplants *vleeta* cucumbers okras corn beans—but it hurts to gather them now, alone. The deep gorge and the dragonfly that lands on my head in the waterfall pool. Dikte cave. I carry Runa down and up through cool darkness, touching stalagmites. At Kato Zakros the stones are purple, the earth walls of the old ruin are ochre. The impossible rose still blooming that I pick from the wayside on the way to the village that night to hear him play despite everything. The woman in the red dress. I get up and leave before the music starts and throw the rose down on the road without looking back. Away to Scotland, to the Edinburgh Literature Festival to present about my children's novels. It is so green, the air itself feels green. Scottish whiskey, old stone streets, soft rain. A dear friend comes to meet me and we walk deep into women's magic for a while. It helps me breathe, just a little better.

The Bright Stone

There is a bright stone between them

It is from another time
It rises as Sirius rises
It shines as Venus shines

She is in the underworld now,
becoming the evening star again
Every year she does this
trusting that she will emerge again
at dusk in the blue vesper light
above the topaz sea, blinking
when it is through
once more among the sorrows
and loves of this world

If only we too could trust like this:
that no matter how long we are pressed
beneath the earth, in the dark valley
the day will come when we too emerge
blinking like the evening star, into the soft
dusk, back into our above-world lives
shaken awake by a sunset too beautiful to lose
when the edge of the sky and sea fall in love
and cannot be separated
at the point where they touch

The bright stone between them fell
down from a great height and made sparks
like a struck flint on the floor at their feet
while they lifted their wine glasses
while he showed her the loom
while they laid the vast olive nets
each of them hiding a wound like the Fisher King,
whose kingdom became a wasteland
because he would not go
into the darkness to lance the poison

His cup ran empty
he would not mend its brokenness
All of Earth's wine ran
through Parzival's hands

But then the Fisher King called again

When he flashes the grail
there is nowhere to go but down
It is not abundance we are given there
but ourselves, and the land
we forfeited long ago

I have been down more than once now
not sure I would return
or when I did, if I would stay
I was not sure I could tell you what I saw
How utter the indigo darkness
How terrible the loss, how lancing the salt

But in the end, coming up at last

I saw the tincture of my own eyes
bluer than any loss, and knew
that the stone was once part of the crown
Dionysos returned to Ariadne
when he found her again
on the island of Dia
nearly dead with grief

He had been her beloved
from before time
and would be again

They were king and queen of something
Of an old land, of a time when their daughter
was not born dead in the underworld
but alive in goosedown and linen
on a winter's night
in a bed made of olive wood, into his arms
with the scent of crushed juniper and sage
and a warm bath of the forty holy herbs
to welcome her to earth

The bright stone shone, set into a niche
in the wall above them, in the place where
saint's icons were set in later times

Stone of Ariadne, stone of Dionysos
fallen from the starry Northern Crown

As Sirius rose I found it again
I took it with me down
into the mountain cave alone, praying

For you are in the dark valley now, beloved
I cannot reach you there, though I may try

The mountain is crying out her wounds
The quarried stones mourn in solitude
Our loneliness is their loneliness
Our pain is their pain

In the cold room half dug into earth
I felt the rocks calling out:
Do not forsake us
we cannot traverse this valley alone
Wherever we walk
our shadows come with us

Do not hide from them

It is only the shadows
that make the distant ridges visible,
my father says, looking out over a sea
too blue to name
It is only in shadows
that we can see the whole shape
and what we are made of

Ridge after ridge vanishing into the beginning
where the infant god was born in a cave
and nursed by bees
where the Fisher King calls
where they walk down and down without knowing
holding a bright stone between their hands

the stone that fell from Ariadne's crown,
high in the northern night sky
the one Dionysos retrieved for her
from where she had thrown it
into that unnameable sea
long ago and right now
as the Dog Star rises with the sun
and everything broken in our hearts is held up
mercilessly casting as many shadows as cut glass

Listen: where it hurts the most, open
Where it is darkest, that is where you are born
Where you think you cannot bear it,
that is the name of the unnameable blue
this sea whose color is precisely the same
as your precious, unnameable heart

We are in the dark valley now, beloved
but every star we were born under
is now chanting and chanting our names

Touch the bright stone that brought us here,
the one that can no longer bear its solitude

Let your heart go everywhere, like the sea
Even in utter darkness,
our hands are full of seeds

Andromeda's Dragons

What chain, oh my grandmothers, have we been carrying since the day Andromeda was bound to a rock by the sea? They say she was chained because of her mother Cassiopeia's vanity. She was not. She was chained because of her mother's power, and all that her mother's power opened in that city by the sea where King Cepheus ruled.

*

Cassiopeia never boasted to be more beautiful than a nereid, as the stories tell. She *was* one. An old sea-force. Cepheus, king of a great seaside port in a southern land, had married her for her beauty and for the abundance of purple dye and gold ornaments he took from her people when he plundered their island and stole their queen for his wife. He did not know her motherfolk were women from the sea. He did not know her beauty came from the dark moon. That every month, she became a sea-dragon. When the moon was dark, her blood turned her scaled, and beautiful, and too powerful to remain within walls.

When she was a dragon she could not be contained. When she stepped inside her bleeding womb, she stepped into the sea and knew it for her tears, and the tears of all the ones who came before her.

Husband, you have married chaos, she told him at the end. You have married the chasm from which life arises and returns. I could swallow you whole, but I will not.

But for many years before that, she managed to hide her secret. Theirs was a rich house. She had her own quarters. They smelled of lotus oil, of myrrh, of juniper smoke. Her robes were purple. She washed herself in water consecrated not by her husband's priests—she would not let them touch it—but by the stars. By the great M in the sky, water-pourer or water-bearer (depending on the season) the oldest oracular sign of her mother's people: two v's, two vessels. Mother of oceans, mother of caves. To these stars she travelled when the moon was dark and she became a dragon. They were her throne. She was murex-purple, with a tail like a snake and patterned with chevrons. She used her monthly bleeding as an excuse not to see her husband those nights. She was always back by morning.

The sea and the sky were both her countries. From inside the sea, she could see the stars. She drifted. She gathered darkness. She bathed in it. In the pulse of sea, of wave, of moon, of galactic winds and the tones the planets, she spun circles. She rippled and twisted and dove. She made chaos. She spun whirlpools and black holes. She made gravity too, for bringing back together the pieces of lost dreams, stray children, broken-hearted lovers, and fishermen who knew the ocean as mother and had been blown astray.

She conceived her daughter with one of them, a man who she found adrift one night of his own choice. He wanted the darkness. He wanted nothing but ocean in all directions. He knew he was lost in his life, and the only way to save himself was by going all the way into the darkness without a sail, and to trust either his death, or the epiphany that would change his life. He was a simple fisherman. He had lost his whole family to a coastal raiding party. His sister, his brother, his mother, his grandfather, his dog.

Only the ocean is as deep as my loss, he said to the dark the night she found him. Now at least I am not only drifting above great depths inside myself, but outside myself too. The sea is very beautiful. Here, I am close to the source of all things. To my beginning. I would like to forget, to become a dolphin or a whale. I would like peace.

Cassiopeia was listening. She was rising, one violet eye, then a great nose, above the water. He did not scream. He just opened his eyes wider. He was handsome, somehow more handsome because of his grief. It had made him real. His eyes had the earth's weight in them. She turned herself into a woman and came aboard. She held him close. There was grey in his curls, though he was young still. His hands were working hands, unlike her husband's. She liked them. He did not fear her at all. He was not sure she was real. He thought he had already lost his mind, and was glad.

When Sirius rose before dawn—it was that high, hot season—she changed him and his boat into another great sea-creature. Cetus. He was no monster, like the legends say. He was her beloved. She knew she had conceived a child with him that night, this man who had let the ocean so far into himself that he did not fear her, and so it was her gift to him. Then, all the knowledge of cetaceans came into him. The songs and languages of celestial origin and depth, beyond human memory. He knew what the moon said to the tide. He knew Cassiopeia's true nature. He kept the secret. He swam with her every dark moon.

Their daughter was Andromeda, and after her birth, Cassiopeia could no longer hide her power from Cepheus. Oracle came into her unbidden, like an illness. She grew scales and coils as she uttered the mantic hymns—in front of his advisors, in front of delegates from other kingdoms, in the bathhouse. The gleam of salt and star was at her teeth. Once, she went into a rage when Cepheus spoke to her like a child, ridiculing the blood on her legs—she would not hide it—and the unkempt hair and dirty feet of little Andromeda, who obeyed none save Cassiopeia and was wild as a wolf pup.

In her anger, she changed before his eyes. Not half, not simply sibylline, but all the way. She became vast and scaled. She tore the bed curtains, the marble walls, the window. Little Andromeda, clinging to her hand, changed with her. She became a small carnelian creature, a dragonlet, beautiful as a carved sealstone or an amulet.

Cepheus saw then that he was not in possession of women, but of Forces. He saw that this creature could not be his daughter. He smelled the smell his wife always carried after her days in solitude during her monthly blood.

It was the smell of her power, not her seclusion.

It was the smell of her freedom.

It smelled of animal, of night air, of wet stones, of metals like the stars make.

After that he did everything he could to bind and belittle her. He called her savage and sorceress, a witch, like all women a slut, irrational, raging. Wherever she went, and her daughter went, he could not understand, and was afraid to follow. If only he had asked her—Let me follow you there. Let me know you, Cassiopeia, in your wholeness. Mother of chaos, wife of stars. Once, long ago, she had wished he would. But he would not.

She might have eaten him whole. But in those days, there was no place for a dragon to hide from the wrath of men, save in the stars. She thought it was better to live as a woman and a dragon in hiding, than not to live at all.

By the time Andromeda was a young woman, she was so beautiful and so strange, no man would come near her. And yet she carried a sweetness that everyone wanted to touch. As each year passed, Andromeda grew more beautiful. Not just in figure, or in face, but in depth, in purpose, in clarity, and in wildness. She looked like her mother, but softer. Marriage to Cepheus had made Cassiopeia harsh in her pain and frightening to those who did not know her. Andromeda, shielded by her mother's power and her mother's hurt, retained her gentleness. She had yet to be sold in marriage. She had yet to surrender her freedom. She didn't imagine she ever would. She did not know what it meant to be chained.

When her bleeding came, and she no longer needed her mother's hand to change her into that creature of carnelian and light, she did not hide her nature like Cassiopeia had. Her changing was not a chaos or a rage. It was sweet as a spring water.

Many days, save those at the dark moon, she spent by the sea, talking to small fish who knew her father Cetus. She called up octopuses and asked after their dreams. She refused sale of her charms or words to any who would hurt them, but gladly shared what she could with the ones who approached her in wonder, asking the secret songs of the sea and of transformation. Women came to her more and more often, wanting to touch her hands, her hip, her dress, her long black hair, which always hung in three braids down her back, wanting to touch her skirts, woven after the fashion of her mother's people, with great criss-crossed seams of color. They wanted to see her serpent legs, her changing, her power, to know if they had it in them too, to change at the dark moon.

Of course you do, she told them. It has been coiled in the eggs of your womb since you were a tiny fish inside your mother's body. All you have to do is speak to those eggs until one begins to grow and grow. You will feel it growing. First as small as a mustard seed, but translucent.

You will know it by the feeling you have: that you have never before beheld something so beautiful, or felt such peace. That it is yourself you are beholding, the piece of you that was here before even your name, the piece of you that traveled through the galaxy in dragon form, threading between stars, and fell to Earth in a burst of flame. It has been in the ashes of every grief and every ecstasy, every moment of belonging, when you have felt at home, when you have gone barefoot, when you have kissed a child, when you been kissed by your beloved, when you have eaten a ripe fruit from the tree. There. It is a shard of quartz, a drop made of star.

When you speak to it, it will begin to grow and grow until a strange light starts to come from your belly and behind your eyes, and then from your ribs. Do not be afraid. Turn your eyes inside. Turn yourself inside out. Your scales will shine with precisely the light that you found in the ashes, anywhere life has made a fire in your heart.

This Andromeda told the women who came to her. One by one they went away, smiling a secret smile, because even the mention of that bright seed, gold and tiny as mustard, seemed to remember its truth to them, like a small high bell chiming, that they hadn't heard so clearly since the day they were born.

Something extraordinary began to happen across the city. Slowly at first—one woman each month, then two, then five. But by the time Andromeda reached the age of nineteen, the sky was full of incandescent bodies at the dark moon. There were so many, it wasn't dark at all. The sea flashed, and glowed. Kitchens were empty for three days together. Husbands grumbled, then raged. The clothes went unwashed. There was nothing to eat. The children were unmanageable, as willful as wild dogs. Grandmothers and aunts well past their bleeding were called upon to help, but they only shrugged, and laughed gleefully, and stood watching their daughters and their nieces and their grandchildren lighting up the sea and sky. They wept and danced at the shore until daybreak.

After three months of this, Cepheus could make excuses to his allies no longer, nor stand the humiliation of being in possession of such uncontrollable women. All the women of his city, of his kingdom, had become uncontrollable, thanks to his wife and the girl who was not his daughter. They contradicted their husbands and fathers. They unbound their hair. They talked close together, leaning against one another's bosoms, and made their men nervous. A strange new scent emanated from many of them, sweet and musky and clear. It turned houses sideways with desire. Husbands, and other women's husbands, wanted to come near that scent so badly, they grew violent. It made them tremble. They wanted to capture it forever. Fights broke out in the streets, and behind doors. The city was in uproar.

If Cepheus had asked Cassiopeia, she could have calmed the chaos. But he did not. Instead, he seized Cassiopeia and Andromeda the day before the following dark moon and chained them in the center of his palace—Cassiopeia to her throne and Andromeda at her feet—for all to see. Their power was not such that it could break those iron chains. Their blood was the blood of women of copper. Iron stopped their magic in its tracks. An iron sword could cleave a copper one right in two. They could not change. They could not fly away.

They ate nothing but dark bread and water, brought once a day. Cepheus wanted to send a message. The men of his kingdom wanted him to send a message. Until they promised not to change, and to tell the women of the city to do the same, they would remain chained. Cassiopeia spat, and refused. Andromeda said nothing at all. The chains muted her. She had not fathomed their weight, or what true sorrow felt like.

Cassiopeia held her daughter often during those weeks that turned to months. They sat together on the throne, in chains, as if Andromeda were still a little girl in her mother's lap, and not a grown woman.

Cepheus moved his council to the western wing. Only cold wind visited them there, and the guard with bread. I am so sorry that I could not free us, Cassiopeia said to Andromeda, softly, day after day, untangling her daughter's hair with her fingers. I am so sorry that this is what it means to be a woman of our people now. It was not always so. Once, I promise you, all queens were dragons. All queens spoke to the ouroboros at the center of the earth, the one right beneath our feet, the one that swims a circle round the northern sky at night, who births and unbirths all. Once, our men loved the scent of our power, the shape of our curves and scales. I am sorry I brought this to you, my daughter. You were born at a time when women are the subjects of fathers, husbands, brothers and kings. I am sorry I could not free you. Our people descend from the nereids themselves. Your beauty is the beauty of the sea, of the deep silent caves where only the light of the lantern fish touches. Your beauty is the curve of the dolphin's back, and song. Your beauty is the beauty of our people, whose first mother was Aphrodite, who arose from the sea.

*

When Cassiopeia and Andromeda did not join Cetus in the sea at the dark of moon that month, and then the next, the great sea creature fell into despair, and then into rage. He understood the world of men well enough to suspect the worst. He swam the salt waters closer and closer to shore, calling for his beloved and his daughter through the starlight in the high tones that whales sing, keening their kin.

They did not come.

The skies and sea were empty of shining women in their dragon-skins.

Cetus had already lost enough in his life. He could not bear to lose any more. He had been a creature of peace before, swimming far from the ships of kings and traders, keeping himself hidden, drifting down to the deepest ocean trenches to listen to the darkness there, and to the skein of whale song that reverberated where worlds were swallowed and remade. Now, he broke. He rose above the sea's surface and swallowed whole any ship that bore the emblem of Cepheus. He was as vast and silvery as a moon, and merciless. Fisherfolk he spared, but he smashed any kingly vessel he saw. He knew what power it was that had stolen his beloveds. He did not know if they lived or died, but he knew whose fault it was that they no longer lit the sea or the night.

The stars retreated into their shining far above. There was no longer anyone who could hear what they really sang.

Cepheus could muster no force powerful enough to stop Cetus. All were swallowed or smashed against the rocks. Soon enough, there would be no young men to call upon to defend his waters, neither among his own subjects nor those of his nearest allies. The advice of his priests was little better. Elaborate sacrifices of goats, black bulls and several caskets of wine did nothing to appease the one they called Sea-Monster.

One morning in the third month of Cetus' rage, Cepheus snapped. He went to Cassiopeia on his knees. He knew that only she, of all those living and dead in his kingdom, was powerful enough to stop him. He did not anticipate the manner of her reply. He was frail, and trembling. Despite three months of near starvation, she was not, and neither was Andromeda. They were wan but luminous. Their bones showed through. Their power had waned little. There was just less flesh between it and the world now. The throne room smelled of musk, and blood, and stone.

Cassiopeia's eyes were so hard on her husband's, he trembled more. That was what brought him to his knees.

"Tell me wife, what to do to stop this monster."

"He is no monster," she replied, without looking up. "Why should I tell you." It was not a question.

"You know, then?"

She did not reply.

"You know. Tell me, wife."

"My daughter," she replied.

"What?"

"Give him my daughter. Andromeda," she said again, her dark eyes flashing. "She is the only worthy sacrifice. Tie her to a stone by the sea's shelving edge. She is the only thing that will appease him. If what I say proves true, free me. That is all I ask. Free me from your house and from your kingdom."

Cepheus looked between Cassiopeia and Andromeda in horror. His wife frightened him more then than she ever had before. How could she say such a thing? Andromeda watched him with eyes still unhardened by betrayal. They were even more difficult to look into than Cassiopeia's. They were so light, and so calm. Had she not heard her mother's plan? And yet she still held tight to Cassiopeia's hand.

"I go willingly, Cepheus," she murmured. She did not look up at him again.

The following day, she was taken, hands bound in dark rope, to the edge of the city. There she was tied to a great stone that could be seen all across the port. She did not fight. Her calm frightened the men who tied her. She was dressed in the finest Cepheus could procure from the seamstresses of the city. Gold leaf sang at the edges of her skirt, its dye a blue that only the sea in full sun could match. Cepheus would not have his sacrifice appear unkempt. He would make a great show of her beauty.

Heroism stirred in the hearts of the men of the seven nearest kingdoms as word spread in one long ululation across the land—*Andromeda is to be sacrificed to Cetus, Andromeda, that beauty of the sea, her virgin body is bound to a stone like meat at the altar*. But to all who observed her, bound to that stone far out in the white crashing tide, she appeared as peaceful as a strange and distant star.

She was so far inside herself, she noticed no one. She was calling to her father. She was mustering a silent cry, without the help of her scales, so that he might find her in one unfurling of sonar across the ocean floor. It took her all night and the best part of the next day to muster it.

But in the seventh kingdom, on that same day, word reached the hero Perseus of Andromeda's beauty, and of the opportunity to prove his strength. A woman chained to a rock by her own mother and father, as sacrifice to a sea monster. He would kill the monster, and win the woman, and his reputation would be made. She would be the making of him.

Already Medusa had begun to build his fame. A sea monster would be easy. He came by horse and took Andromeda entirely by surprise. There was sweat on her forehead. He thought it was for terror of Cetus, but in truth it was exhaustion from the effort it took to call to her father while chained in iron, without her dragon scales. He thought the look in her eyes when she turned and saw him was virgin reserve, an attractive dismay and feminine disarray at being so near to a man.

In fact, it was hopelessness he saw there. It was fear of him. She flinched away from his touch and would not speak to him. Here was a man who would chain her to him, as even Cepheus had not been able to do. A man who would attempt to chain her with his desire, and her indebtedness to him as savior. She choked down tears. He would kill the great whale, her father. He would take her freedom and call it heroism. What had she and her mother done when they planned this escape? They had created a trap.

Perseus held Medusa's head in a bag. He crouched beside her, murmuring nonsense that he thought would soothe her. Her breast heaved. I have never been so close to losing my freedom as I am in this very moment, she thought, snatching her hands away from his touch, turning her cheek from his murmurings, which were as empty as if he had speaking to a sheep. Medusa's head dripped. Andromeda wanted to be sick. Never before in her life had she despaired. Her call had gone through the sea, and Cetus had answered it. He was coming for her. She was bound in iron and could not run to him to warn him, to save him. She had no energy left to muster another call. She closed her eyes and went into her own darkness, so far she touched the earth beneath the sea.

Cetus broke the surface of the water then, exuberant, leaping for his daughter, to take her gently in his great mouth and carry her to safety. But Perseus was there in front of her, lifting Medusa's head from its bag.

Andromeda could only think of one thing to do. She had sworn never to use her beauty against a man. But she did now. She said Perseus' name low, tremulous, with a ragged breath and all the innocence of her virginity. He faltered, turning toward her, and she reached a hand to pull him close. He shuddered. Her body was soft and yielding as water, as light. Cetus surged, smashing the stone that she was chained to. Andromeda dove into the sea. Perseus fell in after her. Medusa's head sank. Suddenly there was not one sea-monster, but two—a great silvery whale, and a smaller, carnelian red creature as bright and undulating as a snake.

Already they were gone. Already they were free.

Perseus clambered back ashore, dripping. He walked up the long streets of the city, to tell of what he had seen. That Andromeda had been eaten by Cetus the sea monster. That he had come too late. He did not mention Medusa's head, lost in the sea. He did not mention the red dragon that joined Cetus when the girl dove.

Cepheus waited for two days to unlock Cassiopeia's chains, just to be sure that she had spoken truly, and Cetus was appeased. He was.

He and Andromeda waited in the deepest tide for her.

The night Cepheus freed her, Cassiopeia filled the sky with her fire, and then the sea. She found her lover and her daughter like a stone falling through water to its origin. Three new stars shone that night around the great M in the northern sky, and no dragons or sea-beasts were ever seen again in that time, in that long ago kingdom, save in the far inside darkness of dreams. They stayed among the stars from that day on, because there was no ground for them to live upon among the world of men.

*

But the chain we have been carrying, my grandmothers, is breaking now. May they come down out of the stars my grandmothers, may they come up from the sea.

Earth is dragon country.

May we once again find ourselves free.

Αύγουστος 2019

Η Αφροδίτη σε εξωτερική σύνοδο με τον Ήλιο
Η Αφροδίτη σε σύνοδο με τον Άρη
Η Αφροδίτη σε σύνοδο με τη Σελήνη

Ο κήπος είναι ένα θησαυροφυλάκιο αφθονίας λαχανικών—πιπεριές ντομάτες μελιτζάνες βλίτα αγγούρια μπάμιες καλαμπόκι φασόλια. Το βαθύ φαράγγι και η λιβελούλα που προσγειώνεται στο κεφάλι μου στη λιμνούλα του καταρράκτη. Σπηλιά της Δίκτης: κουβαλάω τη Ρούνα κάτω και μετά επάνω μέσα στο δροσερό σκοτάδι, αγγίζοντας σταλαγμίτες. Στην Κάτω Ζάκρο οι πέτρες είναι μωβ, οι χωμάτινοι τοίχοι του αρχαίου ερειπίου είναι ώχρα. Το αδιανόητο τριαντάφυλλο που ανθίζει ακόμα και που κόβω από την άκρη του δρόμου στην πορεία προς το χωριό εκείνη τη νύχτα, και αυτό που συμβαίνει μετά, και πώς το πετάω ξανά κάτω, χωρίς να κοιτάξω πίσω. Αναχώρηση για τη Σκωτία, στο Λογοτεχνικό Φεστιβάλ του Εδιμβούργου, για παρουσίαση των παιδικών μυθιστορημάτων μου. Είναι τόσο πράσινη, ακόμα κι ο αέρας ο ίδιος μοιάζει πράσινος. Σκωτζέσικο ουίσκι, παλιοί βοτσαλόστρωτοι δρόμοι, απαλή βροχή. Μια αγαπημένη φίλη έρχεται να με βρει και μπαίνουμε βαθιά στα μονοπάτια της γυναικείας μαγείας για λίγο. Με βοηθά να αναπνεύσω, ελάχιστα καλύτερα.

Η Λαμπρή Πέτρα

Υπάρχει μια λαμπρή πέτρα ανάμεσά τους

Είναι μιας άλλης εποχής
Ανατέλλει καθώς ο Σείριος
Λάμπει καθώς η Αφροδίτη

Είναι στον κάτω κόσμο τώρα,
να γίνει πάλι Αποσπερίτης
Το κάνει κάθε χρόνο αυτό
αφήνεται στη σιγουριά πως θα αναδυθεί και πάλι
κάποιο σούρουπο μέσα στο γαλάζιο εσπερινό φως
μέσα απ'τη κυανή θάλασσα, βλεφαρίζοντας
όταν πια θα τον έχει διασχίσει για
να σταθεί ξανά ανάμεσα στις λύπες
και τις αγάπες του κόσμου ετούτου

Μακάρι κι εμείς να μπορούσαμε έτσι να εμπιστευτούμε—
πως, όσο καιρό κι αν πατηθούμε
κάτω απ' το χώμα, μέσα στη σκοτεινή κοιλάδα,
θα 'ρθεί η μέρα που κι εμείς θα αναδυθούμε
βλεφαρίζοντας, σαν τον αποσπερίτη, μέσα στο τρυφερό
σούρουπο, θα επιστρέψουμε στις ζωές μας του επάνω κόσμου
όπου θα μας ταρακουνήσει να ξυπνήσουμε ένα δειλινό που παραείναι
όμορφο για να χαθεί
όταν το όριο του ουρανού και της θάλασσας ερωτευτούν
και είναι πια αδύνατο να τα χωρίσεις
σ'εκείνο το σημείο που αγγίζονται

Η λαμπρή πέτρα ανάμεσά τους έπεσε
κάτω από πολύ ψηλά κι έβγαλε σπίθες
σαν τσακμακόπετρα, όταν έσκασε στο έδαφος μπρος στα πόδια τους
ενώ ύψωναν τα ποτήρια τους με το κρασί
ενώ της έδειχνε τον αργαλειό
ενώ άπλωναν τα τεράστια λιόπανα
κρύβοντας και οι δυο τους μια πληγή σαν του Βασιλιά Αλιέα,
που το βασίλειό του μετατράπηκε σε άγονη χώρα
επειδή αρνήθηκε να μπει μέσα
στο σκοτάδι, να το χαράξει για να βγει το δηλητήριο

Το κύπελλό του άδειασε
αλλά αυτός αρνήθηκε να επιδιορθώσει τη ραγισματιά
Και το κρασί όλης της γης χύθηκε
μέσα από τα χέρια του Πέρσιβαλ

Μα τότε ο Βασιλιάς Αλιεύς φώναξε πάλι

Όποτε επιδεικνύει το δισκοπότηρο
δεν έχει πουθενά αλλού να πάμε εκτός προς τα κάτω
Δεν είναι η αφθονία που μας προσφέρεται εδώ
αλλά ο εαυτός μας, κι εκείνη η χώρα
που απεμπολήσαμε πριν χρόνια πολλά

Έχω ξανακατέβει, δεν είναι η πρώτη φορά πια
χωρίς τη βεβαιότητα ότι θα επιστρέψω
και όταν επέστρεψα, αν θα παρέμενα
Δεν ήμουν σίγουρη ότι μπορώ να σου διηγηθώ αυτά που είδα
Πόσο απόλυτο το μπλάβο σκοτάδι
Πόσο φριχτή η απώλεια, πόσο τσουχτερό το αλάτι

Τελικά όμως, όταν επιτέλους ανέβηκα,
είδα την απόχρωση
πιο γαλάζια από την οποιαδήποτε απώλεια, και κατάλαβα
ότι η πέτρα ήταν κάποτε κομμάτι του στέμματος
που ο Διόνυσος επέστρεψε στην Αριάδνη
όταν την ξαναβρήκε
στο νησί της Δίας
μισοπεθαμένη από τη θλίψη

Είχε υπάρξει αγαπημένος της
πριν αρχίσει ο χρόνος
και θα ξαναγινόταν

Βασιλιάς και βασίλισσα κάπου
Μιας χώρας αρχαίας, μιας εποχής, που η κόρη τους
δεν γεννήθηκε νεκρή στον κάτω κόσμο
μα ολοζώντανη μέσα στα πούπουλα και στα λινά
μια νύχτα του χειμώνα
σ' ένα κρεβάτι φτιαγμένο από ελιόξυλο, μέσα στην αγκαλιά του
με άρωμα από τριμμένο κέδρο και φασκόμηλο
κι ένα ζεστό μπάνιο με τα σαράντα ιερά βότανα
για το καλωσόρισμά της στη γη

Η λαμπρή πέτρα έλαμπε τοποθετημένη σε μια κόχη
στον τοίχο από πάνω τους, στο σημείο όπου
θα έβαζαν σε κατοπινούς καιρούς τις εικόνες των αγίων

Η πέτρα της Αριάδνης, η πέτρα του Διονύσου
που έπεσε από το στέμμα των άστρων του Βορρά

Καθώς ο Σείριος ανέτειλε την ξαναβρήκα
την πήρα μαζί μου κάτω
μέσα στη βουνοσπηλιά που μπήκα μόνη, να προσευχηθώ

Γιατί τώρα, είσαι εσύ μέσα στη σκοτεινή κοιλάδα, αγαπημένε
εκεί δεν μπορώ να σε φτάσω, όσο κι αν προσπαθήσω

Η βουνοκορφή κλαίει γοερά τις πληγές της
Οι εξορυγμένες πέτρες θρηνούν μοναχές
Η μοναξιά μας είναι η δική τους μοναξιά
Ο πόνος μας είναι ο πόνος τους

Μέσα στο κρύο δωμάτιο που είχε μισοσκαφτεί μέσα στη γη,
ένιωσα τους βράχους να φωνάζουν:
μη μας εγκαταλείψεις
δεν μπορούμε να το διασχίσουμε μόνοι
Όπου και να μας παν τα βήματά μας
οι σκιές μας έρχονται μαζί μας

Μην τους κρύβεσαι

Μόνο οι σκιές
κάνουν ορατές τις μακρινές οροσειρές
λέει ο πατέρας μου, ατενίζοντας μια θάλασσα
πολύ γαλάζια για να την ονομάσεις
Μόνο μέσα στις σκιές
μπορούμε να δούμε ολόκληρο το σχήμα
και από τι είμαστε φτιαγμένοι

Οροσειρές η μια μετά την άλλη χάνονται στην αρχή
εκεί όπου το θεϊκό βρέφος γεννήθηκε μέσα σε μια σπηλιά
και ανατράφηκε από μέλισσες
εκεί όπου ο Βασιλιάς Αλιεύς καλεί
εκεί όπου κατεβαίνουν όλο και πιο κάτω, δίχως να ξέρουν
κρατώντας μια λαμπερή πέτρα ανάμεσα στα χέρια τους

την πέτρα που έπεσε από το στέμμα της Αριάδνης,
ψηλά στο βορεινό ουρανό της νύχτας
αυτήν που ο Διόνυσος της ξαναέφερε
από 'κει που η ίδια την είχε πετάξει
μέσα σ' αυτή την ακατανόμαστη θάλασσα
τόσο παλιά και μόλις τώρα
καθώς ο Αστερισμός του Κυνός ανατέλλει με τον ήλιο
και ό,τι έχει διαλυθεί μέσα στις καρδιές μας το βλέπουμε υψωμένο
να ρίχνει ανελέητα τόσες σκιές όσες και το κομμένο γυαλί

Άκου: εκεί που πονάει περισσότερο, άνοιξε
Εκεί που είναι πιο σκοτεινά, εκεί είναι ο τόπος που γεννήθηκες
Εκεί που νομίζεις πως δεν μπορείς ν' αντέξεις,
αυτό είναι το όνομα του ακατανόμαστου κυανού
αυτή είναι η θάλασσα, που το όνομά της είναι ακριβώς το ίδιο
με αυτή της πολύτιμης, ακατανόμαστης καρδιάς σου

Βρισκόμαστε μέσα στη σκοτεινή κοιλάδα τώρα, αγαπημένε
μα κάθε άστρο που μας φυλάει από τη γέννησή μας
ψάλλει ξανά και ξανά τα ονόματά μας τώρα

Άγγιξε τη λαμπρή πέτρα που μας έφερε εδώ,
αυτή, που δεν αντέχει άλλο τη μοναξιά της

Άσε την καρδιά σου να πάει παντού, σαν τη θάλασσα
Ακόμα και στο απόλυτο σκοτάδι,
τα χέρια μας είναι γεμάτα σπόρους

Οι Δράκοι της Ανδρομέδας

Τι αλυσίδες, ω γιαγιάδες μου, κουβαλάμε από τη μέρα που η Ανδρομέδα αλυσοδέθηκε σ' εκείνο το βράχο πλάι στη θάλασσα; Λένε πως την έδεσαν εξαιτίας της ματαιοδοξίας της γιαγιάς της, της Κασσιόπης. Δεν έγινε έτσι. Αλυσοδέθηκε εξαιτίας της δύναμης της μάνας της και όλων αυτών που άνοιξε η δύναμη της μάνας της στην πόλη πλάι στη θάλασσα, που διαφέντευε ο βασιλιάς Κηφέας.

*

Η Κασσιόπη ποτέ της δεν καυχήθηκε πως ήταν πιο όμορφη από Νηρηίδα, όπως λένε οι ιστορίες. *Ήταν* Νηρηίδα. Μια αρχαία θαλάσσια δύναμη. Ο Κηφέας, βασιλιάς ενός σπουδαίου θαλασσινού λιμανιού σε μια χώρα του Νότου, την είχε παντρευτεί για την ομορφιά της και για την αφθονία της πορφυρής βαφής και των χρυσών στολιδιών που άρπαξε από το λαό της, όταν λεηλάτησε το νησί τους και έκλεψε τη βασίλισσά τους για να την κάνει γυναίκα του. Δεν ήξερε πως ο λαός της μάνας της ήταν γυναίκες της θάλασσας. Δεν ήξερε πως η ομορφιά της προερχόταν από τη σκοτεινή σελήνη. Πως κάθε μήνα γινόταν θαλάσσιος δράκος. Όταν η σελήνη ήταν σκοτεινή, το αίμα της την έκανε φολιδωτή και πανέμορφη και τόσο πανίσχυρη, που δεν μπορούσε να χωρέσει σε τέσσερις τοίχους.

Όταν γινόταν δράκος, ήταν αδύνατο να την περιορίσεις. Όταν βουτούσε μέσα στην αιμορραγούσα μήτρα της, βουτούσε μέσα στη θάλασσα και αναγνώριζε πως ήταν τα δάκρυά της και τα δάκρυα όλων εκείνων που υπήρχαν πριν απ' αυτήν, οι απώλειες κι οι αγάπες τους μαζί.

Άντρα μου, παντρεύτηκες το χάος, του είπε στο τέλος. Παντρεύτηκες το χάσμα απ'όπου αναδύεται και επιστρέφει η ζωή. Θα μπορούσα να σε καταπιώ ολόκληρο, αλλά δεν θα το κάνω.

Για πολλά χρόνια πριν απ' αυτό όμως, είχε καταφέρει να κρύβει το μυστικό της. Το σπίτι τους ήταν πλούσιο. Είχε τα δικά της ιδιαίτερα διαμερίσματα. Μύριζαν λάδι λωτού, μύρο και καπνό από κεδρόξυλο. Οι φορεσιές της ήταν πορφυρές. Τις έπλενε μόνη της, σε νερό καθαγιασμένο, όχι από τους ιερείς του άντρα της—δεν τους άφηνε ούτε να τις αγγίξουν—αλλά από τα αστέρια. Από το μεγάλο Μ στον ουρανό, τον υδροχόο ή νεροκουβαλητή (ανάλογα με την εποχή), το αρχαιότερο μαντικό σύμβολο του λαού της μάνας της: τα δυο V, δυο δοχεία. Μάνα των ωκεανών, μάνα των σπηλαίων. Σε εκείνα τα αστέρια ταξίδευε όταν η σελήνη ήταν σκοτεινή κι εκείνη γινόταν δράκος. Αυτά ήταν ο θρόνος της. Το χρώμα της ήταν κόκκινο πορφυρό, με ουρά φιδίσια, διακοσμημένη με γερανούς. Χρησιμοποιούσε τα έμμηνά της ως δικαιολογία για να μη βλέπει τον άντρα της εκείνες τις νύχτες. Το πρωί είχε πάντοτε επιστρέψει.

Η θάλασσα κι ο ουρανός ήταν και τα δυο πατρίδες της. Από το βάθος τής θάλασσας μπορούσε να δει τ' αστέρια. Περιπλανιόταν. Μάζευε σκοτάδι. Λουζόταν μέσα του. Μέσα στο σφυγμό της θάλασσας, των κυμάτων, της σελήνης, των γαλαξιακών ανέμων και στο ηχόχρωμα των πλανητών, ύφαινε κύκλους. Πάφλαζε και αναδευόταν και βουτούσε. Έφτιαχνε χάος. Ύφαινε δίνες και μαύρες τρύπες. Έφτιαχνε και βαρύτητα, για να επαναφέρει τα κομμάτια των χαμένων ονείρων, τα χαμένα παιδιά, τις ραγισμένες καρδιές εραστών και τους ψαράδες που για μάνα τους γνώριζαν τον ωκεανό και είχαν εκτιναχτεί στο πουθενά.

Την κόρη της την συνέλαβε με ένα απ' αυτούς, έναν άντρα που είχε βρει να πλέει άσκοπα μια νύχτα, από δική του θέληση. Αυτός τ'αποζητούσε το σκοτάδι. Ήθελε να'χει παντού γύρω του, σ'όλες τις κατευθύνσεις, μονάχα ωκεανό και τίποτα άλλο. Ήξερε πως στη ζωή του ήταν χαμένος και ο μοναδικός τρόπος να σωθεί ήταν να βουτήξει ολότελα στο σκοτάδι, χωρίς πανί, και να αφεθεί είτε στο θάνατό του είτε στα Επιφάνια που θα άλλαζαν τη ζωή του. Ήταν ένας απλός ψαράς. Είχε χάσει όλη την οικογένειά του σε μια ληστρική επιδρομή στις ακτές. Την αδελφή, τον αδελφό, τη μάνα, τον παππού, το σκύλο του.

Μόνο ο ωκεανός έχει το βάθος της απώλειάς μου, είπε στη σκοτεινή νύχτα που τον βρήκε. Τώρα τουλάχιστον δεν περιπλανιέμαι πάνω από τα απύθμενα βάθη μέσα μου, αλλά και έξω από μένα. Η θάλασσα είναι πολύ όμορφη. Εδώ, είμαι κοντά στην πηγή όλων των πραγμάτων. Στην αρχή μου. Θα ήθελα να ξεχάσω, να γίνω δελφίνι ή φάλαινα. Θα'θελα τη γαλήνη.

Η Κασσιόπη άκουγε. Αναδυόταν, πρώτα το ένα βιολετί μάτι, ύστερα η μεγάλη μύτη, πάνω από το νερό. Εκείνος δεν ούρλιαξε. Απλώς γούρλωσε περισσότερο τα μάτια. Ήταν όμορφος, πιο όμορφος ακόμα μέσα στη θλίψη του. Αυτή τον είχε κάνει πραγματικό. Τα μάτια του είχαν το βάρος της γης μέσα τους. Εκείνη μεταμορφώθηκε σε γυναίκα και ανέβηκε στη βάρκα του. Τον κράτησε στην αγκαλιά της. Είχε γκρίζο στις μπούκλες του, παρόλο που ήταν ακόμα νέος. Τα χέρια του ήταν χέρια εργατικά, αντίθετα με του άντρα της. Της άρεσαν. Εκείνος δεν τη φοβόταν καθόλου. Δεν ήταν σίγουρος αν είναι αληθινή. Νόμιζε πως είχε ήδη χάσει το μυαλό του, και χάρηκε.

Όταν ανέτειλε ο Σείριος πριν την αυγή –ήταν εκείνη η καυτή, πολύβουη εποχή—πήρε μαζί στη μεταμόρφωσή της και αυτόν και τη βάρκα του, και τον έκανε άλλο ένα τεράστιο θαλάσσιο πλάσμα. Τον Κήτο. Δεν ήταν διόλου τέρας, όπως λένε οι θρύλοι. Ήταν ο αγαπημένος της. Το κατάλαβε ότι είχε πιάσει παιδί μαζί του εκείνη τη νύχτα, με αυτόν τον άντρα που είχε επιτρέψει στον ωκεανό τόσο να τον γεμίσει, ώστε πια δεν τη φοβόταν, κι αυτό λοιπόν ήταν το δώρο που του έκανε. Τότε, όλη η γνώση των κητοειδών τον κατέκλυσε. Τα τραγούδια και οι γλώσσες, με καταβολές και βάθος από τον ουρανό, πέρα από την ανθρώπινη μνήμη. Ήξερε τι έλεγε η σελήνη στην παλίρροια. Ήξερε την πραγματική φύση της Κασσιόπης. Κράτησε το μυστικό. Κολυμπούσε μαζί της κάθε σκοτεινή σελήνη.

*

Η κόρη τους ήταν η Ανδρομέδα και μετά τη γέννησή της η Κασσιόπη δεν μπορούσε πια να κρύψει τις δυνάμεις της από τον Κηφέα. Η μάντισσα έμπαινε μέσα της ακάλεστη, σαν αρρώστια. Έβγαζε φολίδες και στριφτή ουρά προφέροντας τους μαντικούς ύμνους, μπροστά στους συμβουλάτορές του, μπροστά σε απεσταλμένους από άλλα βασίλεια, μέσα στα λουτρά. Η λάμψη του αλατιού και του άστρου άστραφτε στα δόντια της. Μια φορά εξαγριώθηκε όταν ο Κηφέας της μίλησε σα να μίλαγε σε παιδάκι, χλευάζοντας το αίμα στα πόδια της—αρνιόταν να το κρύψει—και τα ατίθασα μαλλιά και τα βρώμικα πόδια της μικρής Ανδρομέδας, που δεν άκουγε κανέναν εκτός από την Κασσιόπη, και ήταν άγρια σα λυκάκι.

Μέσα στην οργή της, μεταμορφώθηκε μπρος στα μάτια του. Όχι μισή, όχι απλώς σε μάντισσα, αλλά ολοκληρωτικά. Έγινε τεράστια, γεμάτη φολίδες, πορφυρή σαν το κοχύλι. Ξέσκισε τα πέπλα του κρεβατιού, τους μαρμάρινους τοίχους, το παράθυρο. Η μικρή Ανδρομέδα, κρατώντας την σφιχτά από το χέρι, μεταμορφώθηκε κι αυτή μαζί της. Έγινε ένα μικρό βυσσινί πλάσμα, ένα δρακάκι, όμορφη σαν να'ταν σκαλισμένη σε σφραγιδόλιθο ή φυλαχτό από καρνεόλιο.

Ο Κηφέας τότε κατάλαβε ότι δεν είχε στα χέρια του γυναίκες, αλλά Δυνάμεις. Είδε ότι αυτό το πλάσμα αποκλείεται να ήταν δική του κόρη. Μύρισε τη μυρωδιά που η γυναίκα του κουβαλούσε πάντα επάνω της μετά τις μέρες της απομόνωσης, στα έμμηνά της.

Ήταν η μυρωδιά της δύναμής της, όχι της απομόνωσης.

Ήταν η μυρωδιά της ελευθερίας της.

Μύριζε ζώο, αέρα της νύχτας, υγρές πέτρες και μέταλλο, σαν αυτά που φτιάχνουν οι αστέρες.

Μετά από αυτό, έκανε ό,τι μπορούσε για να την περιορίσει και να την μειώσει. Την αποκαλούσε άξεστη και γητεύτρα, μάγισσα, τσούλα σαν όλες τις γυναίκες, παράλογη, υστερικιά. Όπου πήγαινε, πήγαινε και η κόρη της μαζί, αυτός δεν καταλάβαινε και φοβόταν ν' ακολουθήσει. Μακάρι να της το είχε ζητήσει. *Άσε με να σ' ακολουθήσω εκεί. Άσε με να σε γνωρίσω, Κασσιόπη, στην ολότητά σου. Μητέρα του χάους, σύζυγο των αστεριών.* Κάποτε, πολύ παλιά, ευχόταν να το είχε κάνει. Μα αυτός δεν το έκανε ποτέ.

Θα μπορούσε να τον έχει καταβροχθίσει ολόκληρο. Εκείνο τον καιρό όμως, δεν υπήρχε τόπος να κρυφτεί ένας δράκος απ' την οργή των ανθρώπων, παρεκτός μέσα στα άστρα. Σκέφτηκε πως ήταν καλύτερα να ζήσει σαν γυναίκα και σαν δράκος κρυφά, παρά να μη ζει καθόλου.

Όταν πια η Ανδρομέδα είχε γίνει νεαρή γυναίκα, ήταν τόσο όμορφη και τόσο παράξενη που κανένας άντρας δεν την πλησίαζε. Παρόλα αυτά, είχε πάνω της μια γλυκύτητα που όλοι ήθελαν ν' αγγίξουν. Κάθε χρόνο που περνούσε, η Ανδρομέδα γινόταν όλο και πιο όμορφη. Όχι μόνο στη σιλουέτα ή στην όψη, αλλά σε βάθος, σε σκοπό, σε καθαρότητα και σε αγριάδα. Ήταν ίδια η μάνα της, αλλά γλυκύτερη. Ο γάμος της με τον Κηφέα είχε κάνει την Κασσιόπη τραχιά μέσα στον πόνο της και τρομαχτική για όσους δεν τη γνώριζαν. Η Ανδρομέδα, προστατευμένη από τη δύναμη της μάνας της, και από την πληγή της μάνας της, διατηρούσε την ευγενική της όψη. Δεν είχε ακόμα πουληθεί σε γάμο. Δεν είχε ακόμα εκχωρήσει την ελευθερία της. Δεν φανταζόταν ότι θα το έκανε ποτέ. Δεν ήξερε τι σημαίνει να είναι αλυσοδεμένη.

Όταν ήρθε το αίμα της και δεν χρειαζόταν πλέον τη βοήθεια της μάνας της για να μεταμορφωθεί σ' εκείνο το πλάσμα από καρνεόλιο και φως, δεν έκρυβε τη φύση της, όπως έκανε η Κασσιόπη. Η μεταμόρφωσή της δεν ήταν χάος και οργή. Ήταν γλυκειά, σαν νερό πηγής, και εξίσου αδάμαστη.

Πολλές μέρες, εκτός από κείνες της σκοτεινής σελήνης, τις περνούσε πλάι στη θάλασσα, μιλώντας στα ψαράκια που γνώριζαν τον πατέρα της τον Κήτο. Καλούσε τα χταπόδια και τα ρωτούσε να μάθει τα όνειρά τους. Αρνιόταν να πουλήσει τις γητειές της ή τα ξόρκια της σε όποιον θα τα έβλαφτε, αλλά μοιραζόταν ό,τι μπορούσε ευχαρίστως με όσους την πλησίαζαν με δέος, ζητώντας τα μυστικά τραγούδια της θάλασσας και της μεταμόρφωσης. Οι γυναίκες πήγαιναν να τη βρουν όλο και συχνότερα, ήθελαν ν' αγγίξουν τα χέρια της, το γοφό της, το φόρεμά της, τα μακριά μαύρα μαλλιά της, που ήταν πάντοτε ριγμένα στην πλάτη της σε τρεις μακριές πλεξούδες, ήθελαν ν'αγγίξουν τις φούστες της, υφασμένες με τον τρόπο του λαού της μάνας της, με μεγάλες διασταυρούμενες ραφές χρωματιστές. Ήθελαν να δουν τα φιδίσια πόδια της, τη μεταμόρφωσή της, τη δύναμή της και να μάθουν αν την είχαν κι εκείνες μέσα τους, ν'αλλάζουν έτσι στη σκοτεινή σελήνη.

Και βέβαια την έχετε, τους έλεγε. Βρίσκεται εκεί συσπειρωμένη μέσα στα ωάρια της μήτρας σας από τότε που ήσασταν μικρά ψαράκια μέσα στο σώμα της μητέρας σας. Το μόνο που έχετε να κάνετε είναι να μιλήσετε σε αυτά τα ωάρια ώσπου ένα απ'αυτά ν'αρχίσει να μεγαλώνει, να διογκώνεται. Θα το νιώσετε να μεγαλώνει. Πρώτα σαν μικρός σπόρος σιναπιού, μα διάφανος.

Θα το καταλάβετε από την αίσθηση που θα 'χετε, ότι ποτέ πριν δεν έχετε αντιληφθεί κάτι τόσο όμορφο, δεν έχετε νιώσει τέτοια γαλήνη, και ότι είναι ο ίδιος σας ο εαυτός αυτό που αντιλαμβάνεστε, εκείνο το κομμάτι μέσα σας που ήταν εκεί πριν κι από το όνομά σας ακόμα, εκείνο το κομμάτι σας που ταξίδεψε μέσα στο γαλαξία με τη μορφή δράκου, που έγινε υφάδι ανάμεσα στ' αστέρια κι έπεσε στη γη σαν έκρηξη φωτός. Υπάρχει ανέκαθεν μέσα στη στάχτη κάθε θλίψης και κάθε έκστασης, σε κάθε στιγμή απόλυτης αποδοχής, τότε που νιώθεις σαν στο σπίτι σου, τότε που περπάτησες ξυπόλητη, τότε που φίλησες ένα παιδί, τότε που σε φίλησε ο αγαπημένος σου, τότε που έφαγες ένα φρούτο ώριμο απ'το δέντρο. Εκεί. Είναι θραύσμα χαλαζία, μια στάλα αστεριού.

Όταν του μιλήσετε, αυτό θ'αρχίσει να μεγαλώνει, όλο να μεγαλώνει, ώσπου ένα παράξενο φως θ'αρχίσει να εκλύεται απ' την κοιλιά σας και πίσω από τα μάτια σας κι ύστερα απ' τα πλευρά σας. Μη φοβηθείτε. Στρέψτε τα μάτια σας εντός. Γυρίστε τον εαυτό σας μέσα-έξω. Οι φολίδες σας θα αστράψουν με αυτό ακριβώς το φως που βρήκατε μέσα στις στάχτες, όπου η ζωή έφτιαξε φωτιά μέσα στην καρδιά σας.

*

Αυτό έλεγε η Ανδρομέδα στις γυναίκες που έρχονταν να την βρουν. Μία-μία απομακρύνονταν μ' εκείνο το μυστικό χαμόγελο να διαγράφεται, επειδή ακόμα και η απλή αναφορά σ'αυτόν το λαμπρό σπόρο, χρυσαφένιο και μικροσκοπικό σαν το σποράκι του σιναπιού, θυμόταν την αλήθεια του και σαν να τους τη θύμιζε, σαν να κουδούνιζε ένα τόσο δα οξύφωνο καμπανάκι, που είχαν να το ακούσουν τόσο ξεκάθαρα από τη μέρα που γεννήθηκαν.

Κάτι εξαίσιο άρχισε να συμβαίνει σε όλη την πόλη. Σταδιακά στην αρχή –μια γυναίκα κάθε μήνα, μετά δυο, μετά πέντε. Ώσπου να φτάσει η Ανδρομέδα στην ηλικία των δεκαεννιά ετών, ο ουρανός γέμιζε πυρακτωμένα σώματα τις νύχτες της σκοτεινής σελήνης. Ήταν τόσες πολλές, που δεν έμενε πια διόλου σκοτάδι. Η θάλασσα άστραφτε κι έλαμπε. Οι κουζίνες άδειαζαν για τρεις μέρες γεμάτες. Οι σύζυγοι γκρίνιαζαν και μετά εξοργίζονταν. Τα ρούχα έμεναν άπλυτα. Δεν υπήρχε τίποτα για φαγητό. Τα παιδιά γίνονταν ατίθασα, πεισματάρικα σαν αγριόσκυλα. Γιαγιάδες και θείες που είχαν περάσει για τα καλά πια την εποχή του αίματος προσκαλούνταν σε βοήθεια, αλλά αυτές απλώς ανασήκωναν τους ώμους και γελούσαν με την καρδιά τους και στέκονταν να κοιτάζουν τις κόρες και τις ανιψιές και τις εγγόνες τους να ανάβουν φωτιές στον ουρανό και στη θάλασσα. Έκλαιγαν και χόρευαν στην ακτή ως το χάραμα.

Μετά από ένα τέτοιο τρίμηνο, ο Κηφέας δεν μπορούσε πια να βρίσκει δικαιολογίες για τους συμμάχους του, ούτε ν'αντέξει τον εξευτελισμό ότι είχε στην κατοχή του τέτοιες ανεξέλεγκτες γυναίκες. Όλες οι γυναίκες της πόλης του, του βασιλείου του, είχαν γίνει ανεξέλεγκτες, εξαιτίας της γυναίκας του και του κοριτσιού που δεν ήταν κόρη του. Αντιμιλούσαν στους συζύγους και στους πατεράδες τους. Άφηναν τα μαλλιά τους λυτά. Μιλούσαν κοντά κοντά, έγερναν η μια πάνω στο στήθος της άλλης και έκαναν τους άντρες τους ν'ανησυχούν. Μια καινούρια μυρωδιά αναδυόταν από πολλές απ'αυτές, γλυκιά και μοσχάτη και καθαρή. Έκανε τα σπίτια άνω κάτω από τον πόθο. Σύζυγοι, και σύζυγοι άλλων γυναικών, ήθελαν τόσο πολύ να πλησιάσουν αυτή τη μυρωδιά, που γίνονταν βίαιοι. Τους έφερνε τρέμουλο. Ήθελαν να την κατακτήσουν για πάντα. Καυγάδες ξεσπούσαν, στους δρόμους και πίσω από κλειστές πόρτες. Η πόλη ήταν ανάστατη.

Αν ο Κηφέας το είχε ζητήσει από την Κασσιόπη, εκείνη θα είχε καλμάρει το χάος. Μα δεν το έκανε. Αντ' αυτού, έπιασε την Κασσιόπη και την Ανδρομέδα μια ημέρα πριν την επόμενη σκοτεινή σελήνη, και τις αλυσσόδεσε στο κέντρο του παλατιού του –την Κασσιόπη στο θρόνο της και την Ανδρομέδα στα πόδια της— σε κοινή θέα. Η δύναμή τους δεν αρκούσε για να σπάσει αυτές τις σιδερένιες αλυσίδες. Το αίμα τους ήταν το αίμα των γυναικών του χαλκού. Το σίδερο έκοβε τα μάγια τους στη στιγμή. Ένα σπαθί από σίδερο μπορούσε να κόψει στα δυο ένα χάλκινο. Δεν μπορούσαν να μεταμορφωθούν. Δεν μπορούσαν να πετάξουν μακριά.

Δεν έτρωγαν τίποτα, εκτός από μαύρο ψωμί και νερό, που τους έφερναν μια φορά τη μέρα. Ο Κηφέας ήθελε να περάσει ένα μήνυμα. Και οι άντρες του βασιλείου του ήθελαν να περάσει το μήνυμα. Ώσπου να υποσχεθούν πως δεν θα μεταμορφώνονταν πια και να πουν στις γυναίκες της πόλης να κάνουν το ίδιο, θα έμεναν αλυσσοδεμένες. Η Κασσιόπη έφτυσε χάμω κι αρνήθηκε. Η Ανδρομέδα δεν είπε τίποτε απολύτως. Οι αλυσίδες τής είχαν φέρει αλαλία. Δεν είχε αντιληφθεί το βάρος τους ή το πώς ήταν να βιώνεις πραγματική λύπη.

Η Κασσιόπη κρατούσε συχνά την κόρη της στην αγκαλιά της εκείνες τις εβδομάδες που έγιναν μήνες. Κάθονταν μαζί στο θρόνο, αλυσοδεμένες, σαν να ήταν ακόμα η Ανδρομέδα μικρό κορίτσι στην αγκαλιά της μάνας της, κι όχι ολόκληρη γυναίκα.

Ο Κηφέας μετέφερε το συμβούλιό του στη δυτική πτέρυγα. Μόνο ο κρύος άνεμος τις επισκεπτόταν εκεί, και ο φρουρός με το ψωμί. Λυπάμαι πολύ που δεν μπόρεσα να μας ελευθερώσω, έλεγε η Κασσιόπη στην Ανδρομέδα, τρυφερά, κάθε μέρα, ξεμπερδεύοντας με τα δάχτυλά της τα μαλλιά της κόρης της. Λυπάμαι τόσο πολύ που αυτό σημαίνει να είσαι γυναίκα του λαού μας αυτή τη στιγμή. Δεν ήταν πάντοτε έτσι. Κάποτε, σου δίνω το λόγο μου, όλες οι βασίλισσες ήταν δράκοι. Όλες οι βασίλισσες μιλούσαν με τον ουροβόρο στο κέντρο της γης, αυτόν που είναι κάτω απ'τα πόδια μας, αυτόν που διατρέχει τον κύκλο του τριγύρω στο βόρειο ουρανό τη νύχτα, που γεννά και καταλύει τα πάντα. Κάποτε οι άντρες μας αγαπούσαν τη μυρωδιά της δύναμής μας, το καμπυλωτό μας σχήμα και τις φολίδες μας. Λυπάμαι που εξαιτίας μου υποφέρεις έτσι, κόρη μου. Γεννήθηκες σε μια εποχή που οι γυναίκες είναι υποτελείς σε πατεράδες, συζύγους, αδελφούς και βασιλιάδες. Λυπάμαι που δεν μπόρεσα να σε ελευθερώσω. Ο λαός μας προέρχεται από τις ίδιες τις Νηρηίδες. Η ομορφιά σου είναι η ομορφιά της θάλασσας, των ήσυχων σπηλαίων στα βαθιά, όπου αγγίζει μόνο το φως των φαναρόψαρων. Η ομορφιά σου είναι η τοξωτή πλάτη του δελφινιού και το τραγούδι. Η ομορφιά σου είναι η ομορφιά του λαού μας, που η πρώτη μάνα του ήταν η Αφροδίτη, αυτή που αναδύθηκε από τα κύματα.

*

Όταν η Κασσιόπη και η Ανδρομέδα δεν εμφανίστηκαν στη συνάντησή τους με τον Κήτο στη θάλασσα την νύχτα της σκοτεινής σελήνης, και ούτε την επόμενη, το μέγα θαλάσσιο πλάσμα βούλιαξε στην απελπισία, κι ύστερα στην οργή. Καταλάβαινε τον κόσμο των ανθρώπων αρκετά καλά, ώστε να υποψιάζεται το χειρότερο. Κολυμπούσε στο αλμυρό νερό όλο και πιο κοντά στην ακτή, καλώντας με κραυγές την αγαπημένη και την κόρη του μέσα στο σεληνόφως, στις υψίφωνες νότες που τραγουδούν οι φάλαινες όταν θρηνούν τους δικούς τους.

Δεν ήρθαν.

Οι ουρανοί και η θάλασσα έμεναν αδειανά από λαμπρές γυναίκες με τα δρακοδέρματά τους.

Ο Κήτος είχε ήδη χάσει αρκετά στη ζωή του. Δεν άντεχε να χάσει κι άλλα. Παλιότερα υπήρξε πλάσμα ειρηνικό, που κολυμπούσε μακριά από τα καράβια βασιλιάδων και εμπόρων, φρόντιζε να κρύβεται, περιπλανιόταν στα βαθύτερα χάσματα του ωκεανού για ν'ακούσει τη σκοτεινιά και το κουβάρι από τραγούδια φαλαινών που αντηχούσε εκεί που κόσμοι καταπίνονταν και ξαναφτιάχνονταν. Τώρα δεν άντεχε άλλο. Αναδύθηκε στην επιφάνεια της θάλασσας και κατάπινε ολόκληρο όποιο πλοίο έφερε το έμβλημα του Κηφέα. Ήταν θεόρατος και ασημένιος σαν τη σελήνη, και ανελέητος. Τα ψαροκάικα δεν τα πείραζε, αλλά όποιο βασιλικό σκάφος έβλεπε, το διέλυε. Ήξερε ποια εξουσία του είχε κλέψει τις αγαπημένες. Δεν ήξερε αν ζουν ή πέθαναν, αλλά ήξερε ποιος έφταιγε που δεν έκαναν πια τη θάλασσα και τη νύχτα να λάμπει.

Τα άστρα αποσύρθηκαν στη λάμψη τους πάνω ψηλά. Δεν υπήρχε πια κανείς που να μπορεί ν' ακούσει τι τραγουδούσαν στ'αλήθεια.

Ο Κηφέας δεν ήταν σε θέση να επιστρατεύσει μια δύναμη ικανή να σταματήσει τον Κήτο. Καταπίνε τα πάντα ή τα διέλυε στα βράχια. Δεν θ'αργούσε η στιγμή που δεν θα βρισκόταν νέοι άντρες που να τους καλέσει να υπερασπιστούν τα νερά του, ούτε ανάμεσα στους δικούς του υπηκόους ούτε στους πιο κοντινούς συμμάχους του. Οι συμβουλές των ιερέων του δεν πρόσφεραν και τίποτα καλύτερο. Περίπλοκες θυσίες με κατσίκια, μαύρους ταύρους και μπόλικα φλασκιά με κρασί, που δεν έκαναν τίποτα για να κατευνάσουν αυτόν που αποκαλούσαν Θαλάσσιο Τέρας.

Ένα πρωί, στον τρίτο μήνα της οργής του Κήτου, ο Κηφέας λύγισε. Πήγε να βρει την Κασσιόπη γονατιστός. Ήξερε ότι μόνο αυτή, από όλους τους ζωντανούς και τους νεκρούς του βασιλείου του, είχε τη δύναμη να τον σταματήσει. Δεν ήταν διόλου προετοιμασμένος για την απάντησή της. Ήταν εξουθενωμένος, έτρεμε. Παρά τους σχεδόν τρεις μήνες ασιτίας, εκείνη δεν ήταν. Ούτε και η Ανδρομέδα. Ήταν αδυνατισμένες, αλλά λαμπερές. Τα κόκκαλά τους διαγράφονταν καθαρά. Οι δυνάμεις τους λίγο είχαν μειωθεί. Υπήρχε απλώς λιγότερη σάρκα ανάμεσα σ'αυτές και τον κόσμο πια. Η αίθουσα του θρόνου μύριζε μόσχο, και αίμα, και πέτρα.

Η ματιά της Κασσιόπης έπεσε τόσο σκληρά πάνω στον άντρα της, που άρχισε να τρέμει περισσότερο. Αυτό ήταν το τελειωτικό χτύπημα.

*

«Πες μου, γυναίκα, τι να κάνω για να σταματήσω αυτό το τέρας;

«Δεν είναι τέρας», του απάντησε χωρίς να σηκώσει τα μάτια. «Γιατί να σου πω». Δεν ήταν ερώτηση.

«Ξέρεις, λοιπόν;»

Δεν του απάντησε.

«Ξέρεις. Πες μου, γυναίκα»

«Την κόρη μου», του αποκρίθηκε.

«Τι;»

«Δώσε του την κόρη μου. Την Ανδρομέδα», του είπε ξανά, με τα σκούρα μάτια της ν' αστράφτουν. «Αυτή είναι η μόνη θυσία που έχει αξία. Δέσε την στο γείσωμα του βράχου πλάι στη θάλασσα. Μόνο αυτή είναι ικανή να τον κατευνάσει. Αν βγει αληθινό αυτό που λέω, ελευθέρωσέ με. Μόνο αυτό σου ζητώ. Άσε με ελεύθερη από το σπίτι και από το βασίλειό σου.

Ο Κηφέας κοιτούσε μια την Κασσιόπη και μια την Ανδρομέδα με φρίκη. Η γυναίκα του τον τρόμαξε εκείνη τη στιγμή περισσότερο από ποτέ. Πώς μπορούσε να πει κάτι τέτοιο; Η Ανδρομέδα τον κοιτούσε με μάτια που ακόμα δεν είχε σκληρύνει καμία προδοσία. Ήταν ακόμα πιο δύσκολο να τα κοιτά από της Κασσιόπης. Ήταν τόσο φωτεινά και τόσο γαλήνια. Μα, δεν είχε ακούσει το σχέδιο της μάνας της; Κι όμως, κρατούσε ακόμα σφιχτά το χέρι της Κασσιόπης.

«Θα πάω με τη θέλησή μου, Κηφέα», μουρμούρισε. Και δεν ξανασήκωσε τα μάτια της να τον κοιτάξει.

Την επόμενη μέρα την πήραν, με τα χέρια της δεμένα με μαύρο σκοινί, ως την άκρη της πόλης. Εκεί την έδεσαν σε ένα μεγάλο βράχο που φαινόταν από όλα τα σημεία του λιμανιού. Εκείνη δεν αντιστάθηκε. Η ηρεμία της τρόμαζε τους άντρες που την έδεναν. Φορούσε ό,τι πιο φίνο μπόρεσε να βρει ο Κηφέας από τις ράφτρες της πόλης. Φύλλα χρυσού τραγουδούσαν στις άκρες της φούστας της, βαμμένη σ' ένα μπλε που μόνο η θάλασσα κάτω από το λαμπρότερο ήλιο μπορούσε να συναγωνιστεί. Ο Κηφέας δεν ήθελε το εξιλαστήριο θύμα του να δείχνει ατημέλητο. Θα έκανε την ομορφιά της υπερθέαμα.

Ο ηρωισμός ξύπνησε στις καρδιές των ανδρών των εφτά κοντινότερων βασιλείων, καθώς τα νέα μεταφέρονταν μ' έναν μεγάλο αλαλαγμό σε όλη τη χώρα –*η Ανδρομέδα θα γίνει θυσία στον Κήτο, η Ανδρομέδα, αυτή η ομορφιά της θάλασσας, το παρθένο σώμα της είναι δεμένο στο βράχο όπως το κρέας στο βωμό.* Μα στα μάτια όλων όσοι την παρατηρούσαν, δεμένη σ' εκείνο το βράχο που ξεπρόβαλλε πέρα μακριά, μέσα στην αφρισμένη παλίρροια, έδειχνε ήρεμη και παράξενη σαν μακρινό αστέρι.

Εκείνη είχε αποσυρθεί τόσο μέσα στον εαυτό της που δεν έβλεπε κανέναν. Καλούσε τον πατέρα της. Μάζευε μέσα της μια σιωπηρή κραυγή, χωρίς βοήθεια από τις φολίδες της, ώστε να μπορέσει να την εντοπίσει μ' ένα μοναδικό ξεδίπλωμα υπερήχων στον πάτο της θάλασσας. Της πήρε όλη τη νύχτα και το μεγαλύτερο μέρος της επόμενης μέρας για να το καταφέρει.

Όμως, στο έβδομο βασίλειο, εκείνη την ίδια μέρα, έφτασαν στ' αυτιά του Περσέα τα νέα για την ομορφιά της Ανδρομέδας, και για την ευκαιρία να αποδείξει τη δύναμή του. Μια γυναίκα αλυσοδεμένη σ' ένα βράχο από την ίδια της τη μάνα και τον πατέρα, ως θυσία σε ένα θαλάσσιο τέρας. Θα σκότωνε το τέρας, θα κέρδιζε τη γυναίκα, και η φήμη του θα είχε εξασφαλιστεί. Εκείνη θα γινόταν το εισιτήριο για τη δόξα του.

Η φήμη είχε ήδη αρχίζει να χτίζεται με τη Μέδουσα. Το θαλάσσιο τέρας θα 'ταν εύκολο. Έφτασε κοντά της έφιππος και έπιασε την Ανδρομέδα εντελώς απροετοίμαστη. Το μέτωπό της ήταν ιδρωμένο. Σκέφτηκε πως θα 'ταν από τον τρόμο της για τον Κήτο, αλλά στην πραγματικότητα ήταν η εξάντληση από την προσπάθειά της να καλέσει τον πατέρα της ενώ ήταν δεμένη με σιδερένιες αλυσίδες και χωρίς τις δρακοφολίδες της. Σκέφτηκε πως το βλέμμα στα μάτια της καθώς στράφηκε και τον είδε ήταν παρθενική συστολή, μια γοητευτική απόγνωση και η αναστάτωση του θηλυκού που βρίσκεται τόσο κοντά σε έναν άντρα.

Αυτό που είδε όμως ήταν απελπισία. Ήταν φόβος γι' αυτόν. Εκείνη αποτραβήχτηκε από το άγγιγμά του και δεν του μιλούσε καθόλου. Είχε μπρος της έναν άντρα που θα την αλυσόδενε πάνω του, με τρόπο που ούτε ο Κηφέας είχε καταφέρει. Ένας άντρας που θα προσπαθούσε να την αλυσοδέσει με τον πόθο του και με την υποχρέωση που θα του είχε ως σωτήρα της. Κατάπιε πνιχτά τα δάκρυα της. Αυτός θα σκότωνε τη μεγάλη φάλαινα, τον πατέρα της. Αυτός θα έπαιρνε την ελευθερία της και θα το αποκαλούσε ηρωισμό. Μα τι είχαν κάνει αυτή και η μάνα της σχεδιάζοντας αυτή την απόδραση; Είχαν δημιουργήσει μια παγίδα.

Ο Περσέας κρατούσε το κεφάλι της Μέδουσας μέσα σ' ένα σακί. Κουκούβισε πλάι της, μουρμουρίζοντας ανοησίες που πίστευαν πως θα την ηρεμήσουν. Το στήθος της ανεβοκατέβαινε. Δεν έχω βρεθεί ποτέ μου τόσο κοντά στο να χάσω την ελευθερία μου όσο αυτή ακριβώς τη στιγμή, σκέφτηκε, τραβώντας απότομα τα χέρια της από το άγγιγμά του, αποστρέφοντας το μάγουλο από τα μουρμουρητά του, που ήταν κενά σαν να μιλούσε σε πρόβατο. Το κεφάλι της Μέδουσας έσταζε. Η Ανδρομέδα ήθελε να κάνει εμετό. Ποτέ πριν στη ζωή της δεν είχε νιώσει απόγνωση. Το κάλεσμά της είχε διασχίσει τη θάλασσα και ο Κήτος είχε απαντήσει. Ερχόταν να την πάρει. Εκείνη ήταν δεμένη με σίδερο και δεν μπορούσε να τρέξει σ'αυτόν, να τον προειδοποιήσει, να τον σώσει. Δεν είχε την ενέργεια να συγκεντρωθεί για άλλο ένα κάλεσμα. Έκλεισε τα μάτια της, και μπήκε στη δική της σκοτεινιά, τόσο βαθιά που άγγιξε τη γη μέσα στη θάλασσα.

Ο Κήτος τότε ξεπρόβαλε από την επιφάνεια του νερού, περιχαρής, πηδώντας στον αέρα για την κόρη του, για να την πάρει τρυφερά στο τεράστιο στόμα του και να τη μεταφέρει εκεί που θα 'ταν ασφαλής. Όμως εκεί, μπροστά απ'αυτήν, βρισκόταν ο Περσέας, υψώνοντας το κεφάλι της Μέδουσας μέσα από το σάκο του.

Η Ανδρομέδα μόνο ένα πράγμα σκέφτηκε να κάνει. Είχε ορκιστεί να μην χρησιμοποιήσει ποτέ την ομορφιά της εναντίον κάποιου άντρα. Μα τώρα το έκανε. Πρόφερε το όνομα του Περσέα, χαμηλόφωνα, με τρεμάμενη φωνή και κοφτή ανάσα και με όλη την αθωότητα της παρθενίας της. Εκείνος κοντοστάθηκε, στράφηκε προς το μέρος της κι εκείνη άπλωσε το χέρι της να τον τραβήξει κοντά της. Εκείνος ρίγησε. Το κορμί της ήταν απαλό και υποχωρητικό σαν το νερό, σαν το φως. Ο Κήτος όρμησε, έκανε θρύψαλα το βράχο που ήταν δεμένη η Ανδρομέδα κι εκείνη βούτηξε στη θάλασσα. Ο Περσέας βούτηξε κι αυτός στο κατόπι της. Το κεφάλι της Μέδουσας βούλιαξε. Ξαφνικά, δεν υπήρχε ένα θαλάσσιο τέρας, αλλά δύο –μια τεράστια ασημένια φάλαινα κι ένα μικρότερο, ροδόχρωμο πλάσμα, φωτεινό και κυματιστό σαν φίδι.

Είχαν ήδη εξαφανιστεί. Ήταν ήδη ελεύθεροι.

Ο Περσέας σκαρφάλωσε στην ακτή, στάζοντας νερά. Ανηφόρισε για ώρα τα μονοπάτια της πόλης, για να τους πει αυτά που είχε δει. Ότι η Ανδρομέδα είχε φαγωθεί από το θαλάσσιο τέρας, τον Κήτο. Ότι είχε φτάσει πολύ αργά. Δεν ανέφερε το κεφάλι της Μέδουσας, που χάθηκε στη θάλασσα. Δεν ανέφερε τον κόκκινο δράκο δίπλα στον Κήτο, όταν το κορίτσι βούτηξε στο νερό.

Ο Κηφέας περίμενε δυο μέρες ώσπου να ξεκλειδώσει τις αλυσίδες της Κασσιόπης, απλώς και μόνο για να σιγουρευτεί ότι είχε πει την αλήθεια, ο Κήτος είχε κατευναστεί. Και είχε όντως γίνει έτσι.

Αυτός και η Ανδρομέδα την περίμεναν στο βαθύτερο σημείο της παλίρροιας.

Τη νύχτα που ο Κηφέας την απελευθέρωσε, η Κασσιόπη γέμισε τον ουρανό με τη φωτιά της και μετά τη θάλασσα. Βρήκε τον εραστή και την κόρη της σαν πέτρα που πέφτει μέσα στο νερό προς τον τόπο της. Τρία καινούρια άστρα έλαμψαν εκείνη τη νύχτα γύρω από το μεγάλο Μ στο βορεινό ουρανό και ούτε δράκοι ούτε θαλάσσια τέρατα φάνηκαν ξανά εκείνα τα χρόνια, σ' εκείνο το βασίλειο του μακρινού παρελθόντος, εκτός από τη βαθιά εσωτερική σκοτεινιά των ονείρων. Παρέμειναν ανάμεσα στ' αστέρια από κείνη τη μέρα, επειδή δεν υπήρχε τόπος και ζωή γι' αυτούς μέσα στον κόσμο των αντρών.

*

Μα οι αλυσίδες που κουβαλάμε εδώ και χρόνια, γιαγιάδες μου, τώρα αρχίζουν να σπάνε. Είθε να κατεβούν από τα αστέρια, γιαγιάδες μου, είθε να 'ρθουν από τη θάλασσα. Η γη είναι δρακοχώρα. Είθε να βρούμε πάλι τους εαυτούς μας ελεύθερες.

SEPTEMBER 2019

Venus conjunct Mercury
Venus rises as the Evening Star

Scotland. We travel north into the Highlands. Rosslyn Chapel and the ancient yews, the bronze-colored river below. Petroglyphs carved in red sandstone cliffs: ring and cup marks like a crown, like a cervix. Lush porridge for breakfast in high wooden chairs. Deep moss places in the hemlock forests. Hawthorn berries. Pelting rain and wind. Ben Lomod. Ben Nevis, rising enormously. Iona: a leaf of light in the Atlantic. Small green fairy hillocks and their depths of purple heather. We are visited by a spirit in the night. There are green marble stones as ancient as the earth. The Nunnery and her pink granite, her Sheila na gig, her garden roses. What the Sheila na gig tells us. The Isle of Mull, the loch and rowan berries and the standing stones of Loch Buie. Wet boots in cairn country. We go inside one and sing. Then we listen. Heavy summer roses covered in rain. Crete again, into stunning heat, alone. Pomegranates ripen. The *vleeta,* my favorite green, is almost over in the garden. Carobs ripen on the trees. It is the time of carob syrup. The flavor, once erotic, is now also mournful. Quince, pomegranate and carob left as offerings on the great stone under the oak at the old temple of Dionysos, now a church to the Panagia Kardiotissa. Everything in me hurts. I fly home to California.

The Queen of Moss and Green

Where the moss is green and deep
sits a queen
Her heart had been a dark pool
where rain fell without cease
It took her so long to see clearly again
with every falling drop breaking the surface
in cups and rings, in ripples
They turned her life into a fingerprint
the lines inside a tree

There was a still center point
where every shattering drop fell
but she did not understand
how to get there
not for a long time
not until she dreamed of a crown
of gold-wrought myrtle leaves
and almost lost her mind
with longing for it
not until she found it on a far shore
only to lose it again
all but a single leaf
which she put on a string
around her neck

Not until life crowned her
queen of her own country
the dark country of herself
and she sat down still as dropped rain
on the green moss in the hemlock wood
listening to the dark water

The trees opened
the green moss opened
and there was a twin country
cradled in the dark pool
in the crowns of leaves
so light only stars could walk there
This is my country?
she asked no one in particular
She was amazed

The old way of queens
spoke in the dark water
She said to herself
but I will not give up on love
I will not believe what people say

She rises now
She is wearing a strong green dress
and leather shoes
She is leaving a dark palace
in the night under a waning moon
She mounts her horse in one deep movement
Her bag is light but full, with a bedroll
and a small careful sack
of her talismans and charms

For she sees into two worlds
and knows when
to bring out her magic

She is leaving to find what she lost
She is riding alone under the stars again
She is going to her own country
She is pulling the threads
of her own power from where
she had been holding together broken men

She coils them all back
into the little charmed stone
on the string around her neck
She gallops out in the silent darkness
Her horse is the color of falling leaves
Her spirit is ambrosia again
It has the scent of wet roses and the glen
She can feel her cloak filling once more
with the stars of her beginning:
Pleiades, Hyades, Corona Borealis

That night she sleeps
In a bed of russet oak leaves

She will not dream any more
of being saved

Σεπτέμβρης 2019

Η Αφροδίτη σε σύνοδο με τον Ερμή
Η Αφροδίτη ανατέλλει ως Αποσπερίτης

Ταξιδεύουμε βόρεια μέσα στα Χάιλαντς. Το Παρεκκλήσι Ρόσλιν και οι πανάρχαιοι ίταμοι, ο μπρούτζινος ποταμός παρακάτω. Πετρογλυφικά σκαλισμένα σε λόφους κόκκινου ψαμμίτη: σχήματα κυκλικά και κυπελλοειδή, σαν κορώνα, σαν τράχηλος της μήτρας. Πλούσιος χυλός για πρωινό σε ψηλές ξύλινες καρέκλες. Βαθειά μέρη γεμάτα βρύα μέσα στο δάσος με το κώνειο. Καρποί κράταιγου. Καταρρακτώδης βροχή και αέρας. Μπεν Λόμοντ. Μπεν Νέβις, να υψώνεται γιγάντιο. Ιόνα: ένα φύλλο φωτός μέσα στον Ατλαντικό. Μικρά καταπράσινα νεραϊδένια λοφάκια και το βαθύ μωβ της ερείκης. Μας επισκέπτεται ένα πνεύμα τη νύχτα. Υπάρχουν πράσινες μαρμάρινες πέτρες αρχαίες όσο η γη. Το φυτώριο και ο ροζ γρανίτης της, η Σήλα να γκιγκ, τα ρόδα του κήπου της. Τι μας λέει η Σήλα να γκιγκ. Το νησί Μολλ, η λίμνη και τα μούρα και οι όρθιες πέτρες του Λοχ Μπούι. Βρεγμένες μπότες στη χώρα των καιρν. Μπαίνουμε μέσα σε ένα και τραγουδάμε. Μετά ακούμε. Βαριά καλοκαιρινά τριαντάφυλλα μέσα στη βροχή. Κρήτη και πάλι, μέσα στην εξαντλητική ζέστη. Τα ρόδια ωριμάζουν. Τα βλίτα, τα αγαπημένα μου χόρτα, έχουν σχεδόν τελειώσει στον κήπο. Τα χαρούπια ωριμάζουν στα δέντρα. Είναι η ώρα του χαρουπόμελου. Η γεύση, ερωτική παλιά, κουβαλάει τώρα και το θρήνο. Κυδώνι, ρόδι και χαρούπι αφημένα προσφορά πάνω στη μεγάλη πέτρα κάτω από τη βελανιδιά στον αρχαίο ναό του Διονύσου, τώρα εκκλησία της Παναγιάς Καρδιώτισσας. Όλα μέσα μου πονάνε. Πίσω στο σπίτι μου, στην Καλιφόρνια, με αεροπλάνο.

Η Βασίλισσα των Βρύων και της Βλάστησης

Εκεί που τα βρύα είναι πράσινα και βαθιά
κάθεται μια βασίλισσα
Η καρδιά της ήταν από καιρό μια λίμνη σκοτεινή
όπου η βροχή έπεφτε ακατάπαυστα
Της πήρε τόσο πολύ καιρό ώσπου να δει και πάλι καθαρά
έτσι όπως κάθε στάλα που έπεφτε, τάραζε την επιφάνεια
φτιάχνοντας ημικύκλια και δαχτυλίδια, σε κύματα
Αυτά μετέτρεψαν τη ζωή της σε δαχτυλικό αποτύπωμα
σε γραμμές μέσα σε δέντρο

Υπήρχε ένα ατάραχο κεντρικό σημείο
εκεί όπου έπεφτε η κάθε διασπαστική σταγόνα
εκείνη όμως δεν καταλάβαινε
πώς θα φτάσει εκεί
δεν καταλάβαινε για πολύ καιρό
ώσπου ονειρεύτηκε ένα στέμμα
από χρυσόδετα φύλλα μυρτιάς
και παραλίγο να χάσει το νου της
από τη λαχτάρα της γι'αυτό
δεν καταλάβαινε, ώσπου το βρήκε σε μια μακρινή ακτή
μόνο και μόνο για να το ξαναχάσει
εκτός από ένα μοναδικό φύλλο
που πέρασε σ'ένα κορδόνι
γύρω από το λαιμό της.

Δεν καταλάβαινε, ώσπου η ζωή την έστεψε
βασίλισσα της δικής της χώρας
της σκοτεινής χώρας του εαυτού της
κι εκείνη κάθισε χάμω ακίνητη, σαν την πεσμένη βροχή
πάνω στα πράσινα βρύα μέσα στο δάσος το γεμάτο κώνειο
ν'ακούει τα σκοτεινά νερά

Τα δέντρα μέριασαν
τα πράσινα βρύα μέριασαν
και εκεί βρισκόταν η δίδυμη χώρα
προφυλαγμένη μέσα στη σκοτεινή λιμνούλα
μέσα στην κορφή της φυλλωσιάς
τόσο ανάλαφρη, που μόνο αστέρια μπορούσαν να περπατήσουν εδώ
Αυτή είναι η χώρα μου;
ρώτησε, έτσι γενικά
Είχε μείνει κατάπληκτη

Ο παλιός τρόπος που είχαν οι βασίλισσες
μιλούσε στο σκοτεινό νερό
Εκείνη έλεγε στον εαυτό της
Μα εγώ ποτέ δεν θα πάψω να πιστεύω στην αγάπη
Αρνούμαι να πιστέψω αυτά που λένε οι άνθρωποι

Εκείνη σηκώνεται τώρα
Φοράει ένα καταπράσινο φόρεμα
και δερμάτινα παπούτσια
Αφήνει πίσω της ένα παλάτι σκοτεινό
μέσα στη νύχτα, κάτω από μια σελήνη στη λίγωση
Ανεβαίνει στο άλογό της με μια βαθειά κίνηση
Το σακίδιό της είναι ελαφρύ αλλά γεμάτο, με ένα στρώμα τυλιγμένο
κι ένα μικρό προσεγμένο πουγκί
με τα φυλαχτά και τα ξόρκια της

Γιατί αυτή βλέπει μέσα σε δυο κόσμους
και ξέρει πότε
να ανοίξει τη μαγεία της

Φεύγει για να βρει αυτό που έχασε
Ιππεύει μόνη, κάτω από τ' άστρα ξανά
Πηγαίνει στη χώρα τη δική της
Τραβά τις κλωστές
της δύναμής της από
τους κομματιασμένους άντρες που συγκρατούσε, να μη διαλυθούν

Τις τραβά και τις τυλίγει όλες
τις βάζει μέσα στη μικρή μαγεμένη πέτρα
στο κορδόνι γύρω από το λαιμό της
Βγαίνει καλπάζοντας στη σιωπηλή σκοτεινιά
Το άλογό της έχει το χρώμα των πεσμένων φύλλων
Το πνεύμα της είναι πάλι αμβροσία
Έχει το άρωμα του βρεγμένου τριαντάφυλλο και του λόγγου
Νιώθει για άλλη μια φορά την κάπα της να γεμίζει
με τα άστρα της απαρχής της:
Πλειάδες, Υάδες, Κόμη της Βερενίκης

Τη νύχτα αυτή κοιμάται
Σ' ένα κρεβάτι από πυρόχρωμα φύλλα βελανιδιάς

Δεν πρόκειται πια να ονειρευτεί
πως κάποιος θα τη σώσει

OCTOBER 2019

First vestment conferred (She regains Her royal robe)
Venus with Mercury and the Moon

Home to Inverness on the Point Reyes Peninsula: a tectonic island made of the Pacific plate and not the North American. The smell of the dry season, sweet bishop pines and their fallen needles and the oak woods. The cold of the water at Shell Beach after the gentle Mediterranean. Making home in the old woman's house among the pines and oaks a year after she died. Her ashes are with her husband's on the altar still. I talk to both of them the first night. Kehoe Beach, the white foam of the Pacific, a wildness of cold salt that lives in me where first love lives, and before. Coyotes on the bluffs, and a peregrine falcon, watching all of us with the old woman's ashes as we give both of them back to the world. Later, walking with my ex-husband there, where we once left a hundred thousand loving steps. The pocketknife, the apples and cheese. Everything is different. The taste of how utterly stunning loss is. Wildfire season begins.

Ogygia Speaks

I am a six-sided charm stone at the center of the world. Cast me in the sea. Each side reveals a different eon. I am the labyrinth's turning and its still center. I am the oldest stone in the world, the first and the last. I float, and so rise and fall like a leaf with the floods and droughts of Earth. I am every island, the seed at their center, and none of them entirely.

I am quartz and limestone. Some of the pebbles on my shores are seamed green with serpentine. Others are reddish from iron. Most are white, and quickly become smooth as bird's eggs. I dream in falcon migrations and in their clifftop nests. My edges bristle with falcon colonies. My Calypso has eyes like theirs. Nearly golden, they see into utter darkness. She saw me, in the dark of galaxies, as she fell inside the earth and stars.

I cannot explain in human terms how a human woman might fall inside and outside time, through the well at the center of her House, through the cosmos' arteries, through Earth's purple heart, and land on an island in the sea at the center of all things, where the falcons migrating from Egypt north to Crete fly through an open seam in the night sky near Cassiopeia's throne, and rest on my limestone cliffs. Where every wild orchid from those southern countries grows in the meadow round the spring that arises from my center.

The spring flows in the six directions into the sea, through the pine and oakwood in my central gorge, underground and aboveground to my six corners, feeding all the rivers, springs and oceans of the earth. There are just as many centers of the world. Every country has its Ogygia by some other name, and yet all Ogygias are Ogygia, resting at the still center, a cup surround by rings in a lapis sea. Every seeker calls forth a different Ogygia. I am hers. In her falling through the three worlds, she made me in the image of her own sanctuary, though she did not know it.

The Calypso dreams her Ogygia.

That is why the falcons come, because they were the falcons of her county, the falcons that flew yearly over the high hill where she grew into young womanhood, their wings the color of olivewood charcoal in a spring sky. That is why the ten thousand orchids grow too, because as a young woman she knew all ninety-nine of their names among the gorges and mountain plateaus of her people, and also the iris with its fragrant roots. This she had been expert in digging and processing for its thick perfume. That is why I have a tall peak surrounded by lower hills, and three small gorges that lead to the sea. That is why I have deep caves that open slick into darkness, and some that are shallow but long, good for living in. My Calypso dreamed me in the likeness of her longing. She was used to a cave by the sea, and gorges, and high hills.

But there are other things that are mine alone. That are not of her world. Things that are visible on Ogygia to the naked eye only because time is not dense in my waters, among my stones. They are things that cannot be seen or felt so easily in the world from which she fell. For example, the patterns of the stars are not the same, because there are so many more, and I sit at a different vantage to them all. Their tones can be easily heard when the moon is dark, as easily as night owls, only higher-voiced, like clear thin metals ringing, or crystalline stones touching. In a storm, my Calypso described this sound to the little scops owl who lived with her in her cave as something like the sound rocks make underwater when a strong tide pulls them against each other.

At night sometimes the stars come to rest inside the orchid flowers, or in the water of the pool. At dawn, all that's left of them is a smudge of dust, like a moth's wing leaves, sometimes silver, sometimes gold, on occasion as red as a cut garnet. These, my Calypso has learned, are the greatest of all medicines known. Her mother's people knew the same but could not see or gather the dust so easily. Here on Ogygia, it is as easy to gather as pollen. Here on Ogygia, everything speaks one language.

This shocked and delighted my Calypso for months, when she first came. How the owls and pine trees spoke as fluently to her as her motherfolk had once done. She would not be as alone as she had thought. She had spent her whole adult life training her senses to the nuances of Earth's language, to every subtlety of wind and tree and bird song. Among her people, she was very skilled. But here, all the letters rearrange themselves daily, and the moon's language—those nineteen symbols from her foremothers that were in the crane-skin bag at her belt when she fell between three worlds, carved on little goat bones—lives inside everything and speaks its mind freely.

The force that moves the moon is the force that cast me, Ogygia, six-sided charm stone, into the world's waters. It chose my eon and prophesied my Calypso. So it was that this one was brought to me and filled herself with the living language of my ground.

My pomegranates are not full of fruity seeds, but tiny planets that toll renewal. They are made of her blood, and his, and the iron at Earth's core. Swallowing one, she agreed. Yes, she said, I will stay here, until I see what needs to be seen, until I am no longer shattered, until I know how all the pieces fit and am not afraid to show those sherds to the world.

Ashes, and the King Who Came Home

There is a shore the color of ashes. We sit here, lovers of five-thousand years, waiting for them. The taste of ash is still in our mouths. Sometimes it burns our eyes.

All of us who live here carry a similar story. It has made a fracture in us that widens as we wait. It cleaves us to each other. Somewhere, suddenly, long ago, we lost someone we loved to a terrible grey mist.

Not the kind that bears healthful mysteries, or that comes in off the sea at dusk, but the kind that takes away the will to live, that confuses the senses, that beckons from the place of doubt and self hate, that is filled with fumes the lungs cannot long survive. Methane and sulfur and carbon monoxide, from places where there is no renewal, deeper than the underworld.

Earth never told us to go down there for renewal, never told us to bury our dead so deep, to seek rebirth in such chemical heat, but we went there anyway: for tin, for iron, for oil, for glory.

There the God of devils and warlords seduces with the promise of eternity. He is intentionally vague about what kind.

This promise of eternity: actually it is a horror, to remain young forever. A tin man, a bronze man, an iron man, no heart, no blood. Gravity cannot touch such a man. Moon cannot pull him, Earth cannot change him. His beloved cannot love him. He is as one already dead.

He never wanted this. He only wanted to escape the dead place in him and did not know how.

He turned away. He said, I do not know how to love myself. He said, most often I hate myself. He said, I need to be free. He said, the commander asks us to fight for freedom. Freedom or death, he said. His eyes shone, terribly. We asked when does fighting for freedom become a pathology, a running from love? He did not reply.

There was a messenger running back and forth across a war zone, to bring word to the king. Your queen has given birth to a child! But the messenger kept falling under a spell by the riverside. A strange grey sleep overtook him. The devil came out of the ashes. He switched the messages.

Your queen has given birth to a monster. Back and forth, back and forth, falling into the grey place, mouth full of ash. I love my queen, I love my child, I do not care if he is a monster, tell her I am coming. But the devil got in again. The messenger fell asleep again. The earth was ravaged by war. Ash was everywhere. Kill my queen and my child and cut out her tongue as proof. He did not know what he did or said. Freedom, something in him snarled, savagely, but he meant something else. I am nothing. I am empty. You are nothing to me. Isn't this the only way out of pain?

They cannot hear as we cry out for them from the riverbank. Their eyes are chilly, empty, dull. They seem to resent the hot, alive need in our throats, resent that our hearts are burning with life, pierced in the sunlight, trying to call them back.

When the thunderbolt gods came across the lands of Europe, they split this gate open wide. The mists came out, stinking to some of despair and betrayal, but fooling others with a glimmer of impossible riches. Endless riches. Riches horizon to horizon, no looking back into pain, riches and youth and beauty beyond death, forever.

On the shore of five thousand years we, the lovers left behind—women and men and children—have had each other to hold. We have had the vessels of our mothers, the patterns they gave us that spell the moon's language, that primordial script of changes, of loss and love and being born. We have had the shrouds whose design is as old as the mountains, threaded with silver beads, spelling our ancestors. We have had our wombs, or our mother's wombs, that bleed, and bleed again, cleansing us of everything, telling us every month you are new now, whatever wound has left a scar you are still renewed, even if we did not believe it, could not believe it, still cannot believe such scars will ever stop hurting.

Even so, our bodies have been giving us, and each other, this absolution, this total forgiveness, this return, despite all trauma, enslavement, and abuse. This mystery, which is the moon's and the earth's, cannot be taken from us. It cannot even be stopped. Hidden, shamed, mutilated, reviled, but stopped: never. Not so long as the moon waxes and wanes and the springs arise from the darkness of stones.

But the ones we lost: they were the glorious wheat, only they had forgotten the power of the seed. We watched them get cut down before our eyes. We saw the light leave them well before, when they could not keep us from harm. When they could not weep. When they could not find the source of their fertility, because it had been smashed across the hearth when raiders came from far away to take what they lived for, to take what they loved—smashed across the hearth smashed across the hearth—

pithos

kernos

beloved

heart

That's when we heard the world breaking. When the light went out of their eyes, and ash replaced it. That's when we fell from grace. All together we fell.

You fell away from me into the gray place, and are falling still, through millennia.

The devil has seduced the messenger. The devil has seduced the king. The king is ordering her dead. The king is running like hell from a passionate, weeping, longing little boy who is chained and abandoned in a cell inside his heart. A little boy who was once humiliated for loving his dog—his horse his sister his mother—and crying when she died in childbirth, who was warned never to cry again, not ever you worthless little shit, you pussy, what are you made of.

Any measure of numbness, any river of forgetting, any country of ash and distance, would be better than having to descend all the way down there to see the tatters and bones in that cell, the boy whose eyes are your eyes, from before the fall, from the time when a man's heart was a tender, sobbing, yearning, piercing, gorgeous, courageous, dancing free thing.

When he did not have to run into battle to prove his value, when he did not have to keep from breaking down in the face of violence to show his worth, when he knew how to be the springing green that flourished and subsided and flourished again, when he knew how to stay to stay to stay when it hurt to stay and look.

When he did not hide his heart to keep that final frontier from being cut asunder too.

Think of all the lands conquered and pillaged, because he could not sit down, weeping, to claim that one country as his true kingdom. Think of the lost kingdoms that died with the ones who carried them, that shriveled to ash in the wasteland they left for, the grey place of no feeling, of no root, where the devil writes the letters and the messenger sleeps.

They drift, half-dead. Dying is easier, all that ash, than living. Dying is easier, the devil whispers. This body is trash, the devil whispers, your soul is ruined, you are unworthy of the queen inside you, have another shot of raki, a shot of heroin, a shot at your enemy, until the pain is someone else's ghost, someone else's fault, someone else's problem.

Until you have given away what you thought you fought for — freedom.

The devil is glutted on it all. His belt jingles with the keys.

On the shore, five thousand years have passed. There was a time when we thought even our vessels were lost, the ones from our grandmothers painted with the letters of the moon. They were shattered. We didn't know the design.

Each of us had only one sherd, or the dust from one sherd, still clutched in our hands. Our shrouds were lost too. Nobody remembered how to make them, nobody except the moon, and the lines on our palms, and the whispering flax.

Nobody knew the words or the melodies of the mourning songs, or the songs of birth. Nobody except our weeping, nobody except our love. We made another country with our palm lines, with the dust from the sherds, with our tears, with our blood. We planted seeds there. We grew beans, and then flax. We wove the wedding veils. We married each other, we married ourselves, we married the devil in us, we went down to the bottom of the darkness and saw he was only a weeping child. We smelted down the keys and made a cooking pot, a bell. We called him home for dinner.

We are still waiting on the shore. We will not leave you there alone. We breathe the ash. Our eyes burn. We keep breathing. There are seeds in our hands. We fell all together. We do not leave anyone behind.

Come back home, beloved, come back home.

In the mist, in the grey, the king has been walking.

He has not eaten for seven years. He has not eaten for seven generations. He has not eaten for seven eons.

His mother sacrificed a deer instead of the queen and showed him that tongue. He has been looking for her ever since.

He couldn't see through the mist, through the ash, through the doubt. Still he walked. He walked and walked. He kept the sky from falling down on us with the strength of his back. His heart helped him but kept quiet about it. He didn't know how to say it. He didn't know why it hurt in his chest. He didn't know it was broken. He walked. He learned to listen. He remembered what he heard. He learned to cry.

It was the tears that led him home.

One day, he had cried so many, he could feel himself again. He had cried so many, he was scrubbed raw as linen on the washing board. His skin felt brand new.

He heard a little bell through the grey. He heard a child, laughing. He heard a voice calling, high, time for dinner, not so far away at all.

He began to run.

Οκτώβρης 2019

Το πρώτο Ιερό Ένδυμα επιδίδεται (ανακτά το βασιλικό Της ιμάτιο)
Η Αφροδίτη με τον Ερμή και τη Σελήνη

Σπίτι μου, στο Ινβερνές, στη Χερσόνησο Πόιντ Ρέις, ένα τεκτονικό νησί δημιουργημένο πάνω στην τεκτονική πλάκα του Ειρηνικού και όχι της Βόρειας Αμερικής. Η μυρωδιά της ξηρής εποχής, γλυκιά από τα πεύκα Μπίσοπ και τις πεσμένες βελόνες τους και από τα δάση των βελανιδιών. Η παγωνιά του νερού στην παραλία Σελλ μετά από τη γλυκειά Μεσόγειο. Φτιάχνοντας το σπιτικό μου στο σπίτι της Πέννυ, μέσα στα πεύκα και τις βελανιδιές, ένα χρόνο αφού πέθανε. Η τέφρα της είναι εδώ μαζί με του άντρα της, ακόμα επάνω στο βωμό. Μιλώ και στους δυο τους την πρώτη νύχτα. Παραλία Κεχόε, ο λευκός αφρός του Ειρηνικού, μια αγριάδα από κρύο αλάτι που ζει μέσα μου εκεί που ζει η πρώτη αγάπη, και νωρίτερα. Κογιότ στα βράχια κι ένας πετρίτης, να παρακολουθούν όλους εμάς με την τέφρα της Πέννυ καθώς τους παραδίδουμε πίσω στον κόσμο. Αργότερα, η συνάντησή μου με τον πρώην άντρα μου εκεί, όπου κάποτε αφήσαμε εκατό χιλιάδες βήματα αγάπης. Ο σουγιάς, τα μήλα και το τυρί. Όλα είναι διαφορετικά. Γεύομαι πόσο απόλυτα ισοπεδωτική είναι απώλεια. Η εποχή των πυρκαγιών ξεκινά.

Η Ωγυγία Μιλά

Είμαι μια εξάπλευρη πέτρα-φυλαχτό στο κέντρο του κόσμου. Πέτα με στη θάλασσα. Η κάθε πλευρά μου αποκαλύπτει μια διαφορετική διάσταση του χρόνου. Είμαι η περιστροφή του λαβυρίνθου και το ακίνητο κέντρο του. Είμαι η αρχαιότερη πέτρα στον κόσμο, η πρώτη και η τελευταία. Επιπλέω κι έτσι ανεβοκατεβαίνω σαν το φύλλο μαζί με τις παλίρροιες και τις ξηρασίες της Γης. Είμαι κάθε νησί, ο σπόρος στο κέντρο τους, και κανένα απ'αυτά.

Είμαι χαλαζίας και ασβεστόλιθος. Μερικά βότσαλα στις ακτές μου έχουν πράσινες ραφές από σερπεντίνη. Άλλα είναι κοκκινωπά από το σίδηρο. Τα περισσότερα είναι λευκά και γρήγορα γίνονται λεία σαν αυγά πουλιού. Ονειρεύομαι σε μεταναστευτικά ταξίδια γερακιών και στις απόκρημνες φωλιές τους στις κορφές. Οι άκρες μου μυρμηδίζουν από τις αποικίες των γερακιών. Η Καλυψώ μου έχει μάτια σαν τα δικά τους. Σχεδόν χρυσά, βλέπουν μέσα στο απόλυτο σκοτάδι. Με είδε, μέσα στα σκοτάδια των γαλαξιών, καθώς έπεφτε μέσα στη γη και στα άστρα.

Δεν μπορώ να εξηγήσω με όρους ανθρώπινης κατανόησης το πώς μια ανθρώπινη γυναίκα μπορεί να πέσει μέσα και έξω από το χρόνο, μέσα από το πηγάδι στο κέντρο του Οίκου της, μέσα από τις πορφυρές αρτηρίες του κόσμου, μέσα από τη βιολετιά καρδιά της Γης, και να προσγειωθεί πάνω σ'ένα νησί μέσα στη θάλασσα, στο κέντρο όλων των πραγμάτων, εκεί όπου, αποδημώντας τα γεράκια από την Αίγυπτο προς Βορρά προς την Κρήτη, πετούν μέσα από μια ανοιχτή ραφή στο νυχτερινό ουρανό, κοντά στο θρόνο της Κασσιόπης, και ξεκουράζονται στους ασβεστολιθικούς λόφους μου. Εκεί που κάθε άγρια ορχιδέα από εκείνες τις νότιες χώρες φυτρώνει στο λιβάδι γύρω από την πηγή που αναβλύζει από το κέντρο μου.

Η πηγή ρέει στις έξι κατευθύνσεις προς τη θάλασσα, μέσα από το δάσος με τα πεύκα και τις δρύες στο κεντρικό φαράγγι μου υπόγεια και υπέργεια προς τις έξι γωνίες μου, προς τις έξι κατευθύνσεις, τροφοδοτώντας όλα τα ποτάμια, τις πηγές και τους ωκεανούς της Γης. Τόσα είναι και τα κέντρα που υπάρχουν στον κόσμο. Η κάθε χώρα έχει την Ωγυγία της με άλλο όνομα, κι όμως όλες οι Ωγυγίες είναι η Ωγυγία, βολεμένη στο ακίνητο κέντρο, μια κούπα τυλιγμένη σε δαχτυλίδια μέσα σε μια θάλασσα λαζουρίτη. Καθένας που αναζητά ανακαλεί μια διαφορετική Ωγυγία. Εγώ είμαι δική της. Κατά την πτώση της μέσα από τους τρεις κόσμους, με έπλασε κατ'εικόνα του δικού της ιερού, παρόλο που δεν το γνώριζε.

Η Καλυψώ ονειρεύεται την Ωγυγία της

Γι'αυτό έρχονται τα γεράκια, επειδή ήταν τα γεράκια του τόπου της, τα γεράκια που πετούσαν ολοχρονίς πάνω από τους ψηλούς λόφους όπου μεγάλωσε κι έγινε νεαρή γυναίκα, και τα φτερά τους είχαν το χρώμα του κάρβουνου από λιόξυλο κόντρα σ'έναν ανοιξιάτικο ουρανό. Για τον ίδιο λόγο φυτρώνουν και οι δέκα χιλιάδες ορχιδέες, επειδή σαν νέα κοπέλα, ήξερε και τα ενενήντα εννιά ονόματά τους μέσα στα φαράγγια και τα οροπέδια του λαού της, ήξερε και την ίριδα και τις αρωματικές ρίζες της. Σ'αυτό ήταν πραγματικά ειδική, να σκάβει και να μεταποιεί τη ρίζα για το πηχτό της άρωμα. Γι'αυτό το λόγο έχω μια ψηλή κορυφή περιτριγυρισμένη από χαμηλότερους λόφους και τρία μικρά φαράγγια που βγάζουν στη θάλασσα. Γι'αυτό έχω βαθιές σπηλιές που ανοίγονται ολισθηρές προς το σκοτάδι και μερικές που είναι ρηχές αλλά μακριές, καλές για να ζεις εκεί μέσα. Η Καλυψώ μου με ονειρεύτηκε προσομοιάζοντας τη λαχτάρα της. Είχε συνηθίσει να ζει στις σπηλιές πλάι στη θάλασσα και στα φαράγγια και στους ψηλούς λόφους.

Υπάρχουν όμως άλλα πράγματα που είναι αποκλειστικά δικά μου. Που δεν είναι από τον κόσμο της. Πράγματα που στην Ωγυγία είναι ορατά με γυμνό μάτι, μόνο επειδή ο χρόνος δεν είναι πυκνός μες στα νερά μου, ανάμεσα στις πέτρες μου. Είναι πράγματα που δεν είναι τόσο εύκολα ορατά ή αισθητά στον κόσμο απ'όπου έπεσε. Για παράδειγμα, τα σχέδια των αστεριών δεν είναι τα ίδια, επειδή υπάρχουν πολύ περισσότερα κι εγώ κάθομαι σε διαφορετική οπτική γωνία απέναντι σε όλα τους. Οι ήχοι τους ακούγονται εύκολα όταν δεν έχει φεγγάρι, εύκολα όπως οι κουκουβάγιες, μόνο που είναι πιο υψίτονοι, σαν να ηχεί καθαρό μέταλλο, ή σαν πέτρες κρυσταλλικές που αγγίζονται. Κατά τη διάρκεια μιας καταιγίδας, η Καλυψώ μου περιέγραψε αυτό τον ήχο στον μικρό γκιώνη που ζούσε μαζί της στη σπηλιά της σαν τον ήχο που κάνουν τα βράχια κάτω από το νερό όταν τα σέρνει το ένα πάνω στο άλλο η δυνατή παλίρροια.

Τη νύχτα μερικές φορές τα αστέρια έρχονται να ξεκουραστούν μέσα στα λουλούδια της ορχιδέας ή στο νερό της λιμνούλας. Την αυγή, το μόνο που έχει απομείνει απ'αυτά είναι μια μουτζαλιά σκόνης, όπως αφήνουν τα φτερά μιας νυχτοπεταλούδας, μερικές φορές ασημί, άλλες χρυσό κάποιες φορές κατακόκκινο σαν κομμένος γρανάτης. Αυτά, έμαθε η Καλυψώ μου, είναι τα ανώτερα από όλα τα φάρμακα που είναι γνωστά στο σώμα μας και στη γη. Και ο λαός της μάνας της τα ήξερε αυτά, αλλά δεν έβλεπαν τόσο καλά ώστε να μαζεύουν τη σκόνη εύκολα. Εδώ στην Ωγυγία, είναι εύκολο σαν να μαζεύεις γύρη. Εδώ στην Ωγυγία τα πάντα μιλούν μία γλώσσα.

Αυτό σόκαρε και κατενθουσίασε την Καλυψώ μου για μήνες ολόκληρους όταν είχε πρωτοέρθει. Πώς οι κουκουβάγιες και τα πεύκα της μιλούσαν με την ίδια άνεση όσο και η γενιά της μάνας της παλιότερα. Δεν θα ήταν τόσο μόνη όσο είχε αρχικά πιστέψει. Είχε περάσει όλη την ενήλικη ζωή της να εκπαιδεύει τις αισθήσεις της στις αποχρώσεις της γλώσσας της Γης, σε κάθε ελάχιστη διαφοροποίηση στο τραγούδι του ανέμου, του δέντρου, του πουλιού. Οι δεξιότητές της ξεχώριζαν ανάμεσα στους ανθρώπους της. Εδώ όμως, όλα τα γράμματα αναδιοργανώνονται καθημερινά και η γλώσσα της σελήνης — εκείνα τα δεκαεννιά σύμβολα από τις αρχαίες μανάδες της που τα είχε μέσα στο πουγκί από δέρμα γερανού στη μέση της όταν έπεσε ανάμεσα από τρεις κόσμους, σκαλισμένα επάνω στα μικρά κατσικίσια κόκκαλα— ζει μέσα στα πάντα και εκφράζεται ελεύθερα μέσα από κάθε πλάσμα.

Η δύναμη που κινεί τη σελήνη είναι η δύναμη που πέταξε, εμένα την

Ωγυγία, την εξάπλευρη πέτρα φυλαχτό, μέσα στα νερά του κόσμου. Αυτή διάλεξε τον αιώνα μου και προφήτεψε την Καλυψώ μου. Έτσι έγινε κι έφτασε σε μένα και αφέθηκε να την πλημμυρίσει η ζωντανή γλώσσα του εδάφους μου.

Τα ρόδια μου δεν έχουν μέσα τους πληθώρα από ζουμερά σπόρια, αλλά μικροσκοπικούς πλανήτες που αξιώνουν ανανέωση. Είναι φτιαγμένοι από το αίμα της, και το δικό του, και από το σίδερο στον πυρήνα της Γης. Καταπίνοντας ένα, συμφώνησε. Ναι, είπε, θα μείνω εδώ, ώσπου να δω ό,τι χρειάζεται να δω, ώσπου να μην είμαι πια θρύψαλα, ώσπου να ξέρω πώς μπαίνουν και δένουν όλα τα κομμάτια και ώσπου να μη φοβάμαι να φανερώσω αυτά τα θραύσματα στους ανθρώπους.

Στάχτες και ο Βασιλιάς που Γύρισε Σπίτι

Υπάρχει μια ακτή στο χρώμα της στάχτης. Εδώ καθόμαστε, ερωμένες πέντε χιλιάδων χρόνων, περιμένοντάς τους. Τη γεύση της στάχτης την έχουμε ακόμα στο στόμα. Μερικές φορές μας καίει τα μάτια.

Όλες μας που ζούμε εδώ έχουμε παρόμοια ιστορία. Έφτιαξε μέσα μας ένα ρήγμα που διευρύνεται καθώς περιμένουμε. Μας συγκολλά τη μία με την άλλη. Κάπου, ξαφνικά, πριν πολύν καιρό, χάσαμε κάποιον που αγαπούσαμε, μας τον πήρε μια φριχτή γκρίζα ομίχλη.

Όχι αυτήν που κουβαλάει μυστήρια γεμάτα γιατρειές, ούτε αυτήν που ξεπηδάει από τη θάλασσα το σούρουπο, αλλά αυτήν που σου στερεί την όρεξη να ζεις, που θολώνει τις αισθήσεις, που σε καλεί από τον τόπο της αμφισβήτησης και της αυτοαπέχθειας, που βρίθει από αναθυμιάσεις που τα πνευμόνια δεν μπορούν για πολύ ν'αντέξουν. Μεθάνιο και θειάφι και μονοξείδιο του άνθρακα, από τόπους όπου δεν υπάρχει ανανέωση, βαθύτερα από τον κάτω κόσμο.

Η Γη δεν μας έστειλε ποτέ εκεί κάτω για ανανέωση, δεν μας είπε ποτέ να θάβουμε τόσο βαθιά τους νεκρούς μας, να αναζητούμε την αναγέννηση μέσα σε τέτοια χημική κάψα, αλλά εμείς πήγαμε έτσι κι αλλιώς: για τον κασσίτερο, για το σίδερο, για το πετρέλαιο, για τη δόξα.

Εκεί ο Θεός των διαβόλων και των πολέμαρχων σαγηνεύει με την υπόσχεση της αιωνιότητας. Και είναι σκόπιμα ασαφής ως προς το είδος της.

Η υπόσχεση της αιωνιότητας: ουσιαστικά είναι μια φρίκη, να μένεις νέος για πάντα. Ένας τσίγκινος άντρας, ένας χάλκινος άντρας, ένας σιδερένιος άντρας, ούτε καρδιά ούτε αίμα. Η βαρύτητα δεν αγγίζει έναν τέτοιον άντρα. Η Σελήνη δεν μπορεί να τον τραβήξει, η Γη δεν μπορεί να τον αλλάξει. Η αγαπημένη του δεν μπορεί να τον αγαπήσει. Σαν να'ναι ήδη νεκρός.

Αυτός δεν το'θελε ποτέ αυτό. Ήθελε μόνο να ξεφύγει από το νεκρό τόπο μέσα του και δεν ήξερε το πώς.

Αποτράβηξε το βλέμμα. Είπε, Δεν ξέρω πώς να αγαπώ τον εαυτό μου. Είπε, τις περισσότερες φορές μισώ τον εαυτό μου. Είπε, έχω ανάγκη να είμαι ελεύθερος. Είπε, ο διοικητής μάς ζητάει να πολεμήσουμε για την ελευθερία. Ελευθερία ή θάνατος, είπε. Τα μάτια του έλαμπαν, φρικτά. Εμείς ρωτήσαμε, πότε ο πόλεμος για την ελευθερία έγινε παθολογία, έγινε απόδραση από την αγάπη; Εκείνος δεν απάντησε.

Υπήρχε ένας αγγελιαφόρος που πηγαινοερχόταν σε μια εμπόλεμη ζώνη, για να φέρει τα νέα στο βασιλιά. Η βασίλισσά σου έφερε στον κόσμο ένα παιδί! Μα ο αγγελιαφόρος μαγευόταν από ένα ξόρκι κάθε φορά που πλησίαζε την όχθη του ποταμού. Ένας παράξενος γκρίζος ύπνος τον κυρίευε. Ο διάβολος έβγαινε μέσα από τις στάχτες. Άλλαζε τα μηνύματα.

Η βασίλισσά σου έφερε στον κόσμο ένα τέρας. Μπρος και πίσω, μπρος και πίσω, η πτώση μέσα στον γκρίζο τόπο, με το στόμα γεμάτο στάχτες. Αγαπώ τη βασίλισσά μου, αγαπώ το παιδί μου, δεν με ενδιαφέρει αν είναι τέρας, πες της πως έρχομαι. Μα ο διάβολος το άρπαξε ξανά. Ο αγγελιαφόρος και πάλι αποκοιμήθηκε. Η γη ήταν ρημαγμένη από τον πόλεμο. Στάχτες παντού. Σκότωσε τη βασίλισσα και το παιδί μου και κόψε τη γλώσσα της σαν απόδειξη. Δεν ήξερε ούτε τι έκανε ούτε τι έλεγε. Ελευθερία, κάτι μέσα του γρύλισε, άγρια, αλλά εκείνος εννοούσε κάτι άλλο. Δεν είμαι τίποτα. Είμαι άδειος.

Δεν είσαι τίποτα για μένα. Αυτός δεν είναι ο μοναδικός δρόμος να αποφύγω τον πόνο;

Δεν ακούν, καθώς τους φωνάζουμε από την όχθη του ποταμού. Τα μάτια τους είναι παγωμένα, κενά, σβησμένα. Δείχνουν να απεχθάνονται τη ζωντανή, ζεστή ανάγκη που βγαίνει απ'τα λαρύγγια μας, να απεχθάνονται τις καρδιές μας που φλέγονται από ζωή, καρφωμένες στο ηλιόφως, προσπαθώντας να τους φωνάξουμε πίσω.

Όταν οι θεοί της αστραπής διέσχισαν τις χώρες τις Ευρώπης, άνοιξαν διάπλατα με μια σπαθιά αυτήν την πόρτα. Βγήκαν οι ομίχλες τότε, για κάποιους βρομούσαν απόγνωση και προδοσία, αλλά μαζί εξαπατούσαν με τη λάμψη τού αδιανόητου πλούτου. Αμύθητα πλούτη. Πλούτη από τον ένα ορίζοντα ως τον άλλον, τέρμα οι κλεφτές ματιές πίσω προς τον πόνο, πλούτη και νιάτα και ομορφιά πέρα από το θάνατο, για πάντα.

Στην ακτή των πέντε χιλιάδων ετών, εμείς, οι εραστές που μείναμε πίσω —γυναίκες και άντρες και παιδιά— είχαμε ο ένας τον άλλον για να κρατηθούμε. Είχαμε τα δοχεία των μανάδων μας, τα σχέδια που μας παρέδωσαν που γράφουν τη γλώσσα της σελήνης, το αρχέγονο γραπτό των αλλαγών, της απώλειας και της αγάπης και της γέννησης. Είχαμε τα σάβανα, που τα σχέδιά τους είναι αρχαία σαν τα βουνά, κεντημένα με ασημένιες χάντρες, να συλλαβίζουν τους προγόνους μας. Είχαμε τις μήτρες μας, ή τις μήτρες των μανάδων μας, που αιμορραγούν, κι αιμορραγούν ξανά, καθαρίζοντάς μας από τα πάντα, λέγοντάς μας κάθε μήνα είσαι εδώ τώρα, όποια πληγή κι αν σου άφησε ουλή, είσαι και πάλι ανανεωμένη, ακόμα κι αν δεν το πιστεύαμε, ακόμα κι αν δεν μπορούσαμε να το πιστέψουμε, ακόμα κι αν δεν μπορούμε να πιστέψουμε ότι τέτοιες ουλές παύουν ποτέ να πονάνε.

Ακόμα κι έτσι, τα σώματά μας έδιναν σε εμάς, και η μια στην άλλη, αυτή την άφεση, αυτή την απόλυτη συγχώρεση, αυτή την επιστροφή, παρά τα τραύματα, την υποδούλωση και την κακοποίηση. Αυτό το μυστήριο, που είναι της Σελήνης και της Γης, δεν μπορούν να μας το πάρουν. Δεν μπορούν καν να το σταματήσουν. Να το κρύψουν, να το ντροπιάσουν, να το ακρωτηριάσουν, να το δαιμονοποιήσουν, αλλά να το σταματήσουν—ποτέ. Ποτέ, όσο η Σελήνη γεμίζει και αδειάζει και οι πηγές αναδύονται από το σκοτάδι των βράχων.

Όμως εκείνοι που χάσαμε—εκείνοι ήταν το μεγαλόπρεπο στάρι, μόνο που είχαν ξεχάσει τη δύναμη του σπόρου. Τους βλέπαμε να θερίζονται μπρος στα μάτια μας. Είδαμε το φως να τους εγκαταλείπει πολύ νωρίτερα, όταν δεν μπορούσαν πια να μας προστατέψουν απ'το κακό.

Όταν δεν μπορούσαν πια να θρηνήσουν. Όταν δεν μπορούσαν να βρουν την πηγή της γονιμότητάς τους, επειδή την είχαν κάνει κομμάτια στην εστία οι εισβολείς που είχαν έρθει από πολύ μακριά, για να αρπάξουν αυτά που ήταν η ζωή τους η ίδια, για να αρπάξουν αυτό που αγαπούσαν κομματιασμένο πάνω στη εστία, κομματιασμένο πάνω στην εστία—

πίθος

κέρνος

αγαπημένος

καρδιά

Τότε ήταν που ακούσαμε τον κόσμο να σπάει. Τότε ήταν που το φως έσβησε από τα μάτια τους και το αντικατέστησαν οι στάχτες. Τότε ήταν που εκπέσαμε από τη χάρη. Όλοι μαζί εκπέσαμε.

Βούτηξες κι εξαφανίστηκες από μένα μέσα σ'εκείνο τον γκρίζο τόπο και ακόμα πέφτεις, μέσα από τις χιλιετίες.

Ο διάβολος γήτεψε τον αγγελιαφόρο. Ο διάβολος γήτεψε το βασιλιά. Ο βασιλιάς διατάζει να σκοτωθεί. Ο βασιλιάς τρέχει σαν δαιμονισμένος να φύγει από το παθιασμένο, γεμάτο λαχτάρα αγοράκι που είναι αλυσοδεμένο και παρατημένο μέσα σε ένα κελλί στο εσωτερικό της καρδιάς του. Ένα μικρό αγοράκι που κάποτε ταπεινώθηκε επειδή αγαπούσε το σκυλί του —το άλογό του την αδελφή του τη μητέρα του— κι έκλαψε όταν εκείνη πέθανε στη γέννα, εκείνο το αγοράκι που το προειδοποίησαν να μην ξανακλάψει ποτέ πια, ποτέ ξανά, άχρηστο σκατόπαιδο, μαμόθρεφτο, καλά δεν έχεις στάλα τσαγανό

Το μούδιασμα που όλο και απλωνόταν, οι ατέλειωτοι ποταμοί της λήθης, εκείνες οι χώρες της στάχτης και της απόστασης δεν ήταν τίποτα μπροστά στο να είσαι αναγκασμένος να βουτήξεις σε όλο αυτό το βάθος, να δεις τα κουρέλια και τα κόκκαλα μέσα σ'εκείνο το κελλί, το αγόρι που τα μάτια του είναι τα μάτια σου πριν από την πτώση, από την εποχή που η καρδιά του άντρα ήταν ακόμα ένα τρυφερό, λυγμικό, λιγωμένο, δηκτικό, συγκινητικό, θαρραλέο πράγμα που χόρευε ελεύθερο

Τότε που δε χρειαζόταν να τρέχει στις μάχες για ν'αποδείξει την αξία του, τότε που δεν χρειαζόταν να συγκρατιέται μπρος στο πρόσωπο της βίας για να μην καταρρεύσει, για να μπορέσει να αποδείξει την αξία του, τότε που ήξερε πώς να είναι ανοιξιάτικο βλαστάρι που ευδοκιμεί και υποχωρεί κι ευδοκιμεί ξανά, τότε που ήξερε πώς να παραμείνει να παραμείνει να παραμείνει, όταν ήταν επίπονο το να μείνει και να βλέπει

Τότε που δεν έκρυβε την καρδιά του για να γλυτώσει έστω αυτό το τελευταίο σύνορο από την απότμηση

Σκέψου όλες τις χώρες που κατακτήθηκαν και λεηλατήθηκαν, επειδή αυτός δεν μπόρεσε να κάτσει κάτω, κλαίγοντας, για να διεκδικήσει αυτή τη μοναδική χώρα ως το αληθινό του βασίλειο. Σκέψου όλα τα χαμένα βασίλεια που πέθαναν μαζί με αυτούς που τα κουβαλούσαν, που συρρικνώθηκαν κι έγιναν στάχτη μέσα στη ρημαγμένη γη που άφησαν πίσω τους, τον γκρίζο τόπο χωρίς αισθήματα, χωρίς ρίζες, εκεί που ο διάβολος γράφει τα γράμματα και ο αγγελιαφόρος κοιμάται.

Περιφέρονται μισοπεθαμένοι. Ο θάνατος είναι πιο εύκολος—τόση στάχτη—από τη ζωή. Ο θάνατος είναι πιο εύκολος, ψιθυρίζει ο διάβολος. Το σώμα είναι σκουπίδι, ψιθυρίζει ο διάβολος, η ψυχή σου είναι ρημάδι, είσαι ανάξιος της βασίλισσας μέσα σου, χτύπα άλλο ένα σφηνάκι ρακή, χτύπα άλλη μια δόση πρέζα, χτύπα τον εχθρό σου, ώσπου ο πόνος να γίνει φάντασμα κάποιου άλλου, φταίξιμο κάποιου άλλου, πρόβλημα κάποιου άλλου

ώσπου να έχεις παραδώσει αυτό για το οποίο πίστευες ότι πολεμάς—την ελευθερία—

Ο διάβολος μπουκώνεται μέχρι σκασμού με όλα αυτά. Στη ζώνη του κουδουνίζουν τα κλειδιά

Στην ακτή, πέρασαν πέντε χιλιάδες χρόνια. Υπήρχε μια εποχή που νομίζαμε ότι μέχρι και τα δοχεία μας είχαν χαθεί, εκείνα από τις γιαγιάδες μας με ζωγραφισμένα τα γράμματα της σελήνης. Έγιναν θρύψαλα. Εμείς δεν ξέραμε το σχέδιο.

Η καθεμιά από μας είχε μόνο μια σκλήθρα, ή τη σκόνη μιας σκλήθρας, ακόμα σφιγμένη στο χέρι. Και τα σάβανά μας χάθηκαν. Κανείς δεν θυμόταν πώς να τα υφάνει, κανείς εκτός από τη Σελήνη και τις γραμμές στις παλάμες μας και το μουρμουρητό του λιναριού.

Κανείς δεν ήξερε τα λόγια ή τις μελωδίες των τραγουδιών του πένθους ή των τραγουδιών της γέννησης. Κανείς, εκτός από το θρήνο μας, κανείς εκτός απ'την αγάπη μας. Φτιάξαμε μιαν άλλη χώρα με τις γραμμές της παλάμης μας, με τη σκόνη από τις σκλήθρες μας, με τα δάκρυά μας, με το αίμα μας. Φυτέψαμε σπόρους εκεί. Βγάλαμε φασόλια και μετά λινάρι. Υφάναμε το γαμήλιο πέπλο. Παντρευτήκαμε ο ένας τον άλλον, παντρευτήκαμε τους εαυτούς μας, παντρευτήκαμε το διάβολο μέσα μας, πήγαμε βαθιά, στον πάτο της σκοτεινιάς και είδαμε πως ήταν μόνο ένα παιδί που έκλαιγε. Λιώσαμε τα κλειδιά στον κλίβανο και φτιάξαμε μια κατσαρόλα, ένα καμπανάκι. Τον φωνάξαμε σπίτι να φάει βραδινό.

Ακόμα περιμένουμε στην ακτή. Δεν θα σε αφήσουμε εκεί μόνο. Αναπνέουμε τη στάχτη. Τα μάτια μας καίνε. Συνεχίζουμε ν'αναπνέουμε. Υπάρχουν σπόροι στα χέρια μας. Εκπέσαμε όλοι μαζί. Δεν αφήνουμε κανέναν πίσω.

Γύρνα σπίτι, αγαπημένε, γύρνα σπίτι.

Μέσα στην ομίχλη, μέσα στο γκρίζο, ο βασιλιάς περπατάει ακόμα.

Έχει εφτά χρόνια να φάει. Έχει εφτά γενιές να φάει. Έχει εφτά αιώνες να φάει.

Η μάνα του θυσίασε ένα ελάφι αντί για τη βασίλισσα και αυτή τη γλώσσα του έδειξε. Από τότε δεν έχει πάψει να την αναζητά.

Δεν μπορούσε να δει μέσα από την ομίχλη, μέσα από τη στάχτη, μέσα από την αμφιβολία. Κι όμως συνέχισε να περπατάει. Περπατούσε και περπατούσε. Κρατούσε τον ουρανό να μην κατακριμνηστεί και πέσει στα κεφάλια μας με τη δύναμη της πλάτης του. Η καρδιά του τον βοηθούσε, αλλά δεν το ανέφερε καθόλου. Δεν ήξερε πώς να το πει. Δεν ήξερε γιατί πονούσε μέσα στο στήθος του. Δεν ήξερε ότι είχε ραγίσει. Περπατούσε. Έμαθε ν'ακούει. Θυμόταν αυτά που είχε ακούσει. Έμαθε να κλαίει.

Τα δάκρυα ήταν που τον οδήγησαν σπίτι.

Μια μέρα, έκλαψε τόσα πολλά, που άρχισε πάλι να αισθάνεται τον εαυτό του. Έκλαψε τόσα πολλά, που βγήκε ολοκάθαρος, σαν το λινάρι που το'χουν κοπανίσει στη σανίδα του πλυσίματος. Το δέρμα του το'νιωθε ολοκαίνουριο.

Άκουσε ένα κουδουνάκι μέσα απ'το γκρίζο. Άκουσε ένα παιδί να γελάει. Άκουσε μια φωνή, ψιλή, να τον φωνάζει, ώρα για βραδινό, όχι και τόσο μακριά τελικά.

Άρχισε να τρέχει.

NOVEMBER 2019

Second vestment conferred (She regains her ankle bracelets)
Venus conjunct Jupiter and the Galactic Center

Autumn light on Tomales Bay at dusk and dawn from the big windows: a pearlescent blue. Tan oak acorns fall in the pinewood. The trees are dying from sudden oak death, with great black sores that make me ache. California bay laurel nuts all over the ground. I husk off their fragrant green drupes to roast the seeds. Furry flowering coyote brush. Pulling the monster potato vine: every day I work at it for an hour until it is gone. My dad and I build raised beds. I plant thickets of greens: kale, collards, arugula, spinach, cilantro, parsley, chard. Vancouver Island to visit another dear friend. Her hug is a sanctuary I have been desperate for. At night it is too cold to step outside barefoot. I try anyway, just for a second, to see the stars. The red sofa with black tea and dogs and writing. Her baby is still a dream. The ticking woodstove. The cold northern sea. Kelp and smooth stones and seals. Douglas firs, their green moss coats. Ice in the puddles. The bee that knocks into my forehead on a cold day on her herb mound when almost nothing is blooming. The bee has a message from the dead that I recognize as a blessing, a nudge onward.

In the Sanctuary

I hear the bells of an old world falling
I hear the smallest owl in the winter hour
I hear love beneath talk of other things
There is a current in my memory spoken
like the hymn we will come to
the one Our Lady speaks through the tongues
of owls and bees
There are bells on the lyra's bow
I hear a heartbeat somewhere I cannot look
I hear my name said in the silence
I hear the apricot tree growing
when everything else is still
I hear a circle ringing like a finger
on the rim of a wine glass

The wine is from the native grape
The circle of sound has
my granddaughters' dancing in it
The hands of Our Lady are all over them
dusting them with pollen and myrrh ash

I taste the first bread broken and the first wine
The bread is hot
The wine is strong
I taste the water in the stone
I taste cardamom from far away
and summer's heat inside oregano

I taste what I tasted when I was born
Blood, and salt, and later, milk

In the morning I taste the morning, breathing
In the night I taste the night
They have different stars

My mouth is waiting for that kiss
The one I taste, but cannot yet see

I see my mother's eyes
I see my grandmother's eyes
I see the eyes of my motherline
all watching a flight of birds:
the cranes that come to dance
their first love dance
in the field beyond the place
we all come from
I see lines like cranes feet
beside the eyes of my mother and her people
because they have been laughing so much
I see their eyes in the boughs of pine trees
In the bark
they are blinking

I see a man walking toward me up the dirt path
There are pine needles underfoot
He is coming silently up the path
but his strides are so long
like he has walked across the whole world
like he will never stop walking
He has looked into the eyes of his father's people

It almost killed him, but he survived
He is holding that lineage, like beads, in his hands
Holding them out under the trees
It is a miracle, what he holds, what he has healed

I smell the myrtle crown
I smell the oil musk that stains the olive nets
I smell the cedar boat of the dead king
strung with lemon blossoms
I smell the night when the bells tolled his death
and then his rebirth
It was April. The roses opened
I smell midsummer ashes, augured
I smell the sea

I feel a dark hand find my hand
It is such a surprise
It is warm as the morning
It is warm even in the middle of the night
I feel, in that dark hand, the whole earth

Kalliope, The Muse

For eons—as long as the stars' procession, when Vega was once the north pole, shining blue, eye of Earth's axis—Kalliope's worth was measured by the inspirations she could give to men and gods. O muse, they called, sing to me O muse. O purple-footed Kalliope, O singer of stars, O mother of song: I need you, I want you, fill my lungs with divine breath, fill me with memory, fill me with the history of my people, with the language of birds, with the words to sing this song of love, this lament, this prayer.

Some called her essence honey—*sima* in the old language. Elixir of life. Some said it smelled of lemon flowers, of nard. Others insisted that it was the scent of rose blossoms, of dew on the crocus at first light. The wisest knew that such scents drew water from the rivers of the dead, that she could go that deep and dark too. They needed her to, for they were not so brave.

Styx, Lethe, Acheron. Those waters flowed through her, back to the root of the pomegranate tree, the quince, the laurel leaves offered in her palm. They called her sea foam cold and bright in winter, and all the deep pearls in it. They called her the blue light of Vega, node of the holy lyre Orpheus played to Eurydice who was muse to him, and lost her life when he turned away.

They forgot it was her lyre. She forgot it was her lyre. For a time, Kalliope was as Eurydice. When Orpheus turned away, saying he must find himself alone, that he must know his inspiration as sourced only in his own lungs, she was shocked into seeing. She was jealous of his lyre, jealous of his solitary lungs. Jealous of what inspired him without her. She saw—was shocked to see—that *she* wanted to be the breath that filled him, the light in his fingers when he played, the pathos in his voice when he sang. She wanted to be at the root of his making, because she had been given no other power or worth for eons, since the time Vega, her star—the star that once shone at the rim of her lyre—pointed true north. Since the time she was free.

And yet, when she had been only that, his muse, she had resented how he looked right through her, how he called her the sun but only saw it in the ways it reflected back inside him. She felt she was wasting away, being invisible like that, going indistinct. She had wanted him to find his own song, but when he turned to do just that, she saw a truth so old in her it had become part of her name. *Kalliope: sing to me.* It was an order. It was not her fault that it had become an order. It was not her fault that she was enslaved to it so long it had become her name. But she fought herself like a cat at first, tooth and nail, spitting, wild, hating herself and him for how easily he took his freedom, and how easily he threw away her gifts.

Then she saw it all clearly, coldly, as if she was watching someone else in the hollow place he left behind. She saw how for all those eons, she had been forced to make her beauty out of the breath she blew into others. It was all that was left for her. She had only been able to see herself in the light in their wide, dazzled eyes. She had lived there. This had been her purpose, her gift—pouring herself like a blue river the color of Vega, shining and then refracted, scattered through all of his sculptures, all of his songs, all of his proclamations, all of his novels, his poems, his fame, his hands on her body in the deepest part of the night, pressing her, draining her, keeping her alive. In this she had filled him and filled herself, again and again.

It was not her fault. In the very beginning, eons ago, she had done it because she was forced, because she wanted to live. She had been captured by new gods while dancing purple-footed in her own meadow, beside her own spring. She had been taken to the high mountain in the cold far from her sisters and made to dance as Hesiod sang. Before all his gods, she danced. She poured all the essence in her out before them so that she might survive, so that she might have a place to sleep, and wake, and see another sunrise. Her country had been enslaved. Her people taken. She had nothing left but to dance, and to sing, and to pour forth that blue river and hope that in singing she would keep some part of her own history and her own people alive.

But after millennia one forgets the reasons for these things. One forgets, in order to survive, and then believes so fully that the believing is better than any ball and chain. Again and again she came when they called, full of nectar, bound to the hunger of poets and bards and even kings, keeping her heart alight with the fire she lit in theirs, loving them truly while she did.

The last one she loved the most of all. She had become so good at loving this way. The more broken the bard, the more she loved him. Perhaps she saw her own brokenness and the brokenness of her history there, and thought she was mending herself by pouring Vega's blue river into him.

But when Orpheus turned away, shocking her, electrically; when she saw him growing as if from childhood again inside himself; when she saw he was more creative without her, freer he said, happier he said, because he had never been so free in himself, at first she despaired. She went down to the underworld. She became a phantom. Then she saw the truth.

I have been a phantom all this time. A shadow of what I might be. I have been a very compelling phantom, powerful even when I am transparent. But I have not yet, in these four thousand years, been muse to myself. Even Eros has fooled and drained me. Who is Kalliope, when only she may claim her own name in creative arrest? When she replies only to her own cry of sing to me O muse! *How powerful might I be when I am not transparent, but full with my own song?*

She saw that she had lost her shine for him because he had taken all of it in. And he had lost his shine for her, long ago, because his was buried under hers.

He pushed away. He went inside his childhood, inside other women, and out again.

She went straight down without looking right or left at other men, into the chasm at the center of her world, the one long fear and servitude had trained her to avoid at all costs.

I am my own world, I am my own word, she said in astonishment, looking in the mirror there. *I am my own world.* She went into the darkness at the center of Crete, at the center of herself, all the way down, all the way through, to find she was endless. She was Nile silt and the blue lotus, she was whitewashed temple and a thousand bees and the queen bee at the center. She took her own breath away.

All of this fountain was *hers*? She sat as muse before her own easel, before her own spring, before her own reflection. There were no chains. They dissolved. No one could bind her anymore. The whole world opened. She was the earth when he turned back to look for her. He was the sky, when she glanced up, enraptured with her own creation, and saw him—not her own light, swallowed and reflected back, but his own light, radiating, the sight that had first drawn her to him, as her earth had drawn him to her.

This is a new story beginning. It's not the one where Orpheus goes to get her in the underworld, his wraithlike love, drained of herself, only to lose her again when he looks back to make sure she's real. This is a different story.

We haven't heard it, not for five thousand years at least. We don't know how it ends. How Kalliope went into the underworld alone to drink herself full. How Kalliope became her own muse and brought herself out again. How the bard-king climbed back through his own darkness and saw the cornucopia he had been blind to for eons.

Νοέμβρης 2019

Το δεύτερο Ιερό Ένδυμα επιδίδεται
(ανακτά τα βραχιόλια στους αστραγάλους Της)
Η Αφροδίτη σε σύνοδο με τον Δία και το κέντρο του Γαλαξία

Φθινοπωρινό φως στον κόλπο Τομάλες το σούρουπο και την αυγή από τα μεγάλα παράθυρα: μια γλαυκή μαρμαρυγή. Βελανίδια της ενδημικής ποικιλίας Τάνοουκ πέφτουν στο πευκοδάσος με το απαλό τους πάπλωμα. Τα δέντρα πεθαίνουν από τον αιφνίδιο θάνατο της βελανιδιάς, με τεράστιες μαύρες πληγές που με κάνουν να πονώ. Καρποί Καλιφορνέζικης δάφνης. Ξεφλουδίζω τη μυρωδάτη πράσινη δρύπη για να ψήσω τους σπόρους. Μαλλιαρή σαν λουλούδι τούφα από το πέρασμα κογιότ. Ξεπατώνω το τερατώδες σολάνο: κάθε μέρα το δουλεύω μια ώρα ώσπου να εξαφανιστεί. Μαζί με τον μπαμπά μου χτίζουμε ανυψωμένα παρτέρια. Φυτεύω λαχανικά σε συστάδες: κάλε, κραμβολάχανο, ρόκα, σπανάκι, κόλιαντρο, μαϊντανό, σέσκουλο. Νησί Βανκούβερ, να επισκεφτώ άλλη μια αγαπημένη φίλη. Η αγκαλιά της είναι καταφύγιο που έχω απελπισμένα λαχταρήσει. Τη νύχτα κάνει πάρα πολύ κρύο για να βγεις έξω ξυπόλυτη. Το δοκιμάζω έτσι κι αλλιώς, μόνο για ένα δευτερόλεπτο, για να δω τα αστέρια. Ο κόκκινος καναπές με μαύρο τσάι και σκυλιά και γράψιμο. Το μωρό της είναι ακόμα ένα όνειρο. Το ντιν-ντιν της ξυλόσομπας. Η κρύα βόρεια θάλασσα. Φύκια και λείοι βράχοι και φώκιες. Έλατα Ντάγκλας, με τα πράσινα πανωφόρια τους από βρύα. Πάγος στις λακκούβες. Η μέλισσα που χτυπά στο κούτελό μου μια κρύα μέρα στον τύμβο της με τα βότανα, όταν σχεδόν τίποτε δεν ανθίζει. Η μέλισσα φέρνει ένα μήνυμα από τους νεκρούς που αναγνωρίζω ως ευλογία ένα σκούντημα να προχωρήσω.

Μέσα στο Ιερό

Ακούω τις καμπάνες ενός παλιού κόσμου που γκρεμίζεται
Ακούω την πιο μικρή κουκουβάγια μέσα στις ώρες του χειμώνα
Ακούω την αγάπη μέσα από τις κουβέντες για άλλα πράγματα
Υπάρχει μια ροή στη μνήμη μου που μιλιέται
όπως ο ύμνος στον οποίο θα φτάσουμε
αυτόν που μιλάει η Κυρά Μας μέσα από τις γλώσσες
της κουκουβάγιας και της μέλισσας
Υπάρχουν κουδούνια στο δοξάρι της λύρας
Ακούω ένα χτυποκάρδι κάπου όπου δεν μπορώ να κοιτάξω
Ακούω το όνομά μου να λέγεται στη σιωπή
Ακούω τη βερικοκιά να μεγαλώνει
όταν όλα τα άλλα είναι ακίνητα
Ακούω έναν κύκλο να τρίζει μελωδικά όπως το δάχτυλο
στο χείλος του ποτηριού με το κρασί

Το κρασί είναι απ'το ντόπιο σταφύλι
Ο κύκλος του ήχου περιλαμβάνει
τις εγγονές μου να χορεύουν μέσα του
Τα χέρια της Κυράς Μας φτερουγίζουν παντού γύρω τους
ραίνοντάς τις με γύρη και στάχτη από μύρο

Γεύομαι το πρώτο καρβέλι που κόβεται και το πρώτο κρασί
Το ψωμί είναι ζεστό. Το κρασί είναι δυνατό.
Γεύομαι το νερό μέσα στην πέτρα
Γεύομαι κάρδαμο κάπου μακριά
και την καλοκαιριάτικη ζέστη μέσα στη ρίγανη
Γεύομαι αυτό που γεύτηκα όταν γεννήθηκα
Αίμα και αλάτι και, αργότερα, γάλα

Το πρωί γεύομαι πρωί, ανασαίνοντας
Τη νύχτα γεύομαι νύχτα
Έχουν διαφορετικά αστέρια

Το στόμα μου περιμένει εκείνο το φιλί
Αυτό που γεύομαι, αλλά ακόμα δεν μπορώ να δω

Βλέπω τα μάτια της μάνας μου
Βλέπω τα μάτια της γιαγιάς μου
Βλέπω τα μάτια της γενιάς της μάνας μου
να παρακολουθούν όλες τους πουλιά στον ουρανό:
τους γερανούς, που έρχονται για να χορέψουν
τον πρώτο χορό της αγάπης τους
στο χωράφι πέρα από τον τόπο
απ'όπου ερχόμαστε όλοι μας
Βλέπω σημάδια σαν τα πόδια των γερανών
πλάι στα μάτια της μάνας μου και του λαού της
γιατί έχουν γελάσει τόσο πολύ
Βλέπω τα μάτια τους στα κλαδιά των πεύκων
Στο φλοιό. Τα βλέφαρά τους πεταρίζουν.

Βλέπω έναν άντρα να βαδίζει προς το μέρος μου στο χωματόδρομο
Πατάει πάνω σε πευκοβελόνες
Ανεβαίνει σιωπηρά το μονοπάτι
αλλά οι δρασκελιές του είναι τόσο μεγάλες
λες κι έχει περπατήσει σε ολόκληρο τον κόσμο
λες και δε θα σταματήσει ποτέ να περπατά
Έχει κοιτάξει στα μάτια του λαού του πατέρα του
Παραλίγο να τον σκοτώσει, αλλά επιβίωσε
Κρατά τη γενιά του, σαν χάντρες, στα χέρια του
Τις κρατάει με τα χέρια απλωμένα κάτω από τα δέντρα
Είναι θαύμα, αυτό που κρατάει, αυτό που έχει γιατρέψει

Μυρίζω το στεφάνι από μυρτιά
Μυρίζω τη βαριά λαδερή οσμή που λεκιάζει τα λιόπανα
Μυρίζω τη βάρκα από κεδρόξυλο του νεκρού βασιλιά
στολισμένη με γιρλάντες από λεμονανθούς
Μυρίζω τη νύχτα, όταν οι καμπάνες αντηχούν το θάνατό του
και κατόπιν την αναγέννησή του
Ήταν Απρίλης. Τα ρόδα άνοιξαν
Μυρίζω στάχτες του μεσοκαλόκαιρου, γητεμένες
Μυρίζω τη θάλασσα

Νιώθω ένα σκούρο χέρι να βρίσκει το χέρι μου
Νιώθω τόση έκπληξη
Είναι ζεστό σαν πρωινό
Είναι ζεστό ακόμα και μέσα στα μεσάνυχτα
Νιώθω, σ'αυτό το ζεστό χέρι, ολόκληρη τη γη

Καλλιόπη, η Μούσα

Για αμέτρητες εποχές—όσο διαρκεί η προέλαση των άστρων, από τότε που ο Βέγας ήταν ο βόρειος πόλος, το λαμπερό γαλάζιο μάτι του άξονα της γης—η αξία της Καλλιόπης μετριόταν ανάλογα με την έμπνευση που χάριζε σε ανθρώπους και θεούς. Ω Μούσα, της φώναζαν, τραγούδα μου, ω μούσα. Ω, Καλλιόπη με τις πορφυρές πατούσες, ω αοιδέ των αστεριών, ω μητέρα του τραγουδιού: σε χρειάζομαι, σε θέλω, γέμισε τα πνευμόνια μου με θεϊκή πνοή, γέμισέ με μνήμη, με την ιστορία του λαού μου, με τη γλώσσα των πουλιών, με τις λέξεις να τραγουδήσω αυτό το τραγούδι της αγάπης, αυτόν το θρήνο, αυτή την προσευχή.

Μερικοί αποκαλούσαν την ουσία της μέλι—*σίμα* στην παλιά γλώσσα. Ελιξίριο της ζωής. Μερικοί έλεγαν πως μύριζε λεμονανθό, μύριζε νάρδο. Άλλοι επέμεναν πως ήταν η μυρωδιά των ανθισμένων ρόδων, της πάχνης πάνω στον κρόκο στο πρώτο φως. Οι πιο σοφοί ήξεραν πως τέτοιες μυρωδιές αντλούν νερό από τα ποτάμια των νεκρών, ότι εκείνη μπορούσε να πάει σε τέτοια βάθη και σε τέτοια σκοτάδια. Το είχαν ανάγκη να πηγαίνει αυτή, γιατί οι ίδιοι δεν ήταν τόσο γενναίοι.

Στύγα, Λήθη, Αχέροντας. Αυτά τα νερά έρρεαν από μέσα της, πίσω στη ρίζα της ροδιάς, της κυδωνιάς, στα δαφνόφυλλα που πρόσφερε με το ανοιχτό της χέρι. Την έλεγαν αφρό της θάλασσας, κρύα και καθαρή σαν το χειμώνα και όλα τα βαθιά μαργαριτάρια μέσα σ'αυτήν. Την αποκαλούσαν όλα τ'αστέρια, μπλε φως του Βέγα, δεσμό της ιερής λύρας που έπαιζε ο Ορφέας στην Ευριδίκη, που ήταν η μούσα γι'αυτόν και έχασε τη ζωή της όταν εκείνος στράφηκε αλλού.

Ξέχασαν πως ήταν η δική της λύρα. Η ίδια ξέχασε πως ήταν η δική της λύρα. Για μια εποχή, η Καλλιόπη υπήρξε ως Ευρυδίκη. Όταν ο Ορφέας στράφηκε αλλού, λέγοντας πως έπρεπε να βρει τον εαυτό του μόνος του, ότι πρέπει να γνωρίσει την έμπνευσή του, αυτή που πηγάζει από τα πνευμόνια του και μόνο, τότε εκείνη αποσβολωμένη, είδε. Ζήλευε τη λύρα του, ζήλευε τα μοναχικά πνευμόνια του. Ζήλευε αυτό που τον ενέπνεε μακριά της. Είδε, αποσβολωμένη που το έβλεπε, ότι ήθελε *εκείνη* να είναι η πνοή που τον γεμίζει, το φως στα δάχτυλά του όταν έπαιζε, το πάθος στη φωνή του όταν τραγουδούσε. Ήθελε να είναι στη ρίζα της δημιουργίας του, επειδή καμιά άλλη δύναμη ή αξία δεν της είχε δοθεί αιώνες ολόκληρους, από την εποχή που ο Βέγας, το αστέρι της—το αστέρι που κάποτε έλαμπε στην κορφή της λύρας της—σημάδευε τον πραγματικό Βορρά. Από την εποχή που ήταν ελεύθερη.

Κι όμως, τότε που δεν ήταν τίποτε άλλο, μόνο η μούσα του, αγανακτούσε έτσι όπως το βλέμμα του τη διαπερνούσε, όπως της έλεγε ότι είναι ο ήλιος, αλλά το έβλεπε μόνο μέσα από ό,τι αντανακλούσε πίσω στον ίδιο. Ένιωθε ότι μαράζωνε, έτσι που ήταν αόρατη, γινόταν αμυδρή. Το ήθελε να βρει το δικό του τραγούδι, αλλά όταν εκείνος στράφηκε αλλού για να κάνει αυτό ακριβώς, αυτή είδε μιαν αλήθεια μέσα της τόσο παλιά, που είχε γίνει πια μέρος του ονόματός της. Καλλιόπη, τραγούδα μου. Ήταν διαταγή. Δεν έφταιγε αυτή που είχε γίνει διαταγή. Δεν έφταιγε αυτή που υποδουλωθεί σ' αυτό τόσον καιρό, που είχε γίνει το όνομά της. Όμως πάλεψε τον εαυτό της με νύχια και με δόντια, σαν τη γάτα, στην αρχή, με νύχια και με δόντια, να φτύνει, αγριεμένη, να μισεί και τον εαυτό της και αυτόν για το πόσο εύκολα άρπαξε την ελευθερία του και πόσο εύκολα πέταξε στην άκρη τα δώρα τα δικά της.

Τα είδε όλα καθαρά, ψυχρά, σαν να παρακολουθούσε κάποιον άλλο σ' αυτόν τον κενό τόπο που είχε αφήσει πίσω του. Είδε πώς, όλους αυτούς τους αιώνες, είχε αναγκαστεί να πλάσει τη δική της ομορφιά μέσα από την πνοή που εμφυσούσε στους άλλους. Ήταν το μόνο που της είχε απομείνει. Μπορούσε να δει τον εαυτό της μόνο μέσα στο φως των ορθάνοιχτων, θαμπωμένων ματιών τους. Είχε ζήσει εκεί. Αυτός ήταν ο σκοπός της, το χάρισμά της—να αναβλύζει και να προσφέρει τον εαυτό της σαν γαλάζιος ποταμός στο χρώμα του Βέγα, να λάμπει και μετά να διαθλάται, να διασκορπίζεται σε όλα του τα γλυπτά, σε όλα του τα τραγούδια, σε όλες του τις δηλώσεις, σε όλα του τα μυθιστορήματα, στα ποιήματα, στη δόξα, στα χέρια του στο κορμί της την πιο βαθιά ώρα της νύχτας, να την μαλάζει, να την αδειάζει, να την κρατάει ζωντανή. Σε τούτο, είχε χορτάσει και αυτόν, είχε χορτάσει και η ίδια, ξανά και ξανά.

Δεν έφταιγε αυτή. Στην αρχή-αρχή, πριν από αιώνες, το είχε κάνει επειδή είχε αναγκαστεί, επειδή ήθελε να ζήσει. Την είχαν αιχμαλωτίσει νέοι θεοί ενώ χόρευε με πορφυροβαμμένες πατούσες στο δικό της λιβάδι, πλάι στη δική της πηγή. Την είχαν πάει σε ένα ψηλό βουνό, στο κρύο, μακριά από τις αδελφές της και την ανάγκασαν να χορέψει, ενώ τραγουδούσε ο Ησίοδος. Μπροστά σε όλους τους θεούς του εκείνη χόρεψε. Ανέσυρε όλη την ουσία από μέσα της και την άπλωσε μπρος στα μάτια τους, για να μπορέσει να επιβιώσει, για να μπορεί να έχει ένα μέρος να κοιμηθεί και να ξυπνήσει και να δει άλλη μια ανατολή. Η χώρα της είχε υποδουλωθεί. Ο λαός της είχε κατακτηθεί. Δεν της είχε μείνει τίποτα, παρά ο χορός και το τραγούδι και κείνος ο γαλάζιος ποταμός που ξεχυνόταν από μέσα της και η ελπίδα ότι με το τραγούδι θα μπορούσε να κρατήσει ζωντανό κάποιο κομμάτι της ιστορίας της δικής της και του λαού της.

Μετά από χιλιετίες όμως, ξεχνάει κανείς τους λόγους για όλα αυτά. Ξεχνάει κανείς, για μπορέσει να επιβιώσει κι ύστερα το πιστεύει, τόσο ολοκληρωτικά που αυτή η πίστη λειτουργεί πολύ καλύτερα από όλα τα δεσμά και τις αλυσίδες. Πάλι και πάλι ερχόταν όποτε την καλούσαν, γεμάτη νέκταρ, δέσμια της πείνας ποιητών, βάρδων, ακόμα και βασιλιάδων, να κρατά την καρδιά της φλογισμένη με τη φωτιά που άναβε μέσα στις δικές τους, και τους αγαπούσε στ'αλήθεια καθώς το έκανε.

Τον τελευταίο, τον αγάπησε περισσότερο απ'όλους. Είχε γίνει καταπληκτική σε τέτοιου είδους αγάπες. Όσο πιο συντετριμμένος ο βάρδος, τόσο περισσότερο τον αγαπούσε. Ίσως αναγνώριζε και τη δική της συντριβή και τη συντριβή της ιστορίας της εκεί ακριβώς, και πίστευε ότι γιατρευόταν μεταγγίζοντας το μπλε ποτάμι του Βέγα μέσα σε εκείνον.

Όμως, όταν ο Ορφέας στράφηκε αλλού, προκαλώντας της σοκ,

ηλεκτρικό˙ όταν τον είδε να μεγαλώνει λες σαν από παιδί ξανά μέσα στον εαυτό του˙ όταν είδε πως ήταν πιο δημιουργικός χωρίς αυτήν, πιο ελεύθερος είπε, πιο χαρούμενος είπε, επειδή δεν είχε νιώσει ποτέ τόσο ελεύθερος μέσα στον εαυτό του, στην αρχή απελπίστηκε. Κατέβηκε στον κάτω κόσμο. Έγινε φάντασμα. Τότε είδε την αλήθεια.

Φάντασμα ήμουν όλον αυτόν τον καιρό. Σκιά αυτού που θα μπορούσα να είμαι. Υπήρξα πολύ καθηλωτικό φάντασμα, πανίσχυρη ακόμα κι όταν είμαι διάφανη. Όμως ακόμα δεν έχω υπάρξει, μέσα σ'αυτές τις τέσσερις χιλιάδες χρόνια, μούσα του εαυτού μου. Ακόμα κι ο Έρως πλανήθηκε και με αποστράγγισε. Ποια είναι η Καλλιόπη, όταν μόνο αυτή μπορεί να διεκδικήσει το ίδιο της το όνομα στη δημιουργική απραξία; Όταν ανταποκρίνεται μόνο στη δική της κραυγή τραγούδα μου, ω Μούσα! Πόσο πιο ισχυρή θα μπορούσα να γίνω, όταν δεν είμαι πια διάφανη, αλλά γεμάτη από τα δικά μου τραγούδια;

Είδε πως είχε χάσει τη λάμψη της στα μάτια του, επειδή αυτός την είχε πάρει όλη δική του. Και πως αυτός είχε χάσει τη λάμψη του στα μάτια της, πολύ παλιά, γιατί η δική του είχε θαφτεί κάτω από τη δική της.

Την έσπρωξε μακριά. Μπήκε μέσα στην παιδική του ηλικία, μέσα σε άλλες γυναίκες και βγήκε ξανά.

Εκείνη τράβηξε κατευθείαν κάτω, χωρίς να κοιτάζει δεξιά κι αριστερά άλλους άντρες, μέσα στο χάσμα στο κέντρο του κόσμου της, αυτό που ο φόβος και η υποδούλωση την είχαν εκπαιδεύσει να αποφεύγει με κάθε κόστος.

Είμαι ο δικός μου κόσμος, είμαι η δική μου λέξη, είπε έκθαμβη, κοιτάζοντας τον καθρέφτη εκεί. *Είμαι ο δικός μου κόσμος.* Κατέβηκε στο σκοτάδι στο κέντρο της Κρήτης, στο κέντρο του εαυτού της, ως τον πυθμένα, μέσα από τον πυθμένα, και διαπίστωσε πως ήταν απύθμενη. Ήταν η ιλύς του Νείλου και ο μπλε λωτός, ήταν ο ασπρισμένος ναός και οι χίλιες μέλισσες με τη βασίλισσα στο κέντρο. Της κόπηκε η ανάσα με τον ίδιο τον εαυτό της.

Όλη αυτή η πλημμύρα ήταν *δική της*; Κάθισε ως μούσα μπροστά στο δικό της καβαλέτο, μπροστά στη δική της πηγή, μπροστά στη δική της αντανάκλαση. Δεν υπήρχαν αλυσίδες. Είχαν διαλυθεί. Κανείς δεν θα μπορούσε πια να την κατέχει. Ολόκληρος ο κόσμος άνοιξε. Όταν εκείνος γύρισε πίσω για να την αναζητήσει, αυτή είχε γίνει γη. Αυτός είχε γίνει ουρανός, όταν σήκωσε το βλέμμα της ψηλά, μαγεμένη από την ίδια τη δημιουργία της, και τον είδε— δεν ήταν το δικό της φως που το'χε καταπιεί κι ύστερα έδινε την αντανάκλασή του, μα ήταν το δικό του φως που ακτινοβολούσε, η όψη που την είχε αρχικά τραβήξει σ'αυτόν, όπως η γη η δική της την είχε τραβήξει σε εκείνον.

Εδώ αρχίζει μια καινούρια ιστορία. Δεν είναι αυτή που ο Ορφέας πάει να τη φέρει από τον κάτω κόσμο, την φαντασματένια αγάπη του, αποστραγγισμένη από τον εαυτό της, μόνο και μόνο για να την ξαναχάσει, όταν κοιτάξει πίσω για να σιγουρευτεί ότι είναι πραγματική. Αυτή είναι μια διαφορετική ιστορία.

Δεν την έχουμε ξανακούσει, τα τελευταία πέντε χιλιάδες χρόνια τουλάχιστον. Δεν ξέρουμε πώς τελειώνει. Πώς πήγε η Καλλιόπη στον κάτω κόσμο μόνη, για να πιει ώσπου να κορεστεί. Πώς η Καλλιόπη έγινε η μούσα του εαυτού της και βγήκε μόνη έξω και πάλι. Πώς ο βάρδος-βασιλιάς σκαρφάλωσε ξανά και βγήκε από τη δική του σκοτεινιά και είδε το κέρας της Αμάλθειας, αυτό που έκλεινε τα μάτια μην το δει τόσους αιώνες.

DECEMBER 2019

Venus conjunct South Node
Venus conjunct Saturn
Venus conjunct Pluto
Third vestment conferred (She regains Her ring of power)

Rain at last in California. Red toyon berries in the pinewood. The dry earth begins to green. Persimmons at the market. Catkin buds on the wild hazelnuts. The bay laurel flowers are little clusters of creamy stars. The longest light burnishes the sand dunes to honey. King tides, white foam thrashed high up the beach. Iridescent green bodies of sea anemones. The Fern Bar in Sebastopol after my friend's art exhibit opening. We drink hot toddies and a frothy flowery cocktail with St. Germain next to two brothers who are friends of friends, and everything feels flirtatious. After, coming back to her house: the little green chorus frogs all over the porch in the rain, and our tipsy laughter. Racing Runa wildly in the tideline, in the cold wind, dragging giant kelp for her to chase. How this kind of happiness can exist despite everything else.

I Am Ogygia

When I fell, I fell from the world of almond blossoms and my motherhouse. I fell from the place where we stood and watched them opening, and the bees came, and what was in my heart spoke. The road was wet. The almond flowers opened. Nobody could stop them. Nobody could stop their falling either.

I was once of the world where the almond blossoms fell in season with my motherhouse. Spring came and went and I grew, watching the other girls grow too. I became a woman with the weight of things and time to give me flesh, to give me hips, to give me desire.

Once, at the end, we stood under the almond tree and everything smelled like pollen. It was a smell like the sweet springtime breads my aunts made. He said it frightened him, how fragile everything was. How tiny my wrists and ankles, and all the places inside me he couldn't see, and I wouldn't let him reach, because I thought they were too broken. I touched everything with different hands, back then. There was a regular solidity of fruit and stone and tree branch grown by the Forces who contained my ancestors.

Here, on Ogygia, I do not always know whose dead the Forces are full of. A different sea makes noises in the darkness. I do not always understand its salt. The crystals make a different shape. When I think too much of how I came here, and how long I will have to stay, I am frightened. The skin on my hands feels tender to everything. The spines on the wild pear are knives that remind me I am not the same woman I was before. I gather the tiny fruits alone, into the seagrass basket, into my skirt, to cook them over the embers. I have a different name now, and yet it is a veil. It is not a solid thing. It hides my old name. It hides the ground that is my equal measure, that I fell away from, becoming feathered, becoming of another gravity.

I am Ogygia, and yet I am not of Ogygia. Did I fall with Ogygia in my pocket, like the egg-shaped stone I found below the cliffs where he was born, in the seasons between lives, when I thought I could avoid the almond blossom and her death, when I thought I could get a new pithos, an unshattered one, and pretend my fingers were not bleeding from holding all the old shards together, to my breast? I thought then that I could turn my back and keep going, and not bleed the proper blood for what was broken.

If I were to step foot now in my motherhouse, to a day before we were undone, would I go to sand, to dust, a thousand years dead, or would the house around me be the ruin, and I whole-bodied still, though irrevocably changed? Or would it be another thing entirely? Would I step there and find that only half a year has passed, and see him coming up the hill with the fresh pressed oil in an amphora in his arms?

I am standing at the edge of him. I do not know which edge. Is it the one that looks back across oceans, or the one that looks into darkness? I am crouching at the edge of him, holding saffron, singing the song my mother sang when I was frightened at night as a child. The fire gives him color. Then takes it away. The saffron on my fingers smells of women.

I am your country, I say. You are mine. I am standing at the gateway. I have known the names for everything. Now I do not even know my own island, since he has touched it. I thought knowing my island was the end of the story. I said—I need no one. I need no man. I am the alphabet, I am the sea, I am the sand. I am the queen of all seven mountains, I said. Then he came, and I forgot everything, again.

The sun seems to be rising everywhere at once. The moon has not forgotten. He is standing at the edge of me. He feels like tall wheat, and the sheep's wool, and summer coming to rest, the smell of olivewood burning, the dark stain the fallen walnut makes. Am I standing at the edge of him, or the edge of myself? Which is my own country.

But there is a smell of almond blossoms, and I dare not ask too many questions. Nobody can stop their falling, but neither can anyone stop the glory of their opening again. I have new hands now. Their touch, miraculously, blooms.

Δεκέμβρης 2019

Η Αφροδίτη σε σύνοδο με το Νότιο Δεσμό
Η Αφροδίτη σε σύνοδο με τον Κρόνο
Η Αφροδίτη σε σύνοδο με τον Πλούτωνα
Το τρίτο Ιερό Ένδυμα επιδίδεται (ανακτά το δαχτυλίδι της δύναμής Της)

Βροχές επιτέλους στην Καλιφόρνια. Οι κόκκινοι σφαιρικοί καρποί του τογιόν μέσα στο πευκοδάσος. Η ξερή γη αρχίζει να πρασινίζει. Λωτοί στην αγορά και τα τελευταία ρόδια. Ίουλοι μπουμπουκιασμένοι στις άγριες φουντουκιές. Τα λουλούδια της δάφνης είναι μικρά συμπλέγματα από κρεμώδη άστρα. Πώς μακραίνει το φως και πώς στιλβώνει τις αμμοθίνες στο χρώμα του μελιού. Βασιλικές παλίρροιες, λευκός αφρός που καταχτυπιέται ψηλά στην παραλία. Ιριδίζοντα πράσινα σώματα από θαλάσσιες ανεμώνες. Το μπαρ Φερν στη Σεμπάστοπολ μετά τα εγκαίνια της έκθεσης ζωγραφικής της φίλης μου· πίνουμε ζεστά τόντι κι ένα αφρώδες λουλουδάτο κοκτέιλ με St. Germain, δίπλα σε δυο αδέλφια που ήταν φίλοι φίλων και τα πάντα αναδίνουν έναν αέρα φλερτ. Μετά την επιστροφή στο σπίτι: τα μικρά πράσινα βατραχάκια σε χορωδία παντού στη βεράντα μέσα στη βροχή και το λίγο μεθυσμένο γέλιο μας. Παραβγαίνοντας αχαλίνωτα τη Ρούνα πάνω στη γραμμή της παλίρροιας, μέσα στον κρύο αέρα, σέρνοντας γιγάντια φύκια για να κυνηγάει. Ναι, τόση ευτυχία μπορεί να υπάρξει, κόντρα σε όλα τα άλλα.

Είμαι η Ωγυγία

Όταν έπεσα, έπεσα από ένα κόσμο γεμάτο άνθη αμυγδαλιάς και το μητρικό μου σπίτι. Έπεσα από το μέρος που στεκόμασταν και τα κοιτούσαμε καθώς άνοιγαν, κι έρχονταν οι μέλισσες, και ό,τι υπήρχε στην καρδιά μου μιλούσε . Ο δρόμος ήταν βρεγμένος. Τα άνθη της αμυγδαλιάς άνοιξαν. Κανείς δεν μπορούσε να τα σταματήσει. Κανείς δεν μπορούσε να σταματήσει ούτε και την παρακμή τους.

Ανήκα κάποτε σ' έναν κόσμο όπου τα άνθη της αμυγδαλιάς συντονίστηκαν με το σπίτι της μάνας μου. Η άνοιξη ήρθε κι έφυγε κι εγώ μεγάλωσα, έβλεπα κι άλλα κορίτσια να μεγαλώνουν. Έγινα γυναίκα με το βάρος των πραγμάτων και του χρόνου να μου χαρίζει καμπύλες, να μου χαρίζει γοφούς, να μου χαρίζει πεθυμιά.

Μια φορά, στο τέλος, στεκόμασταν κάτω από τη μυγδαλιά και όλα μύριζαν γύρη. Ήταν μια μυρωδιά σαν του γλυκού ανοιξιάτικου ψωμιού που έφτιαχναν οι θειάδες μου. Εκείνος είπε πως τον τρόμαζε, το πόσο εύθραυστα ήταν όλα. Πόσο μικροσκοπικοί οι καρποί και οι αστράγαλοί μου και όλα τα μέρη μέσα μου που αυτός δεν μπορούσε να δει και εγώ δεν τον άφηνα να φτάσει, επειδή πίστευα πως παραήταν διαλυμένα. Άγγιζα τα πάντα με άλλα χέρια τότε. Υπήρχε μια αδιατάρακτη στιβαρότητα στον καρπό και στην πέτρα και στο κλαδί που είχαν καλλιεργήσει οι Δυνάμεις που περιείχαν τους προγόνους μου.

Εδώ στην Ωγυγία, δεν ξέρω πάντα από ποιανών νεκρούς είναι γεμάτες οι Δυνάμεις. Μια διαφορετική θάλασσα βγάζει ήχους μέσα στο σκοτάδι. Δεν καταλαβαίνω πάντα το αλάτι της. Οι κρύσταλλοι φτιάχνουν διαφορετικά σχήματα. Όταν παρασκέφτομαι το πώς έφτασα εδώ και για πόσο καιρό θα χρειαστεί να μείνω, φοβάμαι. Το δέρμα στα χέρια μου παραείναι ευαίσθητο, πληγώνεται από τα πάντα. Τα αγκάθια στην αγριαχλαδιά είναι μαχαίρια που μου θυμίζουν ότι δεν είμαι η γυναίκα που ήμουν παλιά. Μαζεύω τους μικρούς καρπούς μόνη, μέσα στο καλάθι από γρασίδι της θάλασσας, μέσα στη φούστα μου, για να τους ψήσω στη χόβολη. Έχω άλλο όνομα τώρα, κι όμως είναι κι αυτό ένα πέπλο. Δεν είναι κάτι στερεό. Κρύβει το παλιό μου όνομα. Κρύβει το έδαφος, που είναι το αντίστοιχό μου, αυτό από όπου εξέπεσα, όταν έβγαλα τα φτερά μου, όταν απέκτησα την άλλη βαρύτητα.

Είμαι η Ωγυγία κι όμως δεν είμαι από την Ωγυγία. Άραγε έπεσα με την Ωγυγία μέσα στην τσέπη μου, σαν την αυγόσχημη πέτρα που βρήκα κάτω από τους λόφους όπου γεννήθηκε εκείνος, στις εποχές ανάμεσα στις ζωές, τότε που πίστευα πως θα μπορούσα να αποφύγω το άνθος της αμυγδαλιάς και το θάνατό του, τότε που πίστευα πως θα μπορούσα να βρω έναν καινούριο πίθο, έναν ακέραιο, και να προσποιηθώ ότι δεν είχαν ματώσει τα δάχτυλά μου να κρατάω όλα αυτά τα σπασμένα κομμάτια στο στήθος μου; Πίστευα τότε ότι θα μπορούσα να στρέψω την πλάτη μου και να πηγαίνω, να πηγαίνω και να μην αιμορραγήσω το αίμα που αναλογούσε σε όσα είχαν κατακερματιστεί.

Αν ήταν να βρεθώ στο μητρικό μου σπίτι, μια μέρα πριν την καταστροφή μας, θα γινόμουν άραγε σκόνη, χίλια χρόνια νεκρή, ή μήπως το σπίτι γύρω μου θα ήταν σε ερείπια κι εγώ ακόμα με ολόκληρο το σώμα μου, αλλά αμετάκλητα αλλαγμένη; Ή μήπως θα ήταν κάτι ολότελα διαφορετικό; Θα έμπαινα άραγε και θα διαπίστωνα πως μόνο μισός χρόνος είχε περάσει και θα τον έβλεπα να ανεβαίνει το λόφο κρατώντας στα χέρια του το φρεσκοαλεσμένο λάδι μέσα σ' έναν αμφορέα;

Στέκω στην άκρη του. Σε ποια άκρη δεν ξέρω. Να'ναι αυτή που κοιτάζει πίσω πέρα από τους ωκεανούς ή να'ναι εκείνη που κοιτάζει τα σκοτάδια; Κουλουριάζομαι στην άκρη του, κρατώντας σαφράνι, τραγουδώντας το τραγούδι που μου'λεγε η μάνα μου όταν φοβόμουνα τη νύχτα σαν παιδάκι. Η φωτιά τού δίνει χρώμα. Μετά το αφαιρεί. Το σαφράνι στα δάχτυλά μου μυρίζει γυναίκες.

Είμαι η χώρα σου, λέω. Είσαι δικός μου. Στέκομαι στην αυλόπορτα. Έχω γνωρίσει τα ονόματα των πάντων. Τώρα δεν ξέρω ούτε καν το ίδιο μου το νησί, από τότε που το ξανάγγιξε εκείνος. Νόμιζα ότι η ιστορία θα τέλειωνε μόλις θα μάθαινα το νησί μου. Είπα—δεν έχω ανάγκη κανέναν. Δεν έχω ανάγκη κανέναν άντρα. Εγώ είμαι το αλφάβητο, εγώ είμαι η θάλασσα, εγώ είμαι η άμμος. Εγώ είμαι η βασίλισσα και των εφτά βουνών, είπα. Μετά ήρθε αυτός κι εγώ τα ξέχασα όλα, πάλι.

Ο ήλιος μοιάζει να ανατέλλει παντού ταυτόχρονα. Η σελήνη δεν έχει ξεχάσει. Εκείνος στέκει στην άκρη μου. Δίνει μια αίσθηση σαν το μακρύ στάχυ και το μαλλί του προβάτου, σαν του καλοκαιριού που γέρνει προς το τέλος του, σαν τη μυρωδιά λιόξυλου που καίγεται, σαν το σκούρο λεκέ που αφήνει το καρύδι όταν πέφτει στην ποδιά σου. Άραγε στέκομαι στην άκρη τη δική του ή στην άκρη του δικού μου εαυτού; Ποια απ'τις δυο είναι η χώρα μου;

Υπάρχει όμως μια μυρωδιά από λουλούδια μυγδαλιάς, και δεν τολμώ να κάνω και πολλές ερωτήσεις. Κανείς δεν μπορεί να σταματήσει την πτώση τους, αλλά κανείς επίσης δεν μπορεί να σταματήσει το μεγαλειώδες άνοιγμά τους και πάλι. Έχω καινούρια χέρια τώρα. Ό,τι αγγίζουν, σαν από θαύμα, ανθίζει.

JANUARY 2020

Venus conjunct Neptune
Fourth vestment conferred
(She regains the carnelian necklace over Her heart)

Mornings with the green-dusted earth out the window under the oaks. Spinning wool in the cold by the big bright windows. Reading Inanna's myth on the sand-dunes, by the cliffs, watching peregrines. I race them from below. Winter sunrises over Tomales Bay: amber, dark pink, violet. Bare rose branches in the pinewood, showing their thorns. Hazel catkins elongate, releasing soft pollen. Filamental hazel flowers— little threads of dark pink, like tongues. One of the brothers from the Fern Bar, the writer, sends me messages. The mountain paths go bright green with new life. Calendula flowers open in my new garden. I plant artichokes. I learn for the first time about the vestments of Venus after seeing the fourth in the cold sky on a night when I needed to see it more than anything in the world—Venus beside the waxing crescent moon. Conferral of the heart vestment. I decide to say yes when he asks me to go on a walk.

In the Garden, the Tree

1.

There is a garden, and in the garden, nut trees: pecan, almond, walnut. Among the nut trees, the fruit trees are blossoming. Apricots, everywhere. She saw the garden as if from a distance inside herself, through a morning when the light was still low. Her little boy was there, halfway up the walnut tree. He was almond-dark, his face narrow and thinking. She did not know what he was thinking. His face was so serious, but when he smiled, it was the truest thing she'd ever seen. It suffused the whole world. How would she bear it, his smile?

She did not know how she knew that he was her son, but she knew, like how birds know by laws the earth governs how to get home—by the little magnet in the chest, the one made of the same stuff as the planet's iron core. It was like this. She knew he was her child, and also, she thought, peering through the dim morning inside herself—*who is that child who is mine? I know him, and I do not. He is mine, and he is not. He is life's. He will smell like new soil, and sun, and mint. I know that, though I have not yet borne him. Sometimes his silences will frighten me. I am not sure how far he sees. I am not sure who he was, or has been, or will be.*

All she knew was that he was climbing the walnut and his hands were darker than his face, dark as pecans, and the garden was at the edge of herself and her sight still, rimmed in a crepuscular blue, like morning had not quite come to it yet but would, and suddenly what had not been clear would be clear, and she would stand under the blooming apricots, and know it.

2.

There is another garden. An older one. Inanna made it. But it has been remembered wrong. In the stories the scribes wrote down on clay tablets about her life and deeds, it was said that she rescued a Huluppu tree that had been torn from the banks of the Euphrates by the South Wind. It was said she brought it to her garden and settled new earth around it with her feet. Some said the tree was a pomegranate. Others, a date palm, full of sweet fruit. The stars in the northern sky that some called Cassiopeia's Throne were, in the east, a hennaed hand holding a date frond. Inanna's Palm. Her hand. Her tree.

Both times it was written, the story was written wrong. She knew this, the way she knew the face of her son though she had not yet met him in this life. She knew it the way birds know things. No, not that direction. Yes, south, that wind, that line of light, that star. She knew it because she had lived it, and the scribes had not.

It was written in the first story that Inanna called for her brother Gilgamesh to destroy the dark maid Lillith who lived in the trunk, the snake at the root, and the Anzu bird who nested in the branches. It was written that as Inanna waited for her tree to grow so she could cut it down and make it into her throne, her bed and her crown, she complained that these three haunted the tree. She wept in fear. She called for her brother to destroy them. It was written that he put on all of his armor to destroy one serpent, one bird, and one dark maid, to drive them back to the wild places, and that Inanna praised him for it.

It was written in the second story that Eve, giver of life, spoke to a snake and picked the fruit from the tree in her garden, and in that fruit and in that snake and in her body knew the laws and mysteries of Earth, for which she was exiled with Adam. It was written that through Eve, humankind fell from grace.

It was not written that the grace they fell from was Her grace, and that therefore they never actually fell anywhere, only turned away from it: the grace of the tree, the grace of the snake, the grace of the garden with its wild maid unbanished.

In what was not written, Inanna planted the tree but followed Lillith's laws to tend it. In what was not written, her garden was full of trees. A forest, fruiting.

3.

Her mother told her that when she was a little girl, she would stand at the window watching her garden, not understanding all that dirt and digging until the day the bean pods ripened, and her mother invited her out to pick them. Before that, she was concerned to get her colorful dresses dirty. After that, she sat in the soil eating fresh green beans off the vine. After that, she poured water on the earth around the sunflowers and planted her feet in the mud to see what it was like. After that, she and her friend thought to be helpful, and harvested all the carrots at once into a small basket, when they were still only one inch long. At the time, her mother tried not to be angry. Remembering it much later, her mother laughed.

Under the apple tree when she was a few years older, she remembered gathering rose petals from the vines along the shed. She went barefoot. There was always the danger of stepping on a rotting apple, or a thorn from her mother's stray pruned stems, but she didn't mind. It happened often. She was going to use the rose petals for something important that she could not, later, recall. What she did recall were the red drops of liquid she found on the petals that she thought was blood. Blood from a thorn wound in her foot? But she didn't have one. She followed the drops through the garden. Then she saw the swallowtail butterflies. She saw that this was what came from their cocoons, from their bodies, when they emerged. A kind of manna. An old red liquid that was the last of the caterpillar, secreted from the body and chrysalis at the moment of transformation, like a woman's shed blood. When she was a woman, before she became a mother, she remembered this. She wondered if it had really happened. A miracle, it seemed to her, that she had found this liquid fallen onto a rose petal, under the apple tree.

4.

After she emerged from the underworld, Inanna lay for a long time under an apricot tree in a garden where nut trees also grew. She was not sure if it was her garden, the one she had planted long ago, in what seemed another life, but it was a garden and she stumbled there and lay against the earth, unable to go any further, able only to lay there in the shade and light, trembling. She lay there so long, breathing heavily at first, then more calmly, that she was still there when all the trees blossomed. The petals fell down in an April wind on her heart. And so the fourth vestment was conferred. An amulet of blossoms. Behind her, from where she had come, there was a trail of red that looked like blood but was, in fact, red from the chrysalis. Somewhere she saw a little boy climbing a walnut tree. He was not yet born. At last she stood again, and began to go toward him.

Γενάρης 2020

Η Αφροδίτη σε σύνοδο με τον Ποσειδώνα
Το τέταρτο Ιερό Ένδυμα επιδίδεται (ανακτά το περιδέραιο από καρνεόλιο πάνω από την καρδιά Της)

Πρωινά με τη διάστικτη από πρασινάδα γη έξω από το παράθυρο κάτω από τις βελανιδιές. Γνέθοντας μαλλί στο κρύο, πλάι στα μεγάλα φωτεινά παράθυρα. Διαβάζοντας το μύθο της Ινάννα πάνω στις αμμοθίνες, πλάι στους λόφους, παρακολουθώντας τους πετρίτες, παραβγαίνοντάς τους από κάτω. Χειμωνιάτικες ανατολές πάνω από τον κόλπο Τομάλες: κεχριμπαρί, σκούρο ροζ, βιολετί. Γυμνά κλαδιά τριανταφυλλιάς μέσα στο πευκοδάσος, που δείχνουν τα αγκάθια τους. Οι ίουλοι της φουντουκιάς μακραίνουν, απελευθερώνοντας απαλή γύρη. Νηματώδη λουλούδια φουντουκιάς—μικρές ίνες σε σκούρο ροζ σαν γλώσσες. Ένα από τα αδέλφια στο μπαρ Φερν, ο συγγραφέας, μου στέλνει μηνύματα. Τα μονοπάτια του βουνού πρασινίζουν ολόλαμπρα με τη νέα ζωή. Λουλούδια καλέντουλας ανοίγουν στο νέο μου κήπο. Φυτεύω αγκινάρες. Μαθαίνω για πρώτη φορά για τα Ιερά Ενδύματα της Αφροδίτης, αφού βλέπω το τέταρτο ένδυμα στον κρύο ουρανό μια νύχτα που είχα ανάγκη να το δω περισσότερο απ᾽οτιδήποτε άλλο στον κόσμο—την Αφροδίτη πλάι στη σελήνη σε λίγωση. Επίδοση του Ενδύματος της καρδιάς.

Μέσα στον Κήπο, Το Δέντρο

1.

Υπάρχει ένας κήπος και μέσα στον κήπο υπάρχουν καρπόδεντρα: πεκάν, αμυγδαλιά, καρυδιά. Ανάμεσα στα καρπόδεντρα, τα οπωροφόρα ανθίζουν. Βερίκοκα παντού. Είδε τον κήπο σαν από μακριά μέσα στον εαυτό της, μέσα από ένα πρωινό με φως ακόμα λιγοστό. Το αγοράκι της ήταν ακόμα εκεί, μισοσκαρφαλωμένο στην καρυδιά. Ήταν σκούρο σαν αμύγδαλο, το πρόσωπό του ήταν στενόμακρο και σκεφτόταν. Εκείνη δεν ήξερε τι σκεφτόταν. Το πρόσωπό του ήταν τόσο σοβαρό, αλλά όταν χαμογέλασε, ήταν το πιο αληθινό πράγμα που είχε δει ποτέ της. Εμπότισε ολόκληρο τον κόσμο. Πώς θα το άντεχε, το χαμόγελό του;

Δεν ήξερε πώς το ήξερε ότι αυτός ήταν ο γιος της, αλλά το ήξερε, έτσι όπως ξέρουν τα πουλιά, με νόμους που η γη κυβερνά, πώς να φτάσουν σπίτι τους—με το μικρό μαγνήτη στο στήθος, αυτόν που είναι φτιαγμένος από το ίδιο υλικό με τον σιδερένιο πυρήνα της γης. Έτσι ήταν. Ήξερε πως εκείνος ήταν το παιδί της, και επίσης, σκέφτηκε προσπαθώντας να διακρίνει μέσα από το μουντό πρωινό μέσα στον εαυτό της—*ποιο είναι αυτό το παιδί που είναι το δικό μου; Τον ξέρω και δεν τον ξέρω. Είναι δικός μου και δεν είναι. Είναι της ζωής. Θα μυρίζει φρέσκο χώμα και ήλιο και μέντα. Αυτό το ξέρω, παρόλο που δεν τον έχω γεννήσει ακόμα. Οι σιωπές του μερικές φορές θα με τρομάζουν. Δεν είμαι σίγουρη πόσο μακριά βλέπει. Δεν είμαι σίγουρη ποιος ήταν, ποιος είναι, ποιος θα είναι.*

Το μόνο που ήξερε ήταν πως σκαρφάλωνε στην καρυδιά και τα χέρια του ήταν πιο σκούρα από το πρόσωπό του, σκούρα σαν τα καρύδια, και ο κήπος βρισκόταν στην άκρη του εαυτού της και της όρασής της ακόμα, βουτηγμένος σ'ένα μπλε λυκαυγές, σαν να μην είχε ακόμα έρθει η μέρα, αλλά ερχόταν, και ξαφνικά όλα αυτά που δεν ήταν ξεκάθαρα, θα γίνονταν, κι εκείνη θα στεκόταν κάτω από την ανθισμένη βερυκοκιά και θα το ήξερε.

2.

Υπάρχει άλλος ένας κήπος. Παλιότερος. Η Ινάννα τον έφτιαξε. Όμως τον θυμούνται πάντα λάθος. Οι ιστορίες που κατέγραψαν οι γραφείς για τη ζωή και τα έργα της πάνω στις πήλινες πλάκες έλεγαν πως διέσωσε ένα δέντρο Χουλούπου που το είχε ξερριζώσει από τις όχθες του Ευφράτη ο Νοτιάς. Είπαν πως το έφερε στον κήπο της και πάτησε την καινούρια γη να την ισιώσει με τα πόδια της. Κάποιοι είπαν πως το δέντρο ήταν ροδιά. Άλλοι χουρμαδιά γεμάτη με γλυκούς καρπούς. Τα αστέρια στο βορινό ουρανό που κάποιοι ονομάζουν Θρόνο της Κασσιόπης ήταν, για τους ανατολίτες, ένα χέρι βαμμένο με χέννα που κρατούσε ένα φοινικόφυλλο. Το Χέρι της Ινάννα. Η Παλάμη της. Το Δέντρο της.

Και τις δυο φορές που γράφτηκε η ιστορία, γράφτηκε λάθος. Αυτό το ήξερε, όπως ήξερε το πρόσωπο του γιου της, παρόλο που δεν τον είχε γνωρίσει ακόμα σ'αυτή τη ζωή. Το ήξερε, με τον τρόπο που τα πουλιά ξέρουν διάφορα. Όχι, όχι προς τα εκεί. Ναι, νότια, εκείνος ο άνεμος, εκείνη η γραμμή φωτός, εκείνο το αστέρι. Το ήξερε γιατί το είχε ζήσει, ενώ οι γραφείς όχι.

Είχε γραφτεί στην πρώτη ιστορία ότι η Ινάννα απαίτησε από τον αδελφό της τον Γιλγαμές να καταστρέψει τη σκοτεινή κόρη Λίλιθ, η οποία ζούσε μέσα στον κορμό, το φίδι στις ρίζες του και το πουλί Ανζού, που έκανε τη φωλιά του στα κλαδιά. Είχε γραφτεί πως, ενώ η Ινάννα περίμενε το δέντρο της να μεγαλώσει για να το κόψει και να φτιάξει απ'αυτό το θρόνο, το κρεβάτι και την κορώνα της, παραπονέθηκε πως αυτοί οι τρεις στοίχειωναν το δέντρο. Θρηνούσε τρομαγμένη. Απαίτησε από τον αδελφό της να τα καταστρέψει. Είχε γραφτεί ότι εκείνος φόρεσε ολόκληρη την πανοπλία του για να καταστρέψει ένα ερπετό, ένα πουλί και μια σκοτεινή κόρη, να τους οδηγήσει πίσω στους άγριους τόπους, και πως η Ινάννα τον επαίνεσε γι'αυτό.

Είχε γραφτεί στη δεύτερη ιστορία πως η Εύα, η ζωοδότρα, μίλησε σ'ένα φίδι και πήρε το φρούτο από το δέντρο μέσα στον κήπο της και πως μέσα σε αυτό το φρούτο και μέσα σ'εκείνο το φίδι και μέσα στο σώμα της γνώρισε τους νόμους και τα μυστήρια της γης και γι'αυτό εξορίστηκε μαζί με τον Αδάμ. Είχε γραφτεί ότι μέσα από την Εύα, η ανθρωπότητα εξέπεσε από τη χάρη.

Δεν είχε γραφτεί πως, η χάρη από την οποία εξέπεσαν, ήταν η Δική Της χάρη και πως, επομένως, ποτέ δεν έπεσαν πουθενά, μόνο της γύρισαν την πλάτη: στη χάρη του δέντρου, στη χάρη του φιδιού, στη χάρη του κήπου, με την άγρια κόρη του παρούσα, όχι εξορισμένη.

Σε αυτά που δεν γράφτηκαν, η Ινάννα φύτεψε το δέντρο, ακολουθώντας όμως τους νόμους της Λίλιθ για να το φροντίσει. Σε αυτά που δεν γράφτηκαν, ο κήπος της ήταν γεμάτος δέντρα. Ένα δάσος, καρποφόρο.

3.

Η μάνα της τής είχε πει ότι, όταν ήταν κοριτσάκι, στεκόταν στο παράθυρο και παρακολουθούσε τον κήπο, χωρίς να καταλαβαίνει τι ήταν όλο αυτό το χώμα και το σκάψιμο, ως την ημέρα που τα φασολάκια ωρίμασαν και η μάνα της την προσκάλεσε στον κήπο για να τα μαζέψουν. Πριν απ'αυτό, ανησυχούσε μήπως λερώσει τα χρωματιστά φουστάνια της. Μετά απ'αυτό, καθόταν κατάχαμα κι έτρωγε φρέσκα φασολάκια κατευθείαν απ'τη φασολιά. Μετά απ'αυτό, έριχνε νερό στο χώμα γύρω από τα ηλιοτρόπια και έχωνε τα πόδια της στη λάσπη για να δει πώς ένιωθε. Μετά απ'αυτό, εκείνη κι η φίλη της σκέφτηκαν να βοηθήσουν και μάζεψαν όλα τα καρότα μονομιάς και τα'βαλαν σ'ένα μικρό καλάθι, όταν ήταν ακόμα δυόμισι πόντους. Εκείνη τη στιγμή, η μάνα της προσπάθησε να μη θυμώσει. Όταν το θυμόταν πολύ αργότερα η μάνα της, γελούσε.

Κάτω από τη μηλιά, όταν ήταν λίγα χρόνια μεγαλύτερη, θυμάται να μαζεύει ροδοπέταλα από τα αναρριχώμενα στο πλάι της καλύβας. Πήγαινε ξυπόλητη. Πάντα υπήρχε ο κίνδυνος να πατήσει κανένα σάπιο μήλο ή κανένα αγκάθι από τα σκόρπια κλαδεμένα κλαριά της μάνας της, αλλά δεν την πείραζε. Συνέβαινε συχνά. Ήταν να χρησιμοποιήσει τα ροδοπέταλα για κάτι σημαντικό που δεν μπορούσε αργότερα να θυμηθεί. Αυτό που θυμόταν όμως ήταν οι κόκκινες στάλες υγρού που έβρισκε πάνω στα πέταλα και νόμιζε πως ήταν αίμα. Αίμα; Να την τρύπησε κάποιο αγκάθι και την τραυμάτισε; Μα δεν είχε πληγή. Ακολούθησε τις στάλες μέσα από τον κήπο. Τότε είδε τις πεταλούδες με την ουρά χελιδονιού. Είδε πως αυτό έβγαινε από τα κουκούλια τους, από τα σώματά τους, καθώς έβγαιναν στο φως. Ένα είδος μάννα. Ένα αρχαίο κόκκινο υγρό, που ήταν ό,τι είχε απομείνει από την κάμπια, μια έκκριση από το σώμα και από τη χρυσαλλίδα τη στιγμή της μεταμόρφωσης, σαν το αίμα που τρέχει απ'τη γυναίκα. Όταν έγινε γυναίκα, πριν γίνει μητέρα, το θυμήθηκε αυτό. Αναρωτήθηκε αν είχε συμβεί στ'αλήθεια. Σαν θαύμα, έτσι το είδε, που είχε βρει αυτό το υγρό πεσμένο επάνω στο ροδοπέταλο, κάτω από τη μηλιά.

4.

Αφού αναδύθηκε από τον κάτω κόσμο, η Ινάννα έμεινε ξαπλωμένη ώρα πολλή κάτω από μια βερικοκιά μέσα σ'έναν κήπο που είχε και καρπόδεντρα. Δεν ήταν σίγουρη αν ήταν ο δικός της κήπος, εκείνος που είχε φυτέψει πριν τόσο καιρό σε κάτι που έμοιαζε με άλλη ζωή, ήταν όμως ένας κήπος, και είχε φτάσει εκεί παραπατώντας και ξάπλωσε με την πλάτη στη γη, ανίκανη να πάει παραπέρα, ικανή μόνο να μείνει εκεί ξαπλωμένη, μέσα στη σκιά και στο φως, τρέμοντας. Έμεινε εκεί τόσο πολύ, βαριά λαχανιασμένη στην αρχή, πιο ήρεμη μετά, ώστε ήταν ακόμα εκεί όταν άνθισαν όλα τα δέντρα. Τα πέταλα έπεφταν κάτω με το Απριλιάτικο αεράκι πάνω στην καρδιά της. Κι έτσι το τέταρτο ένδυμα επιδόθηκε. Ένα φυλαχτό από άνθη. Πίσω της, από την κατεύθυνση που είχε έρθει, υπήρχε ένα μια κόκκινη γραμμή που έμοιαζε με αίμα, ενώ ήταν στην πραγματικότητα το κόκκινο της χρυσαλλίδας. Κάπου είδε ένα μικρό αγοράκι να σκαρφαλώνει μια καρυδιά. Δεν είχε ακόμα γεννηθεί. Τέλος, σηκώθηκε πάλι όρθια και άρχισε να προχωρά προς το μέρος του.

FEBRUARY 2020

Venus conjunct Chiron
Fifth vestment conferred
(She regains the lapis necklace at Her throat)

Hazel pollen everywhere in the forest. The first tiny white wild strawberry flowers. Venus shining sharp as quartz in the winter sky, the night the writer who was also a sailor comes over. It is a long time since I've been kissed. Fire in the woodstove, up late hearing stories of the Red Sea. Green grass soft and growing under the oaks. Taking tea on blankets out there, in the February light like warm butter. Candied violets on the beach at Limantour. Manzanita flowers, thousands of tiny white bells the bumblebees cling to, humming the pollen free with their bodies. The eros of February. Magnolias bloom, and the plum trees, always near Valentine's day. Tomales Bay in the early morning is pearlescent blue. Ceramics in the old art studio: bright acacia flowers, Penny's calla lilies, Aphrodite's altar, scent of clay.

The Seed Compass

She went out into the morning
It was early spring
That time
when the first blossoms are everywhere
manzanita, huckleberry, filamental hazel

She went out into the morning
into the honeyed scent
into the bells the bumblebees were ringing
shaking them for pollen

She went out into the morning
carrying a seed dish
It was shaped like the winnowing baskets of her aunts
only it was not for winnowing barley or wild grasses
but for winnowing light out of past things
out of what had lately passed through stars

That's how the tree women did it
That's how the star women did it
That's how the bird women did it
That's how she'd been shown:

Toss it all up, let the wind pass, catch the light that falls

She went out into the morning
down the steps barefoot
into the scent of spring opening

How many of her people were in the ground
somewhere, surging up through the calla lily stems?

She carried the seed dish
In it were bits of pollen and some seeds whose names she didn't know
They had come to her suddenly, as well as the dish,
offered to her at a surprising feast table
which was full of the bright things of this earth, such as:

the dinoflagellate plankton that fill the warm seas with blue light
pollen stirred off hazel catkins and the pines behind the two of them

—in this new season, the new season in her
where spring was early
and the morning barefoot
where she dreamed of skies whose constellations she did not recognize at all
and he told her how auroras were the spirits of a benevolent people who
even after a terrible massacre, chose to stay here, to stay on earth
as those blue lights, so that we would not be alone
without that shining, without that miracle, without
that reminder of another kind of love—

sea foam, achingly bright, from the big beach
a white feather from the osprey who called high above them
also the fish the osprey was carrying as a courtship gift
salt from the backs of their hands after they swam in the cold blue wave
the glint that came through Venus' window, onto her bed, from the west

She tossed it all up, like her aunts' winnowing
It was frightening, to let the wind take what it would
She was afraid it would it take everything

But the spring air was gentle
When she looked again, the dish was full of a pollen so thick
it looked like ochre, the kind to paint with

She touched it with her finger
Here, at last, she thought

I will make my words

The Sailor, Who Was Not Odysseus

1.
He Who Spoke to Her of the Sea

By the fire, which was low, with her purple skirt up above her knees, Calypso said to the sailor, "I have been to the bottom of the sea now, listening to your stories. I dove as you did, as if flying down oceanic cliffs into the deep. I saw octopuses. I swore never to eat them again. I was saved from drowning by a young boy's vision of dolphins. I watched the water turn milk green with light all around me somewhere on the Indian Ocean in the dark, when I was at the helm. Belowdecks the others told me later that they always slept deepest when my hands were guiding the boat, because I was the steadiest one. I have been inside the sea's light now, listening to your stories."

That's what Calypso said, curled up like a cat on the goatskin she had laid by the fire, very close to him but still not touching. Their cups were made of fine white clay she had dug and crafted down the south side of the island. Now they were full of wine. It stained both of their mouths. Outside the crescent moon was a slender ship that carried the evening star. Possibly it was carrying all of them.

He kept on going with his stories, glancing at her only partway, as one might a bird, a little dove, hoping for it to come closer. He opened one hand, idly, and placed it near her, without touching. There was a little star tattooed indigo on his hand, in the soft place between thumb and forefinger. She recognized it, though she did not at first know why. He kept talking about the sea.

Moving and talking that way, very steadily and softly, not looking directly at her, he began to bring her back from somewhere very far away.

2.
The Oak Oracle

"As myself," Calypso said later, on another day, under the oak trees in the sun, after he had touched her deeply, after she had begun to trust him, "I have been where the blue dove flies. Where she came from, and where she returned to, she brought me a wind full of pollen. She brought me the crescent moon and the evening star, and a red stone to lay against my heart. I thought everything was lost. For a long time I thought this." She looked at him sidelong with her strange eyes. "I suppose it was not. Though I am not yet sure what I have found."

The breeze was softer even than the sailor's hands, which were very soft under the oak trees in the sun in that immortal season which was suddenly theirs, as perhaps it had not been in lifetimes, a season that already could not be touched by time, because it had gone somewhere golden like the city called Valletta, where she was always about to turn the corner on a different street than the one she took in real life and find him there, dangling his feet in the sea by the port. Inside of time, in the regular years of her life, she had not. Inside of time they had both been there on the same day, in the same season—she on pilgrimage to the Lady's temple ten years past, he building the boat he would sail to the Indian Ocean. Both on the edges of their destinies. But they had not crossed paths. Inside of time, it would be ten more years before she turned the right street corner, crossed the right threshold covered in frogs, following the vestment of the evening star, and saw him there, come to the edge of her island.

But outside of time, she was still running through the golden light that seemed eternal in Valletta, across the cobbles made of sandstone, thinking of the Lady of Ggantija whose sanctuary she had just visited, and he was still there at the shipyard with a beard growing, lean and laughing in the sun. Her hair was long then, and very golden. She had yet to be touched by any significant kind of sorrow.

Under the oak tree in that sudden immortal season where the sailor had washed up on Ogygia—not the one broken by war whom the poet Homer later sang about, but a wholly unexpected person Homer never knew about at all, as if time had turned in her tracks and changed her mind about the course of history and the epics of man—she knew suddenly that when her hair was that long again, she would have a child. She did not know she had cut it for that reason, when she cut it.

She knew it now, under the oaks, having seen the sea through his eyes, having seen herself newly. He was watching the wood pigeons in the oak and touching her hand. She didn't say anything about her hair.

3.

Before Ogygia, the Gardener

She had cut it off in the time before she came to Ogygia, on another island, the one she came from, Crete, which was not only geographical, but also chthonic, in a time that the sailor had helped her return from slowly by the fire with his hand outstretched as if to catch a dove. She had loved a different man then. She wasn't the Calypso then. She thought she had loved this man a thousand other times, each time forgetting that by loving him, she was agreeing to her own eventual dismemberment. He made sweeter, stronger honey in his hives than any she had ever tasted. At night, she loved to hear him sing. She called him gardener. The pomegranate trees he grew were always heavy.

The day she cut off her hair it was April and they were by the sea, near the sanctuary where the Lady had once appeared in the flesh—as a dolphin, as a sea-wind, as a shining tower of salt crystals, as a rare and fleeting bioluminescence? No one knew for sure what She had been, but they had known it was Her. At the time, Calypso felt Her epiphany in the little pale irises along the walls and thresholds of the sanctuary. She went around touching them. There were more than she had ever seen anywhere before. The bulbs could be gathered and dried for spice, with a taste like nutmeg. They could also be gathered as a rare medicine, under the light of Spica.

Her gardener rested in the shade, watching her, not quite understanding what she did or how it was she spoke to the irises as she touched them—he had a simpler way—but understanding enough to find her beautiful, and strange, and a little fierce, with her hair so suddenly shorn. She'd cut it with two slices of a well-sharpened knife by the water's edge, after swimming. He didn't swim. It was still too cold, he said. It did not relax him like it did her. He liked the shade of a tree more on a hot day. It frightened him a little, he said. She smiled at his fear but did not understand it.

She didn't know precisely why she had cut her hair, only that suddenly it had become necessary. Suddenly she could not bear it another day, all that hair, all the ten years she had loved another before the gardener, and had lost her first home. Life held many more loves than she had anticipated. She was not very sure about her heart or its capacity. Once, she had loved entirely. Now, it seemed, she did again. There was so much she needed to cut away.

She also did not know that a little later, when she gave the gardener a knife for his nameday celebration—a better one for pruning and harvesting the grapes—that she was also cutting him away. Among his people, this was a bad-luck gift to give. She had not known. The day she cut off her hair she thought she was making way for him to spring more fully through her. Later, with the second blade, she saw she was cutting everything away ruthlessly, to make way for herself. The cutting away kept going on after that. It was terrible.

She preferred the memories because they were still whole. Remembering made them so. She held the memory of that day by the sea (as if she had gathered it to her like the iris bulbs, like sea salt drying on the rocks which he collected with his mother and brother every summer, while the olive prunings too thin for firewood burned in a pyre)—him napping in the shade outside the sanctuary, his wooly hair everywhere, his eyes the same as the sea, and herself, looking for wildflowers she had not yet met, her head suddenly weightless, her hair a long tail severed in her bag, promising something other than what she thought it promised.

She had not known then that they were already beginning to dismember one another. There was no stronger *pharmakeia* than this rending. It took a long time to see this—that it was a more potent medicine than any she could have made. It took a long time to fall away from him. It took a long time to fall apart. She had planted rue at the four corners of their summer garden, and two outside their door in clay pots. All had died save one, but it was too late by then. She only hoped it was enough to guard him still, without her body there at night. Was that why she had lain there so many nights, even unhappily? As if she thought her heart—or perhaps her whole body—a protective charm to ward off some unknown fate, to keep him from a pain he would, nevertheless, have to endure? A pain that had been there before her and would be there after.

For a time, when she came to Ogygia, she tried to learn the secret magic of every one of her people's sealstone etchings; every configuration of symbol, daemon, epiphany and ancestor; every species of gem, mineral and metal; all the words and myths that bound the medicine to its stone and to its star, and to the body it was given to heal. She would have done anything to bring what was true back to life. She had let him cast her to the ground. He had watched her shatter. He was a husk of what he had been to her—all of what had made him whole to her had been scattered. And yet she would have touched each of his limbs with a different letter of becoming, in the ochres of renewal gathered from the nineteen islands of the Light Sea, to help him. She would have poured everything out.

4.
Okeanos

But unexpectedly, the stars shifted over her one night, in the midst of all her preparations. There was a dark ochre on her fingers, and a sealstone carved with the face of a breasted falcon, and the mandrake root. She had dreamed so many times of his coming. Its necessity, its inevitability. In her preparations, it was as if he already had come. But that night she dreamed of a constellation she had never seen. A sky she did not even recognize. The next day, there was a storm that blew unexpectedly out of the middle of a clear sky.

A different man washed up on her shore than the one she had lost, than the one she had been anticipating, than the one she wanted.

The ocean intervened, for Calypso's dreams were powerful, and though she could draw many things to her island by her will alone, she didn't always know what was best for her. She was stubborn that way. It was Okeanos, the ocean himself, who loved Calypso most of all men. He did not want any more harm to come to her. So instead he sent the sailor who carried Valletta, and the octopus' understanding, with the eight-pointed star tattooed on his hand, so that she could not mistake him.

And as he told her his sea stories, gently, she understood that the healing she had hoped to administer with her own hands to the one she had loved could not be done by her at all. She understood that she would have put her own life into the clay tablets and sealstones, into the ochres, into the symbols, into the tinctures and the signs, and that she might indeed have saved him, but she herself would not have survived it.

5.
The Eight Pointed Star

The golden streets of Valletta rang in the oak branches. Time shifted. The sailor had been navigating by stars alone when he came to Ogygia in that storm. Time became a blue bowl streaked with amber. The Lady's star was all over him. He even smelled of myrrh. Calypso could see it. The star was all over her too. She did not know, but she smelled of orange blossoms. In the dark, past midnight, half clothed, they went out together and saw Orion's head shining through the oak branches, which were oracular, because of the wood doves who lived there. Some of them went off in the starlight in search of rain.

In the morning, she said again to herself in silence, *when my hair is long, I will have a child.* She did not know whose. Hers, she thought then. Hers. That much she could know. She thought of the iris bulbs, and the sea, and her gardener resting in the shade, watching her. She wondered if she would always grieve him. If a part of her would always stand ajar, uncertain of his return, not waiting for it, but also not wholly turned away. Was it a half-broken heart that made it so easy to see where the star touched, now? All the knowledge of stone and mineral and star, of leaf and root and ochre, of letter, moon and seed, could not spell for her why she stood ajar. Her heart was a mystery, entire.

"I have been to the bottom of the sea now," she said out loud to the sailor. Her skirts were paler today, a lilac. It was daylight under the oaks, but the stars were still there out of sight in the branches, drowned in blue. "I have seen with the octopus' eye. Tell me another story, sailor. I would like to see more of this world."

We are outside of the stories the poet told before, she said to herself, as he began to tell her of great spotted cats in a faraway desert. She had dreamed of them since she was a girl.

The stars are different now, in this world that has been returned to me.

The stars are different over the new earth she will put her tongue to, to break the spell.

Φλεβάρης 2020

Η Αφροδίτη σε σύνοδο με τον Χείρωνα
Το πέμπτο Ιερό Ένδυμα επιδίδεται
(ανακτά το περιδέραιο από λαζουρίτη στο λαιμό Της)

Γύρη φουντουκιάς παντού μέσα στο δάσος. Τα πρώτα μικροσκοπικά λουλούδια της αγριοφράουλας. Η Αφροδίτη λάμπει πεντακάθαρη σαν κουάρτζ στο χειμωνιάτικο ουρανό, τη νύχτα που ο ναύτης που ήταν και συγγραφέας έρχεται σπίτι. Έχει περάσει πολύς καιρός από τότε που κάποιος με φίλησε. Φωτιά στην ξυλόσομπα, ξενύχτι ως αργά ακούγοντας ιστορίες της Ερυθράς Θάλασσας. Πράσινο γρασίδι τρυφερό που μεγαλώνει κάτω από τις βελανιδιές. Πίνοντας τσάι καθισμένοι σε κουβέρτες εκεί έξω, μέσα στο Φλεβαριάτικο φως, αισθησιακό σαν ζεσταμένο βούτυρο. Ζαχαρωμένες βιολέτες στην παραλία στο Λιμαντούρ. Λουλούδια μανζανίτα, χιλιάδες μικροσκοπικές καμπανούλες με βουτηγμένες μέσα τους μέλισσες, που απελευθερώνουν τη γύρη με το βόμβο του σώματός τους. Ο έρως του Φλεβάρη. Οι μανόλιες ανθίζουν, και οι δαμασκηνιές, πάντα κοντά στου Αγίου Βαλεντίνου. Ο κόλπος Τομάλες το χάραμα είναι μαργαριταρένιο γαλάζιο. Κεραμικά στο παλιό στούντιο: φωτεινά λουλούδια ακακίας, οι κρίνοι της Πέννυ, βωμός της Αφροδίτης, άρωμα πηλού.

Η Πυξίδα των Σπόρων

Βγήκε έξω μέσα στο πρωινό
Ήταν αρχή της άνοιξης
Εκείνη η εποχή, εκείνη η εποχή
που τα πρώτα λουλούδια είναι παντού
μανζανίτα, μύρτιλλο, κλωστές ίουλων φουντουκιού

Βγήκε έξω μέσα στο πρωινό
μέσα στο μελωμένο άρωμα
μέσα στις καμπανούλες που οι μέλισσες δονούσαν
τινάζοντάς τις για τη γύρη

Βγήκε έξω μέσα στο πρωινό
κουβαλώντας ένα δίσκο με σπόρους
Είχε σχήμα σαν τα κόσκινα των θειάδων της
μόνο που δεν ήταν για να κοσκινίζει κριθάρι ή αγριόχορτα
αλλά για να κοσκινίζει το φως από τα παλιά πράγματα
από οτιδήποτε είχε περάσει πρόσφατα μέσα από άστρα

Έτσι το έκαναν οι γυναίκες-δέντρα
Έτσι το έκαναν οι γυναίκες-άστρα
Έτσι το έκαναν οι γυναίκες-πουλιά
Έτσι της είχαν δείξει ότι το κάνουν:

Πέτα τα όλα ψηλά, άσε τον άνεμο να φυσήξει, πιάσε το φως που πέφτει

Βγήκε έξω στο πρωινό
κατέβηκε τα σκαλιά ξυπόλυτη

μέσα στη μυρωδιά της άνοιξης που ανοίγει
Πόσοι απ’τους ανθρώπους της ήταν στο χώμα
κάπου, και ξεμύτιζαν μέσα από τα κρινοβλάσταρα;

Κουβαλούσε το δίσκο με τους σπόρους
Μέσα υπήρχαν ψήγματα γύρης και κάποιοι σπόροι με άγνωστα ονόματα
Είχαν φτάσει ξαφνικά σ’αυτήν, όπως και ο δίσκος
Της τον είχαν προσφέρει σ’ένα γιορτινό τραπέζι-έκπληξη
που ήταν γεμάτο από τα λαμπρά πράγματα αυτής της γης, όπως:

δεινομαστιγωτό πλαγκτόν που γεμίζει τις ζεστές θάλασσες με γαλάζιο φως
γύρη τιναγμένη από ίουλους φουντουκιού και πεύκα πιο πίσω απ'όλα
--σε αυτή τη νέα εποχή, τη νέα δική της εποχή
όπου η άνοιξη ήρθε νωρίς
και το πρωινό ξυπόλυτο
όπου ονειρεύτηκε ουρανούς με αστερισμούς που δεν τους αναγνώριζε
καθόλου
κι αυτός της είπε ότι το σέλας ήταν πνεύματα καλόψυχων ανθρώπων που
ακόμα και μετά από μια αποτρόπαια σφαγή, επέλεξαν να μείνουν εδώ,
να μείνουν στη γη
με τη μορφή αυτού του μπλε φωτός, για να μην είμαστε μόνοι
χωρίς αυτή τη λάμψη, χωρίς αυτό το θαύμα, χωρίς
αυτή την υπενθύμιση μιας αγάπης άλλου είδους—

αφρός της θάλασσας, επίπονα φωτεινός, από τη μεγάλη παραλία
λευκό φτερό από τον ψαραετό που στρίγγλισε από πάνω τους,
όπως και το ψάρι που κουβαλούσε το πουλί, δώρο ερωτοτροπίας
αλάτι από το πάνω μέρος των χεριών τους αφού είχαν κολυμπήσει στο
κρύο γαλάζιο κύμα
η αναλαμπή που μπήκε μέσα από το παράθυρο της Αφροδίτης, πάνω στο
κρεβάτι της, από τα δυτικά

Τα πέταξε όλα στον αέρα, όπως οι θειάδες της που κοσκινίζαν
Ήταν τρομακτικό ν'αφήνεις τον αέρα να πάρει ό,τι θέλει
Φοβήθηκε μήπως πάρει τα πάντα

Μα το ανοιξιάτικο αγέρι ήταν απαλό
Όταν έριξε άλλη μια ματιά, ο δίσκος ήταν γεμάτος μια γύρη τόσο πυκνή
που έμοιαζε με ώχρα, απ'αυτήν που ζωγραφίζουμε

Την άγγιξε με το δάχτυλό της
Εδώ, επιτέλους, σκέφτηκε

Θα φτιάξω τις λέξεις μου

Ο Ναύτης που Δεν Ήταν ο Οδυσσέας

1.
Αυτός που Της Μίλησε για τη Θάλασσα

Πλάι στη φωτιά, που ήταν χαμηλή, με την πορφυρή φούστα της μαζεμένη πάνω από τα γόνατα, η Καλυψώ είπε στο ναύτη, «Έχω πάει στο βυθό της θάλασσας τώρα, ακούγοντας τις ιστορίες σου. Βούτηξα όπως κι εσύ, σαν να πετούσα κατεβαίνοντας τους ωκεάνιους γκρεμούς ως τα βαθιά. Είδα χταπόδια. Ορκίστηκα πως δεν θα τα ξαναφάω. Με έσωσε από πνιγμό ένα νεαρό αγόρι που οραματίστηκε δελφίνια. Είδα το νερό να γίνεται γαλακτερό πράσινο με το φως παντού γύρω μου κάπου στον Ινδικό Ωκεανό μέσα στο σκοτάδι, τότε που ήμουν στο πηδάλιο. Οι άλλοι κάτω απ'το κατάστρωμα μου είπαν αργότερα ότι πάντα κοιμόντουσαν πιο βαθιά όταν το καράβι οδηγούσαν τα δικά μου χέρια, επειδή εγώ ήμουν η πιο σταθερή. Έχω βρεθεί μέσα στο φως της θάλασσας πια, ακούγοντας τις ιστορίες σου».

Αυτά είπε η Καλυψώ, κουλουριασμένη σαν τη γάτα πάνω στο γιδοτόμαρο που είχε απλώσει κοντά στη φωτιά, πολύ κοντά σε εκείνον, αλλά ακόμα χωρίς να τον αγγίζει. Οι κούπες τους ήταν φτιαγμένες από φίνο λευκό πηλό, που είχε μαζέψει και πλάσει κάτω στη νότια πλευρά του νησιού. Τώρα ήταν γεμάτες κρασί. Είχε βάψει το στόμα και των δυο τους. Έξω, ο μηνίσκος της σελήνης ήταν ένα λυγερό σκαρί που κουβαλούσε τον Αποσπερίτη. Μάλλον κουβαλούσε όλα τ'αστέρια.

Συνέχισε με τις ιστορίες του, κοιτάζοντάς την μόνο πλαγίως, όπως κάποιος θα έκανε μ'ένα πουλί, ένα μικρό περιστεράκι, που ελπίζει να πλησιάσει περισσότερο. Άνοιξε το ένα του χέρι, ράθυμα, και το έβαλε κοντά της, χωρίς να την αγγίζει. Υπήρχε ένα μικρό λουλακί αστέρι χτυπημένο στο χέρι του, στο μαλακό σημείο ανάμεσα στο αντίχειρα και στο δείκτη. Το αναγνώρισε, αν και δεν κατάλαβε αμέσως γιατί. Εκείνος συνέχισε να μιλάει για τη θάλασσα.

Έτσι όπως κινιόταν και μιλούσε, πολύ σταθερά και απαλά, χωρίς να την κοιτάζει ευθέως, άρχισε να τη φέρνει πίσω από ένα μέρος πολύ πολύ μακριά.

2.
Το Μαντείο της Δρυός

«Ως ο εαυτός μου», είπε αργότερα η Καλυψώ, μιαν άλλη μέρα, κάτω από τις βελανιδιές μέσα στον ήλιο, αφού την είχε αγγίξει βαθιά, αφού είχε αρχίσει να τον εμπιστεύεται., «έχω πάει εκεί που πετάει το γαλάζιο περιστέρι. Εκεί απ'όπου ήρθε και εκεί που θα επιστρέψει, μου έφερε έναν άνεμο γεμάτο γύρη. Μου έφερε το μηνίσκο της σελήνης και τον αποσπερίτη και μια κόκκινη πέτρα να βάλω επάνω στην καρδιά μου. Νόμιζα πως όλα ήταν χαμένα. Για πολύν καιρό το πίστευα αυτό». Τον κοίταξε πλάγια με τα παράξενα μάτια της. «Φαντάζομαι πως δεν ήταν. Παρόλο που δεν είμαι ακόμα σίγουρη τι έχω βρει».

Η αύρα ήταν απαλότερη κι από τα χέρια του ναύτη ακόμα, που ήταν πάρα πολύ απαλά κάτω από τις βελανιδιές μέσα στον ήλιο, εκείνη την αθάνατη εποχή που ήταν ξαφνικά δική τους, κάτι που ίσως είχε να συμβεί πολλές ζωές, μια εποχή που ήδη ο χρόνος δεν την άγγιζε, γιατί είχε πάει σε κάποιο χρυσαφένιο μέρος, όπως η πόλη που λέγεται Βαλέττα, όπου εκείνη ήταν πάντοτε έτοιμη να στρίψει τη γωνία ενός διαφορετικού δρόμου από αυτόν που είχε πάρει στην πραγματική ζωή και να τον βρει εκεί, με τα πόδια του να κρέμονται στη θάλασσα, πλάι στο λιμάνι. Μέσα στο χρόνο, στα κανονικά χρόνια της ζωής της, δεν το είχε κάνει. Μέσα στο χρόνο που είχαν βρεθεί και οι δυο εκεί, την ίδια μέρα, την ίδια εποχή—εκείνη σ'ένα προσκύνημα στο ναό της Κυράς δέκα χρόνια νωρίτερα, κι εκείνος να φτιάχνει τη βάρκα που θα τον πήγαινε στον Ινδικό Ωκεανό. Και οι δυο στα άκρα των πεπρωμένων τους. Όμως οι δρόμοι τους δεν διασταυρώθηκαν. Μέσα στο χρόνο, θα περνούσαν ακόμα δέκα χρόνια, πριν εκείνη στρίψει στη σωστή γωνιά του δρόμου, δρασκελίσει το σωστό, γεμάτο βατράχια κατώφλι, ακολουθώντας το ιερό ένδυμα του αποσπερίτη, ώσπου να τον δει εκεί, να έχει φτάσει στην άκρη του νησιού της.

Όμως, έξω από το χρόνο, εκείνη ακόμα έτρεχε μέσα στο χρυσαφένιο φως που έμοιαζε αιώνιο στη Βαλέττα, πάνω στο λιθόστρωτο από πλάκες ψαμμίτη, και σκεφτόταν την Κυρά της Γκαντίγια, που το ιερό της είχε μόλις επισκεφτεί, κι εκείνος ήταν ακόμα εκεί, στο μουράγιο, είχε αφήσει γένια, ήταν λιπόσαρκος και γελούσε στον ήλιο. Τα μαλλιά της ήταν μακριά τότε και ολόχρυσα. Δεν την είχε αγγίξει ακόμα καμιά πραγματική θλίψη.

Κάτω από τη βελανιδιά σε μια ξαφνική αθάνατη εποχή όπου ο ναύτης είχε ξεβραστεί στην Ωγυγία—όχι εκείνος ο ρημαγμένος απ'τον πόλεμο, που αργότερα τραγούδησε ο ποιητής Όμηρος, αλλά κάποιο άλλο εντελώς αναπάντεχο άτομο, που ο Όμηρος δεν είχε καν ιδέα πως υπήρχε, λες και η ώρα είχε σταματήσει επί τόπου και είχε αλλάξει γνώμη για την πορεία της ιστορίας και για τα έπη του ανθρώπου—κατάλαβε ξαφνικά πως, όταν τα μαλλιά της θα μάκραιναν πάλι τόσο, θα έκανε παιδί. Δεν ήξερε ότι τα είχε κόψει γι'αυτό το λόγο, όταν τα έκοψε.

Το κατάλαβε τώρα, κάτω από τις βελανιδιές, αφού είχε δει τη θάλασσα μέσα από τα μάτια του, αφού είδε τον εαυτό της με καινούριο βλέμμα. Εκείνος παρακολουθούσε τα περιστέρια στη βελανιδιά, αγγίζοντας το χέρι της. Αυτή δεν είπε τίποτα για τα μαλλιά της.

3.
Πριν την Ωγυγία, ο Κηπουρός

Τα είχε κόψει κάποια στιγμή πριν να έρθει στην Ωγυγία, σε κάποιο άλλο νησί απ'όπου καταγόταν, την Κρήτη, όχι μόνο γεωγραφικά, αλλά και ως προς την κάθοδο στο χθόνιο ταξίδι της, σε μια εποχή από όπου ο ναύτης την είχε βοηθήσει να επιστρέψει, αργά, πλάι στη φωτιά, με το χέρι του απλωμένο σαν να'θελε να πιάσει ένα περιστέρι. Ο άντρας που είχε αγαπήσει τότε ήταν διαφορετικός. Εκείνη δεν ήταν η Καλυψώ τότε. Της φαινόταν πως είχε αγαπήσει αυτόν τον άντρα άλλες χίλιες φορές, ξεχνώντας κάθε φορά πως αγαπώντας τον, συμφωνούσε με τον ίδιο της τον επερχόμενο διαμελισμό. Έφτιαχνε το πιο γλυκό, το πιο δυνατό μέλι στις κυψέλες του από οποιοδήποτε είχε ποτέ της δοκιμάσει. Τη νύχτα της άρεσε πολύ να τον ακούει να τραγουδά. Τον έλεγε κηπουρό. Οι ροδιές που καλλιεργούσε ήταν πάντοτε φορτωμένες.

Τη μέρα που έκοψε τα μαλλιά της ήταν Απρίλης και είχαν πάει στη θάλασσα, κοντά στο ιερό της Κυράς, εκεί που είχε κάποτε φανερωθεί με σάρκα και οστά—σαν δελφίνι, σαν αύρα θαλασσινή, σαν αστραφτερός πυργίσκος από κρυστάλλους αλατιού, σαν μια σπάνια και φευγαλέα βιοφωταύγεια; Κανείς δεν ήξερε στα σίγουρα με ποια μορφή είχε εμφανιστεί, ήξεραν πάντως πως ήταν Εκείνη. Εκείνη την εποχή, η Καλυψώ ένιωθε τα Επιφάνιά της μέσα στις μικρές χλωμές ίριδες πάνω στους τοίχους και στα κατώφλια του ιερού. Τριγύριζε και τις άγγιζε. Δεν είχε δει ποτέ πουθενά περισσότερες. Οι βολβοί θα συλλέγονταν και θα αποξηραίνονταν σαν μπαχαρικό, με μια γεύση σαν μοσχοκάρυδο. Μπορούσαν επίσης να συλλεχθούν και ως σπάνιο γιατρικό, κάτω απ'το φως του Στάχυος.

Ο κηπουρός της ξεκουραζόταν στη σκιά παρατηρώντας την, χωρίς να καταλαβαίνει ακριβώς τι έκανε ή πώς γινόταν να μιλάει στις ίριδες αγγίζοντάς τις—ο δικός του τρόπος ήταν πιο απλός—καταλάβε όμως αρκετά, ώστε να την βρει όμορφη, και παράξενη, και λιγάκι άγρια, έτσι με τα μαλλιά της τόσο απρόσμενα κομμένα. Τα είχε κόψει με δυο μαχαιριές μιας καλοακονισμένης λεπίδας στην άκρη του νερού αφού κολύμπησε. Εκείνος δεν μπήκε. Έκανε ακόμα πολύ κρύο, είπε. Δεν τον χαλάρωνε όπως αυτήν. Του άρεσε περισσότερο η σκιά ενός δέντρου σε μια ζεστή μέρα. Επίσης, τον τρόμαζε λιγάκι. Εκείνη χαμογέλασε με το φόβο του, αλλά δεν τον κατανόησε.

Δεν ήξερε ακριβώς γιατί είχε κόψει τα μαλλιά της, μόνο πως ξαφνικά της είχε γίνει απαραίτητο. Ξαφνικά, δεν μπορούσε να τα αντέξει ούτε μέρα παραπάνω, όλα εκείνα τα μαλλιά, όλα τα δέκα χρόνια που είχε αγαπήσει κάποιον άλλον πριν τον κηπουρό και που είχε χάσει το πρώτο σπίτι της. Η ζωή της φύλαγε πολύ περισσότερες αγάπες απ'όσες περίμενε. Δεν ήταν και πολύ σίγουρη για την καρδιά της ούτε για τις δυνατότητές της. Μια φορά, είχε αγαπήσει ολοκληρωτικά. Τώρα, όπως φαινόταν, έκανε πάλι το ίδιο. Υπήρχαν τόσα πολλά που έπρεπε να αποκόψει.

Δεν ήξερε επίσης πως λίγο αργότερα, τότε που έδωσε στον κηπουρό ένα μαχαίρι δώρο για τη γιορτή του—ένα καλύτερο απ'αυτό που είχε για το κλάδεμα και το μάζεμα των σταφυλιών—ότι ξέκοβε και τον ίδιο από τη ζωή της. Για τους ανθρώπους του τόπου του, ήταν γρουσουζιά να χαρίσεις τέτοιο δώρο. Εκείνη δεν το ήξερε. Τη μέρα που έκοψε τα μαλλιά της, θεώρησε πως του έκανε χώρο για να ανθίσει πιο ολοκληρωμένα μέσα απ'αυτήν. Αργότερα, με τη δεύτερη λεπίδα, είδε πως έκοβε τα πάντα αμείλικτα, για να κάνει χώρο για τον εαυτό της. Συνέχισε για κάμποσο μετά απ'αυτό. Ήταν φριχτό.

Προτιμούσε τις μνήμες, γιατί ήταν ακόμα ακέραιες. Η θύμηση τις έκανε έτσι. Είχε κρατήσει την ανάμνηση εκείνης της ημέρας (λες και την είχε πάρει στα χέρια της σαν τους βολβούς της ίριδας, σαν το αλάτι που ξεραινόταν στα βράχια και που το μάζευε με τη μάνα και τον αδελφό του κάθε καλοκαίρι, ενόσω τα κλαριά από το κλάδεμα που ήταν πολύ λεπτά για το τζάκι καίγονταν στην πυρά)—αυτός μισοκοιμόταν στη σκιά έξω από το ιερό, με τα προβατόμαλλά του να πιάνουν όλο τον τόπο, μάτια ίδια η θάλασσα, και εκείνη, να ψάχνει για αγριολούλουδα που δεν είχε ακόμα συναντήσει, με το κεφάλι της ξαφνικά χωρίς κανένα βάρος, τα μαλλιά της μια μακριά ουρά κομμένα μέσα στην τσάντα της, να δίνουν άλλη υπόσχεση από αυτή που εκείνη νόμιζε πως δίνουν.

Δεν είχε καταλάβει τότε πως είχαν ήδη αρχίσει να διαμελίζουν ο ένας τον άλλο. Δεν υπήρχε δυνατότερη φαρμακεία από αυτό το σκίσιμο. Της πήρε πολύν καιρό για να το δει αυτό—ότι ήταν πιο ισχυρό φάρμακο από οποιοδήποτε θα μπορούσε να έχει φτιάξει. Πήρε πολύν καιρό να αποκολληθεί από αυτόν. Πήρε πολύν καιρό να διαλυθεί. Είχε φυτέψει απήγανους στις τέσσερις γωνιές του καλοκαιρινού τους κήπου και δυο έξω απ'την πόρτα τους σε πήλινες γλάστρες. Όλοι μαράθηκαν, εκτός από έναν, μα ήταν ήδη πολύ αργά. Το μόνο που έλπιζε ήταν πως θα αρκούσε για να τον προστατεύει ακόμα, χωρίς το σώμα της εκεί τη νύχτα. Γι'αυτό άραγε είχε μείνει εκεί ξαπλωμένη τόσες πολλές νύχτες, παρόλη τη δυστυχία; Λες και πίστευε πως η καρδιά της—ή ίσως ολόκληρο το σώμα της—ήταν ένα προστατευτικό ξόρκι για να αποτρέψει κάποια άγνωστη μοίρα, για να τον προφυλάξει από έναν πόνο που θα έπρεπε, έτσι κι αλλιώς, να υπομείνει; Έναν πόνο που υπήρχε πριν απ'αυτήν και που θα υπήρχε μετά.

Για ένα διάστημα όταν έφτασε στην Ωγυγία, προσπάθησε να μάθει την κρυφή μαγεία του καθενός χαρακτικού του λαού της πάνω στο σφραγιδόλιθο˙ την κάθε διάταξη συμβόλων, δαιμόνων, επιφανίων και προγόνων˙ κάθε είδος λίθου, ορυκτού και μετάλλου˙ όλες τις λέξεις και τους μύθους που δένουν τη θεραπεία με την πέτρα και το αστέρι της, και με το σώμα εκείνου που πρόκειται να θεραπευτεί. Ήταν προετοιμασμένη να κάνει τα πάντα για να επαναφέρει ό,τι ήταν αληθινό στη ζωή. Του είχε επιτρέψει να την πετάξει κάτω˙ εκείνος την κοιτούσε να διαλύεται. Αυτός είχε απομείνει σκέτο τσόφλι όλων όσων υπήρξε κάποτε για κείνη—ό,τι τον είχε κάνει μοιάζει ακέραιος στα μάτια της είχε κατακερματιστεί. Κι όμως, εκείνη θα είχε αγγίξει το καθένα από τα μέλη του με ένα διαφορετικό γράμμα του γίγνεσθαι μέσα στις ώχρες της ανανέωσης, τις μαζεμένες από τα δεκαεννιά νησιά της Φωτεινής Θάλασσας για να τον βοηθήσει. Θα τα είχε αφήσει όλα να ξεχυθούν.

4.
Ωκεανός

Απρόσμενα όμως, τα άστρα μετακινήθηκαν από πάνω της μια νύχτα, εν μέσω της προετοιμασίας της. Είχε στα δάχτυλά της σκούρα ώχρα και ένα σφραγιδόλιθο με σκαλισμένο το πρόσωπο μιας γερακίνας με στήθη και τη ρίζα του μανδραγόρα. Είχε τόσες φορές ονειρευτεί τον ερχομό του. Την αναγκαιότητά του, το αναπόφευκτό του. Στις προετοιμασίες της ήταν λες και είχε έρθει ήδη. Εκείνη τη νύχτα όμως, ονειρεύτηκε έναν αστερισμό που δεν είχε ξαναδεί ποτέ της. Έναν ουρανό που δεν αναγνώριζε καν. Την επόμενη μέρα, ήρθε μια καταιγίδα που ξέσπασε ξαφνικά από τον πεντακάθαρο ουρανό και ένας άντρας άλλος από αυτόν που είχε χάσει, από αυτόν που περίμενε, από αυτόν που ήθελε, ξεβράστηκε στην ακτή της.

Ο Ωκεανός παρενέβη, γιατί, παρόλο που τα όνειρα της Καλυψώς ήταν ισχυρά, και παρόλο που θα μπορούσε να τραβήξει πολλά πράγματα στο νησί της με τη θέλησή της και μόνο, δεν ήξερε πάντα πιο ήταν το καλύτερο για κείνη. Είχε αυτή την ξεροκεφαλιά. Ο Ωκεανός, το πέλαγος το ίδιο, αγαπούσε την Καλυψώ περισσότερο από όλους τους άντρες. Δεν ήθελε να της συμβεί άλλο κακό. Έστειλε λοιπόν στη θέση του εκείνον το ναύτη που κουβαλούσε τη Βαλέττα και τη γνώση του χταποδιού, με το οκτάκτινο αστέρι χτυπημένο στο χέρι του, έτσι που να μην μπορεί να τον περάσει για άλλον.

Και καθώς της έλεγε τις θαλασσοϊστορίες του, τρυφερά, εκείνη κατάλαβε ότι η θεραπεία που είχε την ελπίδα να προσφέρει με τα χέρια της στον αγαπημένο της, δεν θα μπορούσε διόλου να προέλθει από εκείνη. Κατάλαβε ότι θα έβαζε την ίδια της τη ζωή μέσα στις πήλινες πινακίδες και στους σφραγιδόλιθους, μέσα στις ώχρες και μέσα στα σύμβολα, μέσα στις βαφές και στα σημάδια, και ότι θα μπορούσε πράγματι να τον έχει σώσει, αλλά η ίδια δεν θα είχε επιβιώσει απ'όλο αυτό.

5.
Το Οκτάκτινο Αστέρι

Οι χρυσαφένιοι δρόμοι της Βαλέττα αντηχούσαν στα κλαριά της βελανιδιάς. Ο χρόνος μετατοπίστηκε. Η πλοήγηση του ναύτη είχε βασιστεί στα αστέρια και μόνο, τότε που έφτασε στην Ωγυγία μέσα σ'εκείνη την καταιγίδα. Ο χρόνος έγινε μια γαλάζια λεκάνη με κεχριμπαρί γραμμές. Το αστέρι της Κυράς τον έλουζε ολόκληρο. Μέχρι που μύριζε και μύρο. Η Καλυψώ το έβλεπε. Το αστέρι έλουζε κι εκείνη. Η ίδια δεν το ήξερε, αλλά μύριζε ανθό πορτοκαλιάς. Στο σκοτάδι, περασμένα μεσάνυχτα, μισοντυμένοι, βγήκαν έξω μαζί και είδαν το κεφάλι του Ωρίωνα να λάμπει μέσα από τα κλαδιά της βελανιδιάς, που είχαν μαντικές δυνάμεις, εξαιτίας των τρυγονιών που ζούσαν εκεί. Μερικά απ' αυτά απομακρύνονταν μέσα στην αστροφεγγιά αναζητώντας βροχή.

Το πρωί, είπε σιωπηρά στον εαυτό της, όταν τα μαλλιά μου μακρύνουν ξανά, θα κάνω παιδί. Δεν ήξερε ποιανού. Δικό της, σκέφτηκε τότε. Δικό της. Αυτό σίγουρα το ήξερε. Σκέφτηκε τους βολβούς της ίριδας και τη θάλασσα και τον κηπουρό της να ξεκουράζεται στη σκιά, παρακολουθώντας την. Αναρωτήθηκε αν θα τον έκλαιγε για πάντα. Αν κάποιο κομμάτι της θα έμενε για πάντα μισάνοιχτο, αβέβαιο ως προς το γυρισμό του, όχι σαν να τον περιμένει ακριβώς, αλλά όχι και εντελώς αποκομμένη. Ήταν άραγε η μισο-ραγισμένη καρδιά, που το έκανε τόσο εύκολο να δει το σημείο που άγγιζε τώρα το αστέρι; Ολόκληρη η γνώση της πέτρας και των ορυκτών και των αστεριών, του φύλλου, της ρίζας και της ώχρας, του γράμματος, της σελήνης και του σπόρου, δεν θα μπορούσε να εξηγήσει το γιατί στεκόταν μισάνοιχτη. Η καρδιά της ήταν ένα μυστήριο, ακέραιο.

«Έχω βρεθεί στον πάτο της θάλασσας πια», είπε δυνατά στο ναύτη. Η φούστα της ήταν πιο ανοιχτόχρωμη σήμερα, λιλά. Ήταν μέρα κάτω από τις βελανιδιές, αλλά τ' αστέρια ήταν ακόμα εκεί, αθώρητα, μέσα στα κλαδιά, πνιγμένα στο γαλανό. «Έχω δει με το μάτι του χταποδιού. Πες μου κι άλλη ιστορία, ναύτη. Θα ήθελα να δω κι άλλο απ' αυτόν τον κόσμο».

Εμείς βρισκόμαστε έξω από τις ιστορίες που διηγήθηκε παλιά ο ποιητής, είπε στον εαυτό της, καθώς ο ναύτης άρχισε να της λέει για μεγάλες διάστικτες γάτες σε κάποια μακρινή έρημο. Εκείνη τις ονειρευόταν από τότε που ήταν παιδί.

Τα άστρα είναι διαφορετικά τώρα, σε αυτόν τον κόσμο που μου έχει επιστραφεί.

Τα άστρα είναι διαφορετικά πάνω από τη νέα γη, εκεί που θα βάλει τη γλώσσα της για να διαλύσει τα μάγια.

MARCH 2020

Venus conjunct Uranus
Venus' Maximum elongation
Sixth vestment conferred while Venus is next to the Pleiades
(She regains Her royal staff)

Yellow wood violets in the forest. Purple irises with their velvet tongues. Huckleberry flowers taste of sweet almonds. More time on blankets in the morning under the oaks. The writer and I bring out the pot of black tea. My birthday: the spiderweb in the tree, beaded with dew. All the wildflowers opening. A longing for bees. The start of the unthinkable—the pandemic. Lockdown. Making rosemary and laurel leaf and copper amulets for everyone in my family, to protect them. The beaches close. Runa and I walk the pinewood daily. I get sick with covid before we know that's what it is, and eat green leaves—plantain, yarrow, violet— from the forest as medicine. A strange fatigue lingers, and lingers. Chorus frogs sing somewhere down the hill in the dark, under the light of the Pleaides. The huge Cecropia moth on the window at night, and on the front door. Osprey do mating dances in the sky, holding fish. Their high sweet cries. How they carry branches. The voices of birds continuing their lives despite everything— robin, spotted towhee, Pacific wren, acorn woodpecker. Listening at dawn, I remember peace. Oak catkins open into tassels. Bees love them. There is a new softness in me.

When You Need Comfort You Will Know Her By These

A Litany for the Weary

Our Lady of the Warm Horse
Scent of alfalfa, scent of hay, sweet fur
At the heart of my girlhood: the breath of horses

Our Lady of Sheep's Wool
Skin tanned to immaculate softness
Wool white as morning, cleaned with soap

Our Lady of Honeycomb
Our Lady of Propolis
Our Lady of Pollen
Our Lady of the Beeswax Candle
dark gold light, the scent as it burns
Our Lady of Honey on the Tongue

Our Lady of Warm Milk with Saffron
Our Lady of Rain on Dry Earth and Pine Trees
Our Lady of Tree Trunks
which I embrace before bed
Our Lady of the Wet Moss

Our Lady of the Warm Hand
Our Lady of the Warm Dog
Our Lady of the Warm Fire

Our Lady of Bread Baking
Our Lady of the First Hot Slice

Our Lady of the Ripe Quince in the Kitchen
and the tree heavy-hung on the roadside
Our Lady of an Armload of Quince
Our Lady of Quince Skin
sweetening in the oven
Our Lady of the Inner Pink
when it is cooked

Our Lady of the Kiss of Your Beloved
Our Lady of Miraculous Kisses
Our Lady of Their Hand in Your Hand
Our Lady of the Scent of the Beloved
Our Lady of the Warm Bed of Lovers at Midnight
Our Lady of the Warm Bed of Lovers at Dawn
Our Lady of Sleeping Hand in Hand
Our Lady of Sleeping Heart to Heart

Our Lady of Mint
Our Lady of Rosemary
Our Lady of Oregano
Our Lady of Rockrose
Our Lady of Thyme

Our Lady of Thermal Waters
Our Lady of Lava Stone

Our Lady of Laying Naked in the Sun
Our Lady of the Scent of Your Warm Body in the Sun

Our Lady of Wine
Our Lady of Chestnuts, Roasting
Our Lady of Woodsmoke
Our Lady of Down Quilts
Our Lady of the Silk Nightdress
Our Lady of the Red Thread

Our Lady of Roses
Our Lady of Roses
Our Lady of my Mother's Roses

Our Lady of the Warm Kitchen
Our Lady of Deep Sleep
Our Lady of Dirt on Your Hands

Our Lady of the Hole
I dug into the pine humus
and spoke into, weeping, talking to tree roots
talking to people I love and people I have lost
through the root of the world

Our Lady of the Waxing Moon
Our Lady of the Evening Star
Our Lady of Moon and Star in the West at Nightfall
Our Lady of Going Out At Dusk With the Dog to Look for Venus
Our Lady of the Fourth Vestment of Venus
Our Lady of the Heart Amulet Bestowed
whose meaning is yet a mystery to me
whose scent is late winter, green things in the dark
At the heart of my womanhood: breath of stars

The Golden Thread

From the galaxy She spins a milky thread
From the milk of stars She spins her thread
It is a golden milk, like egg yolks
It is a golden thread, gold as fresh bread

In the fields of my ancestors
the flax is just beginning to come up
between red poppies

In the fields of my ancestors
they are singing up the flax
they are singing about how much
they've missed his blue eyes
that flax, how much they have missed
his lovely blue eyes

In winter when the rains come
and the houses are damp
the women spin his gold hair by the hearth
They spin their love into everything:
shirt, trouser, tablecloth, bed clothes
handkerchief, rug, coat, shroud

Their fingers smooth every fiber
They gather spring water to wet
the threads as they go, slick as desire
They are stronger this way

Myrtles grow near that spring water
and bees drink there in summer
The myrtles and the bees are in the threads

Anywhere a strand in the olive nets is broken
they mend it patiently
with their best bone needles
and their best gold threads
because they are also
mending the heart of the world

The songs the women sing, spinning
have been almost entirely forgotten
The songs are in the earth
The songs are in the spring water

The stars called Orion now
were once called the Lady's Distaff
She who spun down the milk of galaxies
We have come to call it women's work
We have come to call it drudgery:
to spin the flax, to spin the fiber
of everything:
the clothes of work
the clothes of celebration
the clothes of marriage
the clothes of birth
the clothes for the dead

What touches us every day
is the fabric of our lives
What work is this, or is it worship

Once, there were bread ovens and looms
right in the heart of the temples
Have we forgotten that as we spin
She spins the galaxy?
Have we forgotten that as we spin
She spins the eye of the storm:
that slender spindle, bringing gold to life
turning chaos into eros
into ground, that one place
where ground is solid
where we can stand
touched by Mother's hands

Imagine how alive it is, a single tunic
made that way: worn in the summer field
worn on the fishing boat, worn in love, worn to bed
Thread by thread she spins protection
into all that is worn
Thread by thread, against his skin
she and his ancestors protect him

He will go back to them one day
and become the flax
And his children will wait at the field's edge
to see again the blue of his eyes
blooming in the fine sun
And his daughters will
take him in to clothe the ones they love

They are still telling these stories
These stories have no beginning and no end
But they have a center:

Milk of the galaxy, yolk and shining bread
The thread leads us in and out of the labyrinth
to the center
in and out
in and out
like breathing
like two wings opening and closing

Before us, our motherlines. The river.
Behind us, our motherlines. The wind
Below us, our motherlines. The roots.
Above us, our motherlines. The stars.

Do not doubt that your own thread
is also of this spinning
Do not doubt that you can spin life, and mend

Hold still
Your hands are there to guide
Fiber by fiber
You are here to guide them back together again

From the galaxy
She is spinning down her milk threads
Let them catch into your swift drafting
Touch the flax with rosewater
The starry distaff will lead you to the spring

Μάρτης 2020

Η Αφροδίτη σε σύνοδο με τον Ουρανό
Η Αφροδίτη σε μέγιστη επιμήκυνση
Το έκτο Ιερό Ένδυμα επιδίδεται, ενώ η Αφροδίτη βρίσκεται δίπλα στις Πλειάδες (ανακτά το βασιλικό σκήπτρο Της)

Κίτρινες βιολέτες μέσα στο δάσος. Μωβ ίριδες με τις βελούδινες γλώσσες τους. Τα λουλούδια του μύρτιλλου έχουν γεύση σαν γλυκά αμύγδαλα. Κι άλλος χρόνος πάνω στις κουβέρτες τα πρωινά, κάτω από τις βελανιδιές μέσα στο πράσινο. Βγάζουμε την τσαγιέρα με το μαύρο τσάι. Τα γενέθλιά μου: ο ιστός της αράχνης στο δέντρο, γεμάτος χάντρες πάχνης. Όλα τα αγριολούλουδα ανοίγουν. Μια λαχτάρα για μέλισσες γεννιέται μέσα στα κύτταρά μου. Ξεκίνημα του αδιανόητου—η πανδημία. Λοκντάουν. Φτιάχνοντας φυλαχτά από δεντρολίβανο και φύλλα δάφνης και χαλκό για όλους στην οικογένειά μου, για να τους προστατέψω. Οι παραλίες κλείνουν. Η Ρούνα κι εγώ περπατάμε κάθε μέρα στο πευκοδάσος. Αρρωσταίνω με κόβιντ, πριν μάθουμε ότι είναι κόβιντ, και τρώω πράσινα φυλλώδη--πεντάνευρο, αχίλλεια, βιολέτα--από το δάσος, σαν θεραπεία. Μια παράξενη κούραση που κρατάει, κρατάει πολύ. Η βατραχοχορωδία κοάζει κάπου παρακάτω στο λόφο μέσα στο σκοτάδι, υπό το φως των Πλειάδων. Η τεράστια νυχτοπεταλούδα της Κεκρωπίας στο παράθυρο τη νύχτα και στην εξώπορτα. Ψαραετοί σε χορό ζευγαρώματος στον ουρανό κρατώντας ψάρια. Οι ψιλές, γλυκές κραυγές τους. Πώς κουβαλάνε κλαδιά. Οι φωνές των πουλιών που συνεχίζουν τις ζωές τους—κοκκινολαίμης, πιτσιλωτός σπίνος, τρυποφράχτες του Ειρηνικού, δρυοκολάπτες των βελανιδιών. Με το αυτί στημένο το χάραμα, θυμάμαι την ειρήνη. Οι ίουλοι της βελανιδιάς ανοίγουν σε θύσανους. Οι μέλισσες τους λατρεύουν. Μέσα μου βρίσκω μια καινούρια τρυφεράδα.

Όταν Χρειαστείς Θαλπωρή Θα Αναγνωρίσεις την Κυρά στα Παρακάτω

Μια Λιτανεία Για τους Κατάκοπους

Η Κυρά Μας του Ζεστού Αλόγου
Μυρίζει τριφύλλι, μυρίζει άχυρο, γλυκιά γούνα
Στην καρδιά της κοριτσίστικης παιδικότητάς μου: η ανάσα των αλόγων

Η Κυρά Μας του Προβατόμαλλου
Με δέρμα ηλιοκαμένο ως την άσπιλη απαλότητα
Κατάλευκο του μαλλιού σαν πρωινό, καθαρισμένο με σαπούνι

Η Κυρά Μας της Κερήθρας
Η Κυρά Μας της Πρόπολης
Η Κυρά Μας της Γύρης
Η Κυρά Μας του Κεριού από Μελισσοκέρι
σκουρόχρυσο φως, η μυρωδιά καθώς καίγεται
Η Κυρά Μας του Μελιού πάνω στη Γλώσσα

Η Κυρά Μας του Ζεστού Γάλακτος με Σαφράνι
Η Κυρά Μας της Βροχής πάνω σε Ξεραμένη Γη και Πεύκα
Η Κυρά Μας των Κορμών των Δέντρων
που αγκαλιάζω πριν κοιμηθώ
Η Κυρά Μας των Υγρών Βρύων

Η Κυρά Μας του Ζεστού Χεριού
Η Κυρά Μας του Ζεστού Σκύλου

Η Κυρά Μας της Ζεστής Φωτιάς

Η Κυρά Μας του Ψωμιού που Ψήνεται
Η Κυρά Μας της Πρώτης Καυτής Φέτας

Η Κυρά Μας του Ώριμου Κυδωνιού μέσα στην Κουζίνα
και του παραφορτωμένου δέντρου στην άκρη του δρόμου
Η Κυρά Μας της μιας Αγκαλιάς Κυδώνια
Η Κυρά Μας της Φλούδας του Κυδωνιού
που γλυκαίνεται μέσα στο φούρνο
Η Κυρά Μας του Ροδαλού Εσωτερικού
όταν έχει ψηθεί

Η Κυρά Μας του Φιλιού του Αγαπημένου σου
Η Κυρά Μας των Θαυματουργών Φιλιών
Η Κυρά Μας του Χεριού Τους στο Χέρι Σου
Η Κυρά Μας της Μυρωδιάς του Αγαπημένου
Η Κυρά Μας του Ζεστού Κρεβατιού των Εραστών τα Μεσάνυχτα
Η Κυρά Μας του Ζεστού Κρεβατιού των Εραστών το Ξημέρωμα
Η Κυρά Μας του Ύπνου Χέρι με Χέρι
Η Κυρά Μας του Ύπνου Καρδιά με Καρδιά

Η Κυρά Μας του Δυόσμου
Η Κυρά Μας του Δεντρολίβανου
Η Κυρά Μας της Ρίγανης
Η Κυρά Μας της Λαδανιάς
Η Κυρά Μας του Θυμαριού

Η Κυρά Μας των Θερμών Νερών
Η Κυρά Μας της Λάβας στην Πέτρα

Η Κυρά Μας της Γυμνής Έκθεσης στον Ήλιο

Η Κυρά Μας της Μυρωδιάς του Ζεστού Κορμιού Σου στον Ήλιο

Η Κυρά Μας του Κρασιού
Η Κυρά Μας των Κάστανων που Ψήνονται
Η Κυρά Μας του Καπνού από Ξύλα
Η Κυρά Μας των Πουπουλένιων Παπλωμάτων
Η Κυρά Μας του Μεταξωτού Μεσοφοριού
Η Κυρά Μας της Κόκκινης Κλωστής

Η Κυρά Μας των Ρόδων
Η Κυρά Μας των Ρόδων
Η Κυρά Μας των Ρόδων της Μάνας μου

Η Κυρά μας της Ζεστής Κουζίνας
Η Κυρά Μας του Βυθισμένου Ύπνου
Η Κυρά Μας με τα Χώματα στα Χέρια Σου

Η Κυρά Μας της Τρύπας
που έσκαψα στο πευκόχωμα
και της μίλησα, θρηνώντας, μίλησα στις ρίζες
μίλησα στους ανθρώπους που αγαπώ και στους ανθρώπους που έχασα
μέσα απ'τη ρίζα του κόσμου

Η Κυρά Μας της Σελήνης στη Γέμιση
Η Κυρά Μας του Αποσπερίτη
Η Κυρά Μας της Σελήνης και του Άστρου στα Δυτικά όταν Νυχτώνει
Η Κυρά Μας της Εξόδου το Σούρουπο με το Σκυλί να Αναζητήσω την Αφροδίτη
Η Κυρά Μας του Τέταρτου Ιερού Ενδύματος της Αφροδίτης
Η Κυρά Μας του Χαρισμένου Φυλαχτού σε Σχήμα Καρδιάς
που η σημασία του αποτελεί ακόμα μυστήριο για μένα
που η μυρωδιά του είναι τέλος του χειμώνα, πράσινα πράγματα

στο σκοτάδι

Στην καρδιά της γυναικείας φύσης μου: η ανάσα των αστεριών

Η Χρυσή Κλωστή

Από το γαλαξία γνέθει Εκείνη μια γαλακτερή κλωστή
Από το γάλα των αστεριών Εκείνη γνέθει την κλωστή της
Είναι ένα γάλα χρυσαφένιο, σαν τον κρόκο του αυγού
Είναι μια κλωστή χρυσαφένια, χρυσή σαν το φρέσκο ψωμί

Στα χωράφια των προγόνων μου
το λινάρι μόλις αρχίζει να ξεπροβάλει
ανάμεσα στις κόκκινες παπαρούνες

Στα χωράφια των προγόνων μου
τραγουδάνε στο λινάρι να σηκωθεί
τραγουδάνε για το πόσο πολύ
τους έχουν λείψει τα γαλάζια του μάτια
αυτό το λινάρι, πόσο πολύ τους έχουν λείψει
τα υπέροχα γαλάζια μάτια του

Το χειμώνα, όταν έρχονται οι βροχές
και τα σπίτια είναι υγρά
οι γυναίκες γνέθουν τα χρυσά μαλλιά του πλάι στην παραστιά
Γνέθουν την αγάπη τους μέσα στα πάντα:
πουκάμισο, παντελόνι, τραπεζομάντιλο, κλινοσκεπάσματα
μαντίλι, χαλί, παλτό, σάβανο

Τα δάχτυλά τους ισιώνουν την κάθε ίνα
Μαζεύουν νερό της πηγής για να βρέχουν
τις κλωστές καθώς προχωρούν, γλιστερές σαν τον πόθο
Γίνονται δυνατότερες μ'αυτόν τον τρόπο

Κοντά στο νερό της πηγής φυτρώνουν μύρτιλλα
και οι μέλισσες πίνουν εκεί το καλοκαίρι
Τα μύρτιλλα και οι μέλισσες είναι μέσα στις κλωστές

Οπουδήποτε κι αν σπάσει μια δεσιά στο λιόπανο
αυτές την επιδιορθώνουν υπομονετικά
με τις καλύτερες κοκκάλινες βελόνες τους
και τις καλύτερες χρυσοκλωστές τους
επειδή την ίδια στιγμή
επιδιορθώνουν την καρδιά του κόσμου

Τα τραγούδια που λένε οι γυναίκες γνέθοντας
έχουν σχεδόν ολότελα ξεχαστεί
Τα τραγούδια βρίσκονται μέσα στη γη
Τα τραγούδια βρίσκονται στο νερό της πηγής

Τα άστρα που τώρα αποκαλούνται Ωρίωνας
λέγονταν κάποτε Ηλακάτη της Κυράς
Αυτή που έγνεσε σε κλωστή το γάλα του Γαλαξία
Φτάσαμε να το λέμε γυναικεία δουλειά
Φτάσαμε να το λέμε αγγαρεία:
να γνέθεις το λινάρι, να γνέθεις την ίνα
των πάντων:
των ρούχων της δουλειάς
των ρούχων της γιορτής
των ρούχων του γάμου
των ρούχων της γέννας
των ρούχων για τους νεκρούς

Αυτό που μας αγγίζει κάθε μέρα
είναι το ύφασμα της ίδιας της ζωής μας
Τι είδους δουλειά είναι αυτή, ή μήπως είναι λατρεία

Κάποτε, υπήρχαν φούρνοι για ψωμί και αργαλειοί
ακριβώς στην καρδιά των ναών
Ξεχάσαμε ότι όταν γνέθουμε εμείς
Εκείνη γνέθει το γαλαξία;
Γνέθει το μάτι του κυκλώνα:
αυτή η λυγερή ρόκα, που ζωντανεύει το χρυσάφι
που κάνει το χάος έρωτα
το κάνει χώμα, εκείνο το ένα μέρος
όπου το χώμα είναι στέρεο
όπου μπορούμε εκεί επάνω να σταθούμε
καθώς μας αγγίζουν της Μάνας τα χέρια

Φαντάσου πόσο είναι ζωντανός, ένας και μόνο χιτώνας
έτσι φτιαγμένος: φοριέται στο χωράφι το καλοκαίρι
φοριέται πάνω στην ψαρόβαρκα, φοριέται στην αγάπη, στο κρεβάτι
Κλωστή κλωστή γνέθει την προστασία
μέσα σε όλα αυτά που τα φοράμε
Κλωστή κλωστή, πάνω στο δέρμα του
αυτή και οι πρόγονοί του τον προστατεύουν

Θα πάει πίσω σ'εκείνους μια μέρα
και θα γίνει το λινάρι
Και τα παιδιά του θα περιμένουν στην άκρη του χωραφιού
για να ξαναδούν το μπλε των ματιών του
να ανθίζει στον θαυμάσιο ήλιο
Και οι κόρες του θα
τον παίρνουν στο σπίτι τους για να ντύνουν αυτούς που αγαπούν

Ακόμα τις λένε αυτές τις ιστορίες
Αυτές οι ιστορίες δεν έχουν αρχή και τέλος
Έχουν όμως ένα κέντρο:
Γάλα του γαλαξία, κρόκος του αυγού και λαμπερό ψωμί

Η κλωστή μάς καθοδηγεί μέσα και έξω από το λαβύρινθο
προς το κέντρο
μέσα και έξω
μέσα και έξω
σαν την ανάσα
σαν δυο φτερά που ανοίγουν και κλείνουν

Εμπρός μας, οι γενιές των μανάδων μας. Το ποτάμι.
Πίσω μας, οι γενιές των μανάδων μας. Ο άνεμος.
Κάτω μας, οι γενιές των μανάδων μας. Οι ρίζες.
Πάνω μας, οι γενιές των μανάδων μας. Τα άστρα.

Μην αμφιβάλλεις πως κι η δική σου η κλωστή
είναι κι αυτή κομμάτι του γνεσίματος
Μην αμφιβάλλεις ότι μπορείς να γνέσεις τη ζωή, και να διορθώσεις

Μείνε ακίνητη
Τα χέρια σου είναι εκεί για να καθοδηγήσουν
Ίνα την ίνα
Εσύ είσαι εδώ για να τις καθοδηγήσεις να ενωθούν ξανά

Από το γαλαξία
Εκείνη γνέθοντας μακραίνει τις γαλακτερές κλωστές της
Άσε τις να πιαστούν μες στο γοργό σου μακροβούτι
Άγγιξε το λινάρι με ροδόνερο
Η αστροπλούμιστη ηλακάτη θα σε οδηγήσει στην πηγή

APRIL 2020

Venus conjunct Vesta
Seventh vestment conferred (She regains Her crown)

Late rains. Ceanothus bushes bloom blue, full of bumblebees. The rockroses in the front garden are a sea of white blossoms. Watching Venus set beyond the oak trees in the dark near the Hyades. White thimbleberry flowers and pussy ears and a thousand luxuriant irises. The beehive arrives. It smells of fresh cedar. I track the morning sun to find the right place. The orange petals of California poppies. Runa hunting gophers in the field, her nose and paws covered in dirt. The cardboard box full of bees from my friend's little swarm on an oak branch. White skirts, black veils: another friend helps me house them. I watch them every morning, coming and going. Their deep humming when I put my ear to the hive. I dream of their queen. They help me stay calm when the world is terrifying. I walk the forest daily. We can't even go as far as the ocean in lockdown. I pay attention to what's here. Red heads of the acorn woodpeckers. The band-tailed wood pigeons wheeling in the morning. Bishop pine pollen flows in drifts on the wind, coating every surface in gold. The bees bring in pale yellow pollen. Mornings and nights of ocean fog. How it leaves salt on pine needle tips.

What Eve Knows

1.

Somewhere in the spring sky the virgin queen went flying
on a Saturday to meet her uncountable beloveds
I do not know where, but she does, and so do they—
the ones who waited for her, who were many, but also somehow
only one, as Dumuzi was many, as the rising grass seed in the field
as the green lettuce by the water, but also only one, Himself
the one Inanna's womb loved best, her beloved in the high blue spring
moving with a thousand desires that were all only for her

Actually, everything depends on this—
that she flew, that her sisters read the weather right
that she found them, Him, the sky's warm place
that she returned safely full of seeds
I imagine that everywhere the lines the bees make in the air
are coated in the pine pollen that is floating in drifts of gold from the trees
in this queen season, in this blossom season, in this season of not knowing
what has happened to my heart
or what has happened to us all, but trying anyway

Sometimes when I wake from a nap the unknowing feels very close
and I miss the ones I have loved and can no longer touch
Everything looks larger, or deeper, or stranger than I ever thought it could
It takes a while for the trees to settle back into their branches
I wait, watching, surfacing, holding on to the pine ridge with my eye

I think of the bees bringing rockrose pollen
back into the hive
I think of the humming
I think of the scent like amber
I am calmer after that

2.

Last week, the Muse of love poetry, who is called Erato
told me that all this time, love has been pouring into us from the earth
Earth loves you, she said
Did you hear me?
I will say it again
She made it sound so straightforward, like the drifts of pine pollen
gusting down, golden, with every wind
As easily as that pollen falls on us, so we are loved, she said
It is coming back into us from the eyes of the oak trees
It is coming back into me from the white rockrose flowers
that are a froth of blooming in the place by the old painting studio
where I go out to see the evening star

Later, I wondered if this was how they broke our hearts
If this was how they broke the spell
when Eve ate the apple in the garden
when he saw her speaking to the snake
when he saw her dancing with the snake
when he wanted to be the snake hard against her nipples
and was afraid of the force of everything he wanted
of the green language she spoke
of all that shone so simply in her eyes
He bade his priests break her and the snake and the tree away from each other

The world does not love you as you love the world, the priests said
The world does not even see you at all
The sky does not love you, the grass does not love you
the thrush at dusk does not love you
Nor the dove, nor the rockrose, nor the bee
and certainly not the evening star
they said, nor any of the trees that shine in the spring wind—
that wind where the queen flew, following a scent
and a tone and a light we cannot hear
veiled in her own undeniable knowing—

No, they said
None of them love you, because your body is unclean
because your desire is evil
For this, you are alone
Your love story is over now
You never knew the words
You thought you did, but you were wrong

This is how they stole what we knew—
that bee-line to the place where love is waiting

3.

The young queen never doubts that she is worthy
It would be absurd
It would go against her purpose, her design, and her nature

The clouds are moving fast across the spring grass
The field is spangled with shadow, then light
Sappho once spoke of Aphrodite's mind, using the same word

she used for the dappled fawnskin: spangled[1]
The field knows only this shifting, and what the wind makes of it

The black dog rests, listening with one ear for gophers
and her nose to the wind
She is shining more even than the field
There are flecks of pollen all over her
If I make even the first motion of weeping
she leaps up and runs to me
If I call her sternly and loudly to come inside
she diligently pretends she never heard

Down the road I saw a great apple tree blossoming
The ground below was white with petals
If only we had been told the story of how she loved, and not how she sinned
Not how she brought us shame, not how she was bad
If only we had been told the story of the apple tree's great love for her
and how on the same day, somewhere high up in the sky
where later the evening star would be crowned among the bull's horns
the queen was flying

4.

There is a story of another garden
The first time she saw him
he was trying to heal a dying apple tree
He had a small sharp knife
He peeled away the dead skin tenderly
He filled the hurts with a paste of wood ash and spring water

---

1. With thanks to Anne Carson's translation of the ancient Greek in *If Not Winter: Fragments of Sappho* (London: Virago Press, 2002)

He hoped for the best, and said a soft word
She heard it, though she was watching from a little distance
with her snakes still hidden
not sure yet whether she was ready to show herself to him
But she liked his patient hands that were dark from sun
and she liked how deft he was with the sharp little knife
like he had cleaned many roots with it
the way her grandmother did the spring vegetables
only he did it differently, more muscled, and also tenderly, as in love
Trees will go green for that man,
she thought
Trees will green

5.

Actually, we have an instinct as wholly intact
as the one that guides the queen bee
on her steady, birthing spiral
after her day in the spring sky's blue
Her body chooses with immaculate and unwavering precision
when to fertilize the eggs
and when to lay them parthenogenically
Those ones become the little boys, like Jesus

I dreamed that the seventh vestment of the evening star was not
as the old myths of Inanna tell, the bestowal of a crown
but in fact a holy child
I could not quite make sense of it
But somehow it is all what Eve knew, under the apple tree
her instinct also wholly intact
It was not at all hard for her to know what the apple tree said, and the snake

It was not at all hard for her to believe
that she too knew in her body about the blossoming
and how to discern what eggs to birth, even in perfect darkness
It was not at all hard for her to believe the wind loved her, and the green
It was not at all hard for her to see that she loved him
with his little knife that cut away the hurt done to the apple tree
with his wood ash paste
with his earnest attempts at repair
Later when she looked again, he was listening to birds

Isn't it, after all, one loving, dispersed through many cells?

6.

When I wake from my nap, all of this love is also easy to see
alongside the lost things, as the trees return to themselves
I am spangled, shade and light
like the spring field, like the black dog all dusted with pollen
who waits, and watches the bees, and knows what she knows

Απρίλης 2020

Η Αφροδίτη σε σύνοδο με την Εστία
Το έβδομο Ιερό Ένδυμα επιδίδεται (ανακτά την κορώνα Της)

Όψιμες βροχές. Θάμνοι κυάνωθου ανθίζουν γαλάζιοι, γεμάτοι μπούμπουρες. Τα λουλούδια μυρίζουν σαν μελωμένο ψωμί που ανεβαίνει. Οι λαδανιές στον μπροστινό κήπο είναι μια θάλασσα από λευκά λουλούδια. Κοιτάζοντας την Αφροδίτη να δύει πέρα από τις βελανιδιές μέσα στο σκοτάδι, κοντά στις Υάδες. Άσπρα ανθάκια βατομουριάς και μικρά παχύφυτα και χίλιες λουσάτες ίριδες. Η κυψέλη φτάνει. Μυρίζει φρέσκο κέδρο. Ακολουθώ τον πρωινό ήλιο για να βρω το σωστό μέρος. Τα πορτοκαλιά πέταλα της παπαρούνας της Καλιφόρνιας, η χρυσή γύρη τους. Η Ρούνα κυνηγάει γεώμυες στο χωράφι, η μύτη και οι πατούσες της γεμάτες χώματα. Το χορτάρι είναι μακρύ και πλούσιο. Το χαρτόκουτο γεμάτο μέλισσες από το μικρό σμήνος της φίλης μου πάνω σ'ένα κλαδί βελανιδιάς. Λευκές φούστες, μαύρα πέπλα, άλλη μια φίλη με βοηθά να τις βάλω στο σπίτι. Τις παρακολουθώ κάθε πρωί, να πηγαίνουν και να έρχονται. Ο βαθύς βόμβος τους όταν βάζω το αυτί μου πάνω στην κυψέλη. Ονειρεύομαι τη βασίλισσά τους. Κόκκινα κεφαλάκια, δρυοκολάπτες των βελανιδιών. Τα τρυγόνια με την ουρά βεντάλια διαγράφουν κύκλους το πρωί. Τα απαλά λαμπερά πράσινα φύλλα της φουντουκιάς. Γύρη από τα πεύκα Μπίσοπ πετάει σε ριπές στον άνεμο, ντύνοντας κάθε επιφάνεια με χρυσάφι. Οι μέλισσες φέρνουν μέσα ανοιχτοκίτρινη γύρη. Πρωινά και νύχτες της ομίχλης του ωκεανού. Πώς αφήνει αλάτι πάνω στις άκρες απ' τις πευκοβελόνες.

Όσα ξέρει η Εύα

1.

Κάπου στον ανοιξιάτικο ουρανό η παρθένος βασίλισσα ξεκίνησε
την πτήση
ένα Σάββατο, για να συναντήσει τους αμέτρητους αγαπημένους
δεν ξέρω που, εκείνη ξέρει και ξέρουν και αυτοί—
αυτοί που την περίμεναν, που ήταν πολλοί, αλλά με κάποιο τρόπο
ήταν μόνο ένας, όπως ο Ταμμούζ ήταν πολλοί, όπως ο αναδυόμενος
σπόρος του γρασιδιού στο χωράφι
όπως το πράσινο μαρούλι πλάι στο νερό, αλλά και πάλι μόνο ένας, ο Ίδιος,
εκείνος που η μήτρα της Ινάννα αγαπούσε περισσότερο απ' όλους, ο
αγαπημένος της στην καρδιά της γαλάζιας άνοιξης
να κινείται με χίλιους πόθους που ήταν όλοι μόνο για κείνη

Η αλήθεια είναι πως τα πάντα εξαρτώνται απ' αυτό—
ότι πέταξε, ότι οι αδελφές της διάβασαν τον καιρό σωστά
ότι τους βρήκε, βρήκε Αυτόν, τον ζεστό τόπο του ουρανού
ότι επέστρεψε ασφαλής, γεμάτη σπόρους
Φαντάζομαι πως σε όλα τα μέρη, οι γραμμές που φτιάχνουν οι μέλισσες
στον αέρα
έχουν επίχρισμα τη γύρη των πεύκων που περιφέρεται
σε χρυσές ριπές από τα δέντρα
σε αυτή τη βασιλική εποχή, σε αυτήν τη εποχή της άνθισης,
σε αυτή την εποχή της άγνοιας
του τι συνέβη στην καρδιά μου ή τι συνέβη σε όλους μας, και
προσπαθώντας πάντως να το βρω

Μερικές φορές, όταν ξυπνώ από έναν υπνάκο αυτό το άγνωστο
το νιώθω πολύ κοντά
και μου λείπουν εκείνοι που αγάπησα και δεν μπορώ πια να τους αγγίξω
τόσο πολύ, που είναι δύσκολο ν'αναπνεύσω
απλώς δεν βγάζω κανένα νόημα
Όλα μοιάζουν μεγαλύτερα ή βαθύτερα ή πιο παράξενα
απ'όσο ποτέ φαντάστηκα
Τα δέντρα αργούν λιγάκι να βολευτούν ξανά στα κλαδιά τους
Περιμένω, παρακολουθώντας, καθώς αναδύομαι, καθώς κρατιέμαι απ'
την οροσειρά με τα πεύκα με τα μάτια μου

Σκέφτομαι τις μέλισσες να φέρουν γύρη λαδανιάς
πίσω στην κυψέλη
Σκέφτομαι το βουητό
Σκέφτομαι τη μυρωδιά, σαν κεχριμπάρι
Είμαι πιο ήρεμη μετά απ'αυτό
Με κάποιο τρόπο, όλα θα πάνε καλά

2.

Την περασμένη εβδομάδα, η Μούσα της ερωτικής ποίησης,
που τη λένε Ερατώ
μου είπε πως, όλον αυτόν τον καιρό, η αγάπη ρέει μέσα μας από τη Γη
Η Γη σ'αγαπάει, είπε
Με άκουσες;
Θα το ξαναπώ
Το έκανε ν'ακούγεται τόσο ξεκάθαρο, σαν τις ριπές της γύρης των πεύκων
που πέφτουν χρυσές με κάθε φύσημα
Το ίδιο εύκολα όσο αυτή η γύρη πέφτει επάνω μας, έτσι μας αγαπά, είπε
Ξαναμπαίνει μέσα μας από τα μάτια της βελανιδιάς
Ξαναμπαίνει μέσα μου από τα λευκά άνθη της λαδανιάς

που είναι λουλουδισμένο κύμα εκεί δίπλα από το παλιό
στούντιο ζωγραφικής
όπου βγαίνω έξω για να δω τον αποσπερίτη

Αργότερα, αναρωτήθηκα αν έτσι ράγισαν τις καρδιές μας
Αν έτσι έλυσαν τα μάγια
όταν η Εύα έφαγε το μήλο στον κήπο
όταν την είδε να μιλάει στο φίδι
όταν την είδε να χορεύει με το φίδι
όταν ήθελε να είναι αυτός το φίδι που τρίβεται σκληρό
πάνω στις ρώγες της
και φοβήθηκε τη δύναμη όλων αυτών που πόθησε
της πράσινης γλώσσας που εκείνη μιλούσε
όλα αυτά που έλαμπαν τόσο φυσικά μέσα στα μάτια της
Πρόσταξε τους ιερείς του να διαρρήξουν το δεσμό που είχαν μεταξύ τους
εκείνη, το φίδι και το δέντρο

Ο κόσμος δεν σε αγαπά όπως εσύ αγαπάς τον κόσμο, είπαν οι ιερείς
Ο κόσμος δεν σε βλέπει καν
Ο ουρανός δεν σ'αγαπά, το χορτάρι δε σ'αγαπά
η τσίχλα του δειλινού δεν σ'αγαπά
Ούτε το περιστέρι, ούτε η λαδανιά, ούτε η μέλισσα
και σίγουρα ούτε ο αποσπερίτης
είπαν, ούτε κανένα από τα δέντρα που λάμπει
μέσα στο ανοιξιάτικο αεράκι—
το αεράκι αυτό, που μέσα του πέταξε η βασίλισσα,
ακολουθώντας μιαν οσμή
και μια μελωδία κι ένα φως που εμείς δεν μπορούμε να ακούσουμε
κρυμμένο μέσα στη δική της αναντίρρητη γνώση—

Όχι, είπαν
Τίποτε απ'αυτά δεν σ'αγαπά, επειδή το σώμα σου είναι ακάθαρτο

επειδή ο πόθος σου είναι διαβολικός
Και γι'αυτό, είσαι μονάχη
Η ερωτική σου ιστορία μόλις τελείωσε
Ποτέ δεν ήξερες τα λόγια
Νόμιζες ότι τα'ξερες, αλλά έκανες λάθος

Έτσι έκλεψαν όλα όσα γνωρίζαμε
αυτή τη μελισσογραμμή ως το σημείο που περιμένει η αγάπη

3.

Η νεαρή βασίλισσα δεν αμφιβάλλει ούτε στιγμή για την αξία της
Θα ήταν παράλογο
Σημαίνει πως θα πήγαινε ενάντια στο σκοπό της, στο σχέδιό της και στη φύση της
Τα σύννεφα κινούνται, οι σκιές του γρήγορες
επάνω στο ανοιξιάτικο γρασίδι
Το λιβάδι είναι διάστικτο από σκιά κι ύστερα φως
Η Σαπφώ μια φορά μίλησε για το νου τής Αφροδίτης, χρησιμοποιώντας αυτή την ίδια λέξη
που χρησιμοποίησε για το πιτσιλωτό δέρμα του νεαρού ελαφιού:
διάστικτο[1]
Το λιβάδι είναι με τον ίδιο τρόπο διάστικτο˙ είναι όλο φως,
αλλά και σκιές ξαφνικές
Αυτό μόνο ξέρει, ν'αλλάζει, και ό,τι καταφέρει με αυτό ο άνεμος

Το μαύρο σκυλί αναπαύεται, με το ένα αυτί στημένο για γεώμυες

1. Τις ευχαριστίες μου στην Anne Carson για τη μετάφραση του αρχαιοελληνικού κειμένου στο *If Not Winter: Fragments of Sappho* (London: Virago Press, 2002)

Και τη μύτη της κόντρα στον άνεμο
Λάμπει ακόμα περισσότερο κι απ'το χωράφι
Έχει παντού πάνω της χρυσαφένιες κηλίδες γύρης
Με την παραμικρή μου κίνηση να κλάψω
πετάγεται όρθια και τρέχει προς το μέρος μου
Αν τη φωνάξω αυστηρά και δυνατά για να μπει μέσα
επιμελέστατα προσποιείται ότι δεν μ'άκουσε ποτέ

Παρακάτω στο δρόμο είδα μια μεγάλη μηλιά ανθισμένη
Το χώμα από κάτω της ήταν κατάλευκο από τα πέταλα
Μακάρι να διηγιόμασταν το πώς αγάπησε, αντί το πώς αμάρτησε
Όχι το πώς μας ντρόπιασε, όχι πόσο κακιά ήταν
Μακάρι να μας είχαν πει την ιστορία της μεγάλης αγάπης της μηλιάς
για εκείνη
και πώς, την ίδια εκείνη μέρα, κάπου ψηλά στον ουρανό,
όπου αργότερα ο αποσπερίτης θα καρφωνόταν σαν κορώνα ανάμεσα στα
κέρατα του ταύρου
η βασίλισσα πετούσε

4.

Υπάρχει η ιστορία ενός άλλου κήπου
Της πρώτης φοράς που τον αντίκρισε
εκείνος προσπαθούσε να γιατρέψει μιαν άρρωστη μηλιά
Είχε ένα μικρό κοφτερό σουγιά
Ξεφλούδισε τρυφερά το νεκρό φλοιό
Γέμισε τις πληγές με πάστα από στάχτη ξύλου και νερό πηγής
Ευχήθηκε το καλύτερο και είπε μια λέξη απαλά
εκείνη την άκουσε, παρόλο που τον παρακολουθούσε
από κάποια απόσταση
με τα φίδια της ακόμα κρυμμένα

αβέβαιη προς το παρόν αν ήταν έτοιμη να του φανερωθεί
Της άρεσαν όμως τα υπομονετικά χέρια του που ήταν μαυρισμένα
από τον ήλιο
και της άρεσε πόσο επιδέξιος ήταν με εκείνο το μικρό κοφτερό σουγιά
σαν να'χε πολλές ρίζες καθαρίσει μ'αυτό
όπως το έκανε η γιαγιά της με τα ανοιξιάτικα λαχανικά
μόνο που αυτός το έκανε αλλιώς, πιο ρωμαλέα, κι επίσης τρυφερά, σαν
ερωτευμένος

Τα δέντρα θα πρασινίζουν γι'αυτόν τον άντρα, σκέφτηκε
Τα δέντρα θα πρασινίζουν

5.

Η αλήθεια είναι πως έχουμε ένα ένστικτο τόσο ολοκληρωτικά ακέραιο
όσο κι εκείνο που οδηγεί τη βασίλισσα των μελισσών
στο σταθερό, σκοτεινό, γενεσιουργό μονοπάτι της
μετά τη μέρα της μέσα στο μπλε του ανοιξιάτικου ουρανού
Το σώμα της επιλέγει με άμωμη και ακλόνητη ακρίβεια
πότε θα γονιμοποιήσει τα αυγά
και πότε θα τα γεννήσει με παρθενογένεση
Αυτά γίνονται μικρά αγοράκια, όπως ο Ιησούς

Ονειρεύτηκα πως το έβδομο ιερό ένδυμα της Πούλιας δεν ήταν
όπως λένε οι παλιοί μύθοι για την Ινάννα, η επίδοση μιας κορώνας
αλλά στην πραγματικότητα ένα ιερό παιδί
Δεν μπορούσα να βγάλω νόημα απ'αυτό
Όμως, με κάποιο τρόπο, είναι όλα όσα ήξερε η Εύα, κάτω από τη μηλιά
με το ένστικτό της επίσης ακέραιο
Δεν της ήταν διόλου δύσκολο να καταλάβει τι είπε η μηλιά, και το φίδι
Δεν της ήταν διόλου δύσκολο να πιστέψει

ότι κι εκείνη ήξερε, μέσα στο σώμα της για την άνθιση
και πώς να ξεχωρίζει ποια αυγά να γεννήσει,
ακόμα κι στο απόλυτο σκοτάδι
Δεν της ήταν διόλου δύσκολο να πιστέψει πως ο άνεμος την αγαπούσε,
και η πρασινάδα
Δεν της ήταν διόλου δύσκολο να δει ότι τον αγαπούσε
μ'εκείνο το μικρό σουγιά του, που έκοψε και πέταξε τον πόνο που είχε
ζήσει η μηλιά
με την πάστα του από στάχτη ξύλου
με τις ειλικρινείς προσπάθειές του να θεραπεύσει
Αργότερα, όταν ξανακοίταξε, εκείνος άκουγε τα πουλιά

Δεν είναι, τελικά, μία και μόνη αγάπη,
διεσπαρμένη σε πάμπολλα κύτταρα;

6.

Όταν ξυπνώ από το σύντομο ύπνο μου,
όλη αυτή η αγάπη είναι εξίσου εύκολα ορατή
πλάι πλάι με τα χαμένα πράγματα,
καθώς τα δέντρα επιστρέφουν στον εαυτό τους
Είμαι διάστικτη, σκιά και φως
σαν το ανοιξιάτικο λιβάδι, σαν το μαύρο σκυλί,
παντού πασπαλισμένο με γύρη
που περιμένει, και παρακολουθεί τις μέλισσες και ξέρει όλα όσα ξέρει

MAY 2020

Venus retrograde begins
Venus conjunct Mercury
Venus disappears from the evening sky

My roses bloom. I dream the bees are in chaos. I dream of a black veil over the comb. Their little virgin queen has died. The hum of mourning through the hive, a low wailing drone that makes my hair stand up. The big purple opium poppies bloom; the sexuality of their softness and all their pollen. Buttercups in the forest. My bees are dwindling. Late rains fall. A night of thunder and lightning. Bishop pine pollen rims the puddles in gold. The orange trees blossom. Their petals fall in the rain. I gather them for tea. Quail in the bushes, their intimate velvety calls. Swainson's thrushes are secretive in the trees, but they sing the most elaborate songs: liquid spirals into the dusk. I gather rose petals to ferment in the old Hungarian vessel into a rosary clay. I knead it daily. The fatigue returns and sends me to bed for days. I am often out of breath. I go to Healdsburg for more bees to fold into my dying hive. The queen in her little cage on a red string. The explosive humming as I release them.

The Scent of Bread

It was his kitchen, but only as I imagine it
and so also another place somewhat sideways of time
the kind of place bees can go to without effort
which is the reason they also come
in and out of our dreams so easily
as if they themselves are not dreaming, only we

Still I think it was mostly just his kitchen
He was making bread on the table
His hands were covered with flour
It was something from his childhood
he was learning again, he said
His hands moved between
many dishes, each full with water
and some herb or seed or leaf
Most important seemed to be a dish of raisins

I remember a dish of raisins
in another kitchen, sun-dried from summer vines
Summer and summer's memory together

His hands moved over the bowls so deftly
It was like he'd always been doing this
Like he was touching notes
on an instrument, gathering and ringing
I wondered what song he was patting the green
and seeds and raisins with, as he tucked them into
the small round loaves, which were about as big as hearts

The flour looked like white pollen, dusted everywhere
His hands flashed with the effort, with the light grains

I saw a bee carrying purple pollen the other day
I saw her move over the white cilantro flowers
I saw that their pollen grains were
a tiny, almost invisible fringe of lilac
I would not have seen that purple, without the bee
At the hive entrance they are bringing in
half a dozen colors of pollen—
orange, yellow, grey, red, cream, violet
They come and go so steadily
like his hands over the dishes and over
the dozen little loaves of bread
Venus is between worlds
making her way toward the sun
making her way toward the morning
On the day she goes inside the sun
to become the morning star
I will open the hive and look for the queen bee
to see that all is well, to see that she is laying now

Venus goes inside the sun like fresh bread
The last time she did this, I had only just met him
I wasn't thinking very much of it
I had just gone to Aphrodite's temple to let go of all I knew
There were bees everywhere
all over the wild mint and the spring water

This time, I decide to go into that kitchen
The bees show me that I can
We sit at the table while the little round loaves rise

They are veiled under a cloth
There is still flour on his hands
Behind him there is a bread oven I never noticed
He is tending it carefully, to get the embers just right
Nobody is hurrying
In fact all I know now is that it is imperative not to hurry

I really am not sure what I am doing
but I try to listen for the right day to open the hive

In truth I wasn't expecting this kitchen or this bread at all
I am trying very hard not to lose my courage
The room is warm
We are not sitting too close together
We are not sitting too far apart either
Outside the rose is still blooming
single stems with a dozen huge roses on each
The apple tree has made a full recovery

Everything I heal, heals me
he is saying
He makes me a tea on the stove
We try to act normally
It helps to speak of very ordinary things
or else very big things, like terrible injustice, like war

But I am aware that there is bread rising under a veil
It is transforming under the veil between us
It takes all my discipline not to lift it straightaway
I have a bit of thread in my hands and I am
untangling it so as not to lift that veil

Everything smells of yeast and of embers
It is an alchemical smell
I can hardly smell anything else, or think

I wonder how long we will have to let the dough rise
I was never very good at this part but I am trying
Keep still, a sparrow at the window says
Do not hurry, by all that is holy
Do not hurry

Few things have ever felt harder
than this trust in a transformation
I cannot see

I wonder what it will mean, later, when we break open
the first loaf, all dark with raisins and herbs

We will break it in half
and eat it together
It will steam
The smell will be divine

Will it be night, or morning?
Will his hands still be covered in flour?
Will the bird be at the window, will we be too afraid
Will I sleep outside under the fruit trees just in case,
and wait for the rose to speak?

Dusk falls
We are still at the table
speaking softly, unhurried
Venus is on her way

The bees are fanning their wings at the hive entrance
I go near and put my ear to the lid and listen
like I do every night
because it's like hearing a love song

And for the first time in my life
I smell the hive's scent
The bees are wafting it everywhere
as if to make sure I can't miss it
I had no idea: it smells just like
sweet, warm, rising bread

Μάης 2020

Ξεκινά η Αφροδίτη ανάδρομη
Η Αφροδίτη σε σύνοδο με τον Ερμή
Η Αφροδίτη χάνεται από τον βραδινό ουρανό

Τα τριαντάφυλλά μου ανθίζουν. Ονειρεύομαι πως οι μέλισσες βρίσκονται σε χάος. Ονειρεύομαι ένα μαύρο πέπλο πάνω από τη κυψέλη. Η μικρή παρθένα βασίλισσά τους έχει πεθάνει. Το βουητό του θρήνου μέσα από την κυψέλη, ένας χαμηλός γοερός βόμβος που κάνει τα μαλλιά μου να σηκωθούν όρθια. Οι μεγάλες μωβ παπαρούνες του οπίου ανθίζουν˙ ο ερωτισμός της απαλότητας και της γύρης τους. Οι μέλισσές μου αργοπεθαίνουν. Μια νύχτα με βροντές και αστραπές. Η γύρη από τα πεύκα Μπίσοπ διαγράφει χρυσό το περίγραμμα στις λακκούβες. Οι πορτοκαλιές ανθίζουν. Τα πέταλά τους πέφτουν με τη βροχή. Τα μαζεύω για τσάι. Μυρωδιά νερολί. Ορτύκια στους θάμνους με το μύχιο, βελούδινο τερέτισμά τους. Οι τσίχλες του Σουαίνσον, μυστικοπαθείς μέσα στα δέντρα, αλλά τραγουδούν τα πιο περίτεχνα τραγούδια: υγρές σπείρες μέσα στο σούρουπο. Μαζεύοντας ροδοπέταλα μέσα στο παλιό Ουγγαρέζικο δοχείο για να αρχίσει η ζύμωση που θα τα μεταπλάσει σε πηλό για χάντρες προσευχής. Τα ζυμώνω καθημερινά. Πηγαίνω στο Χέλντσμπουργκ για περισσότερες μέλισσες να προσθέσω μέσα στην κυψέλη μου που πεθαίνει. Η βασίλισσα μέσα στο μικρό κλουβάκι της σε κόκκινο σπάγκο. Ο εκρηκτικός βόμβος, καθώς τις απελευθερώνω.

Η Μυρωδιά του Ψωμιού

Ήταν η κουζίνα του, αλλά μόνο όπως τη φαντάζομαι
και άρα ταυτόχρονα ένας άλλος τόπος, κάπως πλάγια του χρόνου
ο τόπος που οι μέλισσες μπορούν να πάνε δίχως προσπάθεια
που είναι άλλωστε και ο λόγος που μπαινοβγαίνουν
στα όνειρά μας με τέτοια ευκολία
λες και οι ίδιες δεν ονειρεύονται, μόνο εμείς

Πάντως πιστεύω ότι πιο πολύ ήταν απλώς η κουζίνα του
Έφτιαχνε ψωμί επάνω στο τραπέζι
Τα χέρια του ήταν γεμάτα αλεύρι
Ήταν κάτι από τα παιδικά του χρόνια
που ξαναμάθαινε, είπε
Τα χέρια του κινούνταν ανάμεσα σε πολλά πιατάκια,
το καθένα γεμάτο νερό
και κάποιο βότανο ή σπόρους ή φυλλαράκια
Το πιο σημαντικό έδειχνε να'ναι ένα πιατάκι με σταφίδες

Θυμάμαι ένα πιατάκι με σταφίδες
σε μιαν άλλη κουζίνα, ξεραμένες στον ήλιο από καλοκαιρινά κλήματα
Το καλοκαίρι και η ανάμνηση του καλοκαιριού μαζί

Τα χέρια του κινούνταν πάνω από τα μπολάκια τόσο επιδέξια
Ήταν σαν να το έκανε από πάντα αυτό
Σαν να άγγιζε νότες
σε κάποιο μουσικό όργανο, να τις συγκεντρώνει και να τις δονεί
Αναρωτήθηκα τι τραγούδι να έβαζε μέσα στα μυρωδικά
και στους σπόρους και στις σταφίδες, καθώς με τρυφερά χτυπηματάκια
τα έβαζε μέσα στα μικρά στρογγυλά καρβελάκια, που ήταν μεγάλα

περίπου σαν καρδιά
Το αλεύρι έμοιαζε με λευκή γύρη, είχε πασπαλίσει τα πάντα
Τα χέρια του πετάριζαν πάνω στην προσπάθειά του
με τους ανάλαφρους σπόρους

Είδα μια μέλισσα να κουβαλά μωβ γύρη τις προάλλες
Την είδα να κινείται πάνω από τα λευκά άνθη του κόλιαντρου
Είδα πως οι κόκκοι της γύρης τους ήταν
κάτι ελάχιστα, σχεδόν αόρατα λουλακί κρόσσια
Δεν θα το είχα δει το μωβ χωρίς τη μέλισσα
Στην είσοδο της κυψέλης έρχονται και φέρνουν μέσα
μισή ντουζίνα χρώματα γύρης—
Πορτοκαλί, κίτρινο, γκρίζο, κόκκινο, κρεμ, βιολετί
Πάνε κι έρχονται τόσο σταθερά
όπως τα χέρια του πάνω από τα πιατάκια και πάνω
από τα δώδεκα μικρά καρβελάκια του ψωμιού

Η Αφροδίτη βρίσκεται ανάμεσα στους κόσμους
διανύοντας την πορεία της προς τον ήλιο
διανύοντας την πορεία της προς το πρωί
Τη μέρα που μπαίνει μέσα στον ήλιο
για να γίνει ο αυγερινός,
εγώ θ'ανοίξω την κυψέλη να ψάξω για τη βασίλισσα
να δω ότι όλα είναι καλά, να δω ότι γεννάει τώρα

Η Αφροδίτη μπαίνει μέσα στον ήλιο σαν σε φρέσκο ψωμί
Την τελευταία φορά που το έκανε, μόλις τον είχα γνωρίσει
Δεν το σκεφτόμουν και πολύ όλο αυτό
Μόλις είχα πάει στο ναό της Αφροδίτης να απελευθερωθώ
απ'όλα όσα ήξερα
Υπήρχαν μέλισσες παντού
παντού πάνω από την άγρια μέντα και το νερό της πηγής

Αυτή τη φορά, αποφασίζω να μπω σ'εκείνη την κουζίνα
Οι μέλισσες μου δείχνουν ότι μπορώ
Καθόμαστε στο τραπέζι ενώ τα μικρά στρογγυλά ψωμάκια ανεβαίνουν
Είναι σκεπασμένα, κάτω από ένα ύφασμα
Τα χέρια του έχουν ακόμα αλεύρι
Πίσω του υπάρχει ένας φούρνος για ψωμί που δεν είχα καθόλου προσέξει
Τον φροντίζει προσεκτικά, για να φτιάξει τη χόβολη ακριβώς όπως πρέπει
Κανείς δεν βιάζεται
Μάλιστα, το μόνο που έμαθα πια είναι
πως είναι επιτακτικό το να μη βιάζεσαι

Στ'αλήθεια δεν είμαι και πολύ σίγουρη τι κάνω
αλλά προσπαθώ πάντα να στήνω αυτί για τη σωστή ημέρα
να ανοίξω την κυψέλη

Στ'αλήθεια δεν την περίμενα αυτή την κουζίνα,
ούτε αυτό το ψωμί, καθόλου
προσπαθώ λοιπόν πολύ σκληρά να μην χάσω το κουράγιο μου
Το δωμάτιο είναι ζεστό
Δεν καθόμαστε πολύ κοντά ο ένας στον άλλον
Δεν καθόμαστε ούτε πολύ μακριά
Έξω, η τριανταφυλλιά ανθίζει ακόμα
μονοί βλαστοί με δεκάδες τεράστια τριαντάφυλλα πάνω στον καθένα
Η μηλιά ανάρρωσε ολοκληρωτικά
Ό,τι θεραπεύω, με θεραπεύει
Λέει εκείνος

Μου φτιάχνει ένα τσάι στη σόμπα
Προσπαθούμε να φερθούμε φυσιολογικά
Βοηθάει να μιλάμε για πολύ συνηθισμένα πράγματα
ή αλλιώς για πολύ μεγάλα πράγματα, όπως για τη φριχτή αδικία,
όπως για πόλεμο

Έχω επίγνωση όμως, ότι το ψωμί κάτω από το πέπλο φουσκώνει
Μεταμορφώνεται κάτω από το πέπλο ανάμεσά μας
Μου παίρνει όση αυτοκυριαρχία διαθέτω να κρατηθώ να μην
το σηκώσω αμέσως
Κρατώ στα χέρια μου ένα κομμάτι κλωστή και το
ξεμπερδεύω, για να μη σηκώσω εκείνο το πέπλο

Τα πάντα μυρίζουν μαγιά και χόβολη
Είναι μια αλχημιστική μυρωδιά
Σχεδόν τίποτα άλλο δεν μπορώ να μυρίσω, ή να σκεφτώ

Αναρωτιέμαι πόση ώρα θα πρέπει ν'αφήσουμε τη ζύμη να φουσκώσει
Ποτέ δεν ήμουν καλή σ'αυτό το κομμάτι, αλλά προσπαθώ
Μείνε ακίνητη, λέει ένα σπουργίτι στο παράθυρο
Μη βιάζεσαι, στο όνομα όλων των ιερών πραγμάτων
Μη βιάζεσαι

Λίγα με έχουν δυσκολέψει τόσο
όσο αυτή η εμπιστοσύνη στη μεταμόρφωση
που δεν μπορώ να δω

Αναρωτιέμαι τι θα σημαίνει, αργότερα, όταν θα ανοίξουμε με τα χέρια μας
το πρώτο καρβέλι, μαυριδερό με τις σταφίδες και τα βότανα

Θα το σπάσουμε στη μέση
και θα το φάμε μαζί
Θα αχνίζει
Η μυρωδιά θα είναι θεϊκή

Θα είναι νύχτα ή πρωί;
Θα είναι τα χέρια του ακόμα αλευρωμένα;
Θα είναι το πουλί στο παράθυρο, θα φοβόμαστε πάρα πολύ

Θα κοιμηθώ έξω, κάτω από τα φρουτόδεντρα, μήπως και...
και θα περιμένω το τριαντάφυλλο να μιλήσει;

Πέφτει το σούρουπο
Είμαστε ακόμα στο τραπέζι
μιλάμε σιγανά, χωρίς βιασύνη
Η Αφροδίτη έχει ξεκινήσει

Οι μέλισσες κάνουν αέρα με τα φτερά τους στην είσοδο της κυψέλης
Πάω κοντά και βάζω το αυτί μου στο καπάκι και ακούω
όπως το κάνω κάθε βράδυ
γιατί είναι σαν ν'ακούω ένα ερωτικό τραγούδι

Και για πρώτη φορά στην ζωή μου
μυρίζω τη μυρωδιά της κυψέλης
Οι μέλισσες την στέλνουν παντού σε κύματα
λες και θέλουν να σιγουρευτούν ότι αποκλείεται να τη χάσω
Δεν είχα ιδέα: μυρίζει ακριβώς σαν
το γλυκό, ζεστό, ανεβατό ψωμί

JUNE 2020

Interior conjunction with the Sun
Heliacal rise of Venus
A new cycle of Venus as the Morning Star begins

At dawn watching Venus. The great horned owl calls at the same time as the first doves. Sea salt on the fierce ocean rocks at McClure's Beach. The writer and I climb through the wind to gather it, knowing we shouldn't be lovers again. We are anyway. White foam flies up. Bright seastars on the far rocks; the aquamarine undersides of waves. Peregrine falcons fly high overhead: dark, elegant eyes and knife-sharp wings. The tule elk are growing huge antlers now, still in velvet. The males gather, getting ready for the rut. Even I can feel their testosterone, like it is human, or like I am elk. The breathlessness comes and goes. There is no sign of the queen laying eggs in the combs. I despair for weeks. Then at the solstice I see them—newly hatched bees with fur as blond as lion cubs. Great swathes of capped brood, rippled and gold. I weep. Coffeeberry bushes flower in the forest, a nectar flow. My squash vines bloom. At dusk every night I go outside to breathe the hive's scent at the entrance, an exhalation sweet and warm as seduction: a yeasty, honeyed bread. Slowly, it is healing something vital I had lost.

The Three Tones of Renewal

PART ONE

The World-Encircling Water

Underneath everything
There is water
Three tones of renewal
Three pools

I really thought I had been through this already
nineteen months ago, I say to myself
How many times will I fall here?
I sit in the sun by the hive, asking to know
I wrote a poem when Venus went inside the sun
at the beginning of her cycle, the first time
before our garden, before I had to leave, and go, and leave again

Deep woman in the song of myself, I wrote
Weeping on the stone floor of my kitchen I wrote it

Deep woman in the gorge where running water
makes the three tones of renewal
Deep woman, at the bottom of weeping
at the bottom of darkness
where you thought there could be no bottom
is ground
Deep woman who has fallen
through three worlds marked

by the three tones
that the mourning birthing water rings
your falling without bottom called the bottom forth

How many times will I have to call the bottom forth? I ask
Did I write about the field I fell to for then, or for now?

I keep trying to rinse my heart in the deep water of myself
I keep saying—put it in the water, love
put that memory in the water
put that pain in the water
the water of myself
the welling, world-encircling water
which is Okeanos
the deep suffusing streams
which Tethys carries everywhere
Her name means "Grandmother"

But I keep finding myself beside the hive
When I say put it in the water love
I seem to also mean the beehive
where in amber darkness
they are renewing everything

The day Venus went inside the sun this time, at the end
I couldn't find any sign of the queen or her eggs
For three weeks I mourned her death
For three weeks I surrendered to what I could not avoid
I was sure I would have to bear witness to their dying

But on the sun's longest day
I felt a sense of warm ground

somewhere just out of sight
I saw so many bees coming and going
I saw gold-furred ones that looked brand new
Surely not, I said to myself, for hope can wound
But something was renewing itself in there
as it was, almost imperceptibly, in me
And when I went to look again, trembling
I saw that there were babies everywhere
Their newness washed over me like water
The ground had been there all along
I just had not been allowed to see it

What world-encircling water is this
on both sides of Venus' coming
and going and coming again?
And what world am I?

Underneath everything
There is water
Three tones of renewal
Three pools

PART TWO
The Three Pools

i.
First Pool

If, under every full moon and most days, you keep coming like a dark shroud over me, grief, I will build a house for you. It will have a roof and many windows, like an ordinary house, but it will be made only of earth because earth swallows the sound of weeping well. Because earth is cool and heavy and still, and the scent will be therefore like damp day and the sweetness around the wild ceanothus after rain. When I bow my head to enter, I will feel the earth around me, as a seed does, or as the dead do, or like when I slept beside him, and my sleep was a stone, because he had the feeling of earth. In my grief house there will be niches in the walls and candles made of beeswax from the hive we tended together, and the hive I now tend alone. I will come here to weep. I will come here to cry my sorrow into the ground. I will come here to pray for new life. There will be rugs woven by my ancestors in a dream, with threads from my wedding dress, with dyes from the flowers of my two crowns. I had no veil. I will wear one now, when I come here. It will be black but dusted with pollen. I will come barefoot, and speak about things that I cannot write here, because they were ours only. Both hims. They are too close to me to share anywhere but there, in the grief house. They would not make sense anyway, to anyone else. The colored pencils in leather from Venice. The books we read out loud. The summer garden. The whole world in his eye that night. His leather boots by the door. Eleven years of mornings. The irises by the ocean on my birthday, the full moon setting at dawn, the herd of female elk in the estuary, the gold ring in his pocket, in his hand. Dahlias in a river on the pine tree at the altar, the honey on the spoon, our wedding. Sometimes I do not know who or what I am screaming for—both of them at once, or only the first one in truth, underneath it all, or my ancestors who still knew the way home. But I do know that the sound releases power and feeds things that stir underground. And I do know also that Aphrodite guards the grief house, and she likes when you come unbound. This is one of her secrets, about the grief house. She has many. This house is as safe as the beehive, she says. It is as safe as the earth. Every night she ascends and lights the candles with her star, so I don't forget that joy, too, comes of all this.

ii.
Second Pool

With my left hand
I took down the following
over several mornings:

*

Your life is like a poem
he said that day

*

I see the holy snake
the soft water of birth

My hands hold all the pearls

*

Come Home
Come Home

*

The new maidens are flying
It will be alright, they say

I long

I am Her
Fecund, Horned

*

Let peace come into thy queendom
Let love
The dove is circling
The lamp is lit

*

For this is a violet undergoing

*

Little bird
bright tree
rain in the garden

*

I saw it from the beginning
Blossom, I walk your way

*

There is an everlasting love
I put it in the water I put it in the hive

*

I am simply that
All that is
My flower

iii.
Third Pool

Yesterday, I sat patiently
in the warm kitchen
talking of ordinary things
waiting for the bread to rise, the bread from my dream
I did not realize I was still agreeing to the old design
by which I continued to give myself away
like the story of the Little Match Girl
which I memorized when I was seven
the girl who sold her matches—each a fire—for pennies
and in the end was left out in the cold

Today I remember that I have the heavy thighs of Hathor
They brush together when I walk
You can hear me coming and it sounds like
thick petals, amber, water

Today I am the color of fire
I am a column of longing
I am the pillar that holds up the night
My body is a hive
unending

Today I want to remind you what you know
about my body
Actually, I want to remind myself
My body is sweeter than any fruit you will ever grow
Sweeter than any wild fig that cleaves open
as it ripens, gloriously

Sweeter than the bloody mulberry
and stronger than the propolis or vine
You know about the lapis and amber that
hang just near my breasts
and the tiny bronze vessel on the thread between them
how they are always warmed by my warmth
and smell of my smell
You know that my sex is a deeper flower
even than the ones you have dreamed
violet rose violet rose
that it is your root and your portal
that everything about the garden begins here

Today I am she who swallows
Today I am she who bakes the wedding breads
(full of nectar, full of heat)
in fire ash on the mountain height
Today I am she who dances heavy-thighed around that fire
That fire made of all the matches
I ever gave away for pennies
which have now made a fire so bright
Venus herself comes to rest a while there
and share the wedding bread

Today I am the taste
of the nectar
and the ground
of my own consequence

I do not waste a drop

Ιούνης 2020

Εσωτερική σύνοδος με τον Ήλιο
Ηλιακή ανατολή της Αφροδίτης
Ένας νέος κύκλος της Αφροδίτης ως Αυγερινός αρχίζει

Το χάραμα παρακολουθώντας την Αφροδίτη: η μεγάλη κερασφόρα κουκουβάγια φωνάζει την ίδια ώρα με τα πρώτα περιστέρια. Θαλασσινό αλάτι πάνω στα θηριώδη βράχια του ωκεανού στην παραλία ΜακΚλιούρ. Ο συγγραφέας κι εγώ σκαρφαλώνουμε μέσα στον άνεμο για να το μαζέψουμε, ξέροντας πως δεν πρέπει να ξαναγίνουμε εραστές. Γινόμαστε παρόλα αυτά. Λευκός αφρός τινάζεται στον αέρα. Ζωηρόχρωμοι αστερίες πάνω στα μακρινά βράχια˙ τα γαλαζοπράσινα σωθικά των κυμάτων. Πετρίτες πετούν ψηλά πάνω από τα κεφάλια μας˙ σκούρα κομψά μάτια και φτερά με κόψη σαν μαχαίρια. Οι τάρανδοι της περιοχής αναπτύσσουν τεράστια κέρατα τώρα, ακόμα τυλιγμένα στο βελούδο. Τα αρσενικά συγκεντρώνονται, ετοιμάζονται για την αναμέτρηση. Ακόμα κι εγώ αισθάνομαι την τεστοστερόνη τους, λες και είναι ανθρώπινη ή λες και είμαι εγώ τάρανδος. Δε βλέπω κανένα σημάδι πως η βασίλισσα γεννάει αυγά μέσα στις κερήθρες. Απελπίζομαι για βδομάδες. Τότε, το ηλιοστάσιο, τις βλέπω—νεογέννητες μελισσούλες με γούνες ξανθές σαν μωρά λιονταράκια. Κύματα κύματα της καινούριας σφραγισμένης γενιάς, γραμμωτές και χρυσές. Κλαίω γοερά. Θάμνοι σαν καφεόδεντρα ανθίζουν στο δάσος, μια ροή από νέκταρ που βρίθει από μέλισσες. Οι κολοκύθες μου ανθίζουν. Το σούρουπο κάθε βράδυ βγαίνω έξω να μυρίσω τη μυρωδιά της κυψέλης στην είσοδό της, μια εκπνοή γλυκιά και θερμή σαν αποπλάνηση: ψωμί με μαγιά και μέλι. Θεραπεύει κάτι ζωτικό που είχα χάσει.

Οι Τρεις Νότες της Ανανέωσης

ΜΕΡΟΣ ΠΡΩΤΟ

Τα Νερά που Κυκλώνουν-τον-Κόσμο

Κάτω απ' όλα
Υπάρχει νερό
Τρεις νότες ανανέωσης
Τρεις λιμνούλες

Στ' αλήθεια πίστευα ότι το είχα ήδη περάσει αυτό
πριν από δεκαεννέα μήνες, λέω στον εαυτό μου
Πόσες φορές θα πέσω εκεί μέσα;
Κάθομαι στον ήλιο, πλάι στην κυψέλη, ζητώντας να μάθω
Έγραψα ένα ποίημα τότε που η Αφροδίτη εισχώρησε στον ήλιο
στην αρχή του κύκλου της, την πρώτη φορά
πριν απ' τον κήπο μας, πριν να αναγκαστώ να φύγω, και να γυρίσω,
και να φύγω ξανά

Βαθειά γυναίκα στο τραγούδι του εαυτού μου, έγραψα
Κλαίγοντας γοερά στο πέτρινο πάτωμα της κουζίνας μου το έγραψα

Βαθειά γυναίκα μέσα στο φαράγγι όπου τρεχούμενο νερό
ηχεί τις τρεις νότες της ανανέωσης
Βαθειά γυναίκα, στον πυθμένα του θρήνου
στον πυθμένα του σκοταδιού
εκεί που πίστευες πως δεν μπορούσε να υπάρξει πυθμένας
υπάρχει έδαφος
Βαθειά γυναίκα, που έχει πέσει

μέσα από τους τρεις κόσμους που σημαδεύονται
από τις τρεις νότες
που αντηχεί το γενεσιουργό νερό του θρήνου
η απύθμενη πτώση σου προσκάλεσε τον πυθμένα

Πόσες φορές θα πρέπει να καλέσω τον πυθμένα να εμφανιστεί; ρωτώ
Για το τότε ή για το τώρα έγραψα για το λιβάδι που πάνω του έπεσα;

Κάνω συνεχείς προσπάθειες να ξεπλύνω την καρδιά μου στα βαθιά νερά
του εαυτού μου
λέω συνεχώς—βάλ'το στο νερό, καλή μου
βάλε αυτή την ανάμνηση μέσα στο νερό
βάλε αυτόν τον πόνο μέσα στο νερό
στο νερό του εαυτού μου
που αναβλύζει, στο νερό που κυκλώνει τον κόσμο
που είναι ο Ωκεανός
τα βαθιά ρυάκια που διαπερνούν τα πάντα
που η Τηθύς τα κουβαλάει παντού μαζί της
Το όνομά της σημαίνει «Γιαγιά»

Μα όλο και με βρίσκω πλάι στην κυψέλη
Όταν λέω βάλ'το στο νερό καλή μου
Μάλλον επίσης εννοώ και την κυψέλη
όπου, μέσα στο κεχριμπαρένιο σκοτάδι
εκείνες ανανεώνουν τα πάντα

Τη μέρα που η Αφροδίτη μπήκε μέσα στον ήλιο ετούτη τη φορά,
στο τέλος
δεν μπορούσα να βρω κανένα σημάδι της βασίλισσας ή των αυγών της
Για τρεις εβδομάδες πενθούσα το θάνατό της
Για τρεις εβδομάδες παραδινόμουν σε αυτό που δεν μπορούσα να αποφύγω
Ήμουν σίγουρη πως θα αναγκαζόμουν να γίνω μάρτυρας στο θάνατό τους

Μα την μεγαλύτερη μέρα του ήλιου
είχα την αίσθηση μιας ζέστας μες στο χώμα
κάπου έξω από το πεδίο της όρασής μου
Είδα τόσες πολλές μέλισσες να πηγαινοέρχονται
Είδα μέλισσες χρυσόμαλλες, που έμοιαζαν νεογέννητες
Δεν μπορεί, είπα στον εαυτό μου, μιας κι η ελπίδα μπορεί να πληγώσει
Κάτι όμως αναγεννιόταν εκεί μέσα
όπως συνέβαινε, σχεδόν ανεπαίσθητα, και μέσα μου
Και όταν πήγα να κοιτάξω ξανά, τρέμοντας
είδα πως είχε μωρά παντού
Η καινότητά τους με έλουσε σαν το νερό
το έδαφος ήταν εκεί από την αρχή
Απλώς δεν μου είχαν επιτρέψει να το δω

Τι είν'ετούτο το νερό που κυκλώνει τον κόσμο
και στις δυο πλευρές της έλευσης της Αφροδίτης
και φεύγει και ξανάρχεται;
Και ποιος κόσμος είμαι εγώ;

Κάτω από τα πάντα
Υπάρχει νερό
Τρεις νότες της ανανέωσης
Τρεις λιμνούλες

ΜΕΡΟΣ ΔΕΥΤΕΡΟ
Οι Τρεις Λιμνούλες

i.
Πρώτη Λιμνούλα

Αν, σε κάθε πανσέληνο και σχεδόν κάθε μέρα συνεχίσεις να πέφτεις σαν σκούρο σάβανο πάνω μου, θλίψη, εγώ θα σου χτίσω ένα σπίτι. Θα έχει στέγη και πολλά παράθυρα σαν κανονικό σπίτι, αλλά θα είναι φτιαγμένο μόνο από γη, γιατί η γη καταπίνει καλά τον ήχο του θρήνου. Γιατί η γη είναι δροσερή και βαριά και ακίνητη, και η μυρωδιά θα είναι επομένως σαν μια υγρή μέρα και σαν τη γλύκα γύρω από τις άγριες κουφοξυλιές μετά τη βροχή. Όταν σκύβω το κεφάλι για να μπω μέσα, θα νιώθω τη γη τριγύρω μου, όπως τη νιώθει ο σπόρος, ή όπως τη νιώθουν οι νεκροί, ή όπως τότε που κοιμήθηκα δίπλα του και ο ύπνος μου ήταν σαν της πέτρας, γιατί εκείνος έβγαζε μια αίσθηση σα χώμα παντού από μέσα του. Μέσα στο σπίτι της θλίψης μου, θα υπάρχουν εσοχές στους τοίχους και κεριά φτιαγμένα από μελισσοκέρι από την κυψέλη που φροντίζαμε μαζί και την κυψέλη που τώρα εγώ φροντίζω μόνη μου. Θα έρχομαι εδώ για να θρηνήσω. Θα έρχομαι εδώ για να κλάψω τη λύπη μου σε στάλες στο χώμα. Θα έρχομαι εδώ να προσευχηθώ για καινούρια ζωή. Θα υπάρχουν χαλιά πλεγμένα από τους προγόνους μου σε κάποιο όνειρο, με κλωστές από το νυφικό μου, με βαφές λουλουδιών από τα δυο στεφάνια μου. Δεν είχα πέπλο. Θα φορέσω ένα τώρα, όταν θα έρθω εδώ. Θα είναι μαύρο, αλλά πασπαλισμένο με γύρη. Θα έρθω ξυπόλυτη και θα μιλάω για πράγματα που δεν μπορώ να γράψω εδώ, γιατί ήταν μόνο δικά μας. Του καθενός από τους δυο τους. Με αγγίζουν πολύ βαθιά, για να τα μοιραστώ οπουδήποτε αλλού εκτός από εκεί, στο σπίτι της θλίψης. Έτσι κι αλλιώς δεν θα είχαν νόημα για κανέναν άλλον. Τα δερμάτινα χρωματιστά μολύβια από τη Βενετία. Τα βιβλία που διαβάζαμε φωναχτά. Το καλοκαιρινό κηπούλι. Ολόκληρος ο κόσμος μέσα στο μάτι του εκείνη τη νύχτα. Οι δερμάτινες μπότες του πλάι στην πόρτα. Έντεκα χρόνια πρωινά. Οι ίριδες δίπλα στον ωκεανό στα γενέθλιά μου, η πανσέληνος που έδυε το ξημέρωμα, το κοπάδι από θηλυκούς ταράνδους στις εκβολές του ποταμού, το χρυσό δαχτυλίδι στην τσέπη του, στο χέρι του. Ντάλιες μέσα σ'ένα ποτάμι πάνω στο πεύκο, στο βωμό, το μέλι στο κουτάλι, ο γάμος μας. Η στιγμή που έφυγα και καταγράφηκε στα μάτια του. Μερικές φορές δεν ξέρω για ποιον ή για τι ουρλιάζω—και για τους δυο τους ταυτόχρονα, ή μόνο για τον πρώτο στ'αλήθεια, κάτω απ'όλα αυτά, ή για τους προγόνους μου, που ήξεραν το δρόμο για το σπίτι. Ξέρω όμως ότι ο ήχος απελευθερώνει δύναμη και τρέφει διαφορα που σαλεύουν υπόγεια. Ξέρω επίσης ότι η Αφροδίτη στέκει φρουρός του σπιτιού της θλίψης και της αρέσει όταν προσέρχεσαι ασυγκράτητη. Αυτό είναι ένα από τα μυστικά της για το σπίτι της θλίψης. Έχει πολλά. Το σπίτι αυτό είναι ασφαλές σαν την κυψέλη, λέει. Είναι ασφαλές σαν τη γη. Κάθε νύχτα ανέρχεται και ανάβει τα κεριά με το αστέρι της, κι έτσι δεν ξεχνώ ότι μέσα απ'όλο αυτό, βγαίνει, επίσης, και χαρά.

ii.

Δεύτερη Λιμνούλα

Με το αριστερό μου χέρι
Κατέγραψα τα παρακάτω
στη διάρκεια αρκετών πρωινών:

*

Η ζωή σου είναι σαν ποίημα
είπε αυτός εκείνη τη μέρα

*

Βλέπω το ιερό φίδι
το απαλό νερό της γέννας

Το χέρι μου κρατά όλα τα μαργαριτάρια

*

Γύρνα σπίτι
Γύρνα σπίτι

*

Οι νέες παρθένες πετάνε
Όλα θα πάνε καλά, λένε

Λαχταρώ

Είμαι Εκείνη
Γόνιμη, Κερασφόρα

*

Ας έρθει ειρήνη στην επικράτεια της βασιλείας σου
Ας έρθει αγάπη
Το περιστέρι κάνει κύκλους
Η λάμπα είναι αναμμένη

*

Γιατί ετούτη είναι μια βιολετί δοκιμασία

*

Μικρό πουλάκι
λαμπρό δέντρο
βροχή στον κήπο

*

Το είδα από την αρχή
Άνθος, ακολουθώ το δρόμο σου

*

Υπάρχει μια αιώνια αγάπη
Τη βάζω μέσα στο νερό τη βάζω μέσα στην κυψέλη

*

Είμαι απλά όλα αυτά
Όλα όσα είναι
Το λουλούδι μου

iii.
Τρίτη Λιμνούλα

Εχτές, έκατσα υπομονετικά
μέσα στη ζεστή κουζίνα
και μιλήσαμε για πράγματα συνηθισμένα
περιμένοντας το ψωμί να ανέβει, το ψωμί από το όνειρό μου
Δεν συνειδητοποίησα ότι ακόμα συμφωνούσα με το παλιό σχέδιο
σύμφωνα με το οποίο συνέχιζα να σπαταλάω τον εαυτό μου τζάμπα
σαν την ιστορία του Κοριτσιού με τα Σπίρτα
που την είχα μάθει απέξω, όταν ήμουν επτά
το κορίτσι που πουλούσε τα σπίρτα της— το καθένα τους μια φωτιά—για πενταροδεκάρες
και στο τέλος έμεινε εκείνη μόνη έξω στο κρύο

Σήμερα θυμήθηκα ότι έχω τα βαριά μεριά της Χάθορ
Τρίβονται μεταξύ τους όταν περπατώ
Μπορείς να με ακούσεις να πλησιάζω, μοιάζει ο ήχος με

παχιά πέταλα, κεχριμπάρι, νερό

Σήμερα είμαι το χρώμα της φωτιάς
Είμαι μια στήλη νοσταλγίας
Είμαι η κολώνα που συγκρατεί στη θέση της τη νύχτα
Το κορμί μου είναι κυψέλη
απέραντο

Σήμερα θέλω να σου θυμίσω αυτό που ξέρεις
για το κορμί μου
Στην πραγματικότητα, στον εαυτό μου θέλω να το θυμίσω
Το κορμί μου είναι γλυκύτερο από οποιοδήποτε φρούτο θα καλλιεργήσεις
ποτέ
Γλυκύτερο από οποιοδήποτε άγριο σύκο που σκίζεται και ανοίγει
καθώς ωριμάζει μεγαλόπρεπα
Γλυκύτερο από το ματοβαμμένο βατόμουρο
και δυνατότερο από την πρόπολη ή το κρασί
Ξέρεις για το λαζουρίτη και το κεχριμπάρι που
κρέμονται εκεί κοντά στα στήθη μου
και το μικρό μπρούτζινο σκάφος πάνω στην κλωστή ανάμεσά τους
το πώς παίρνουν πάντα ζεστασιά από τη δική μου ζεστασιά
και μυρωδιά απ'τη μυρωδιά μου
Ξέρεις πως το φύλο μου είναι το πιο βαθύ λουλούδι
ακόμα κι από εκείνα που έχεις ονειρευτεί
βιολετί τριαντάφυλλο βιολετί τριαντάφυλλο
ότι είναι η ρίζα σου και η πύλη σου
ότι εδώ αρχίζουν όλα όσα έχουν να κάνουν με τον κήπο

Σήμερα είμαι αυτή που καταπίνει
Σήμερα είμαι αυτή που ψήνει τα γαμοκούλουρα
(γεμάτα νέκταρ, γεμάτα θέρμη)
μέσα στη χόβολη στα ύψη του βουνού

Σήμερα είμαι αυτή που χορεύει βαριοκάπουλη γύρω από τη φωτιά
Τη φωτιά που έφτιαξα με όλα τα σπίρτα
που κάποτε έδωσα για πενταροδεκάρες
που τώρα έχουν φτιάξει μια φωτιά τόσο λαμπρή
που η Αφροδίτη η ίδια ήρθε εδώ να ξαποστάσει λίγο
και να μοιραστεί το γαμοκούλουρο

Σήμερα είμαι η γεύση
από το νέκταρ
και από το χώμα
των ίδιων μου των συνεπειών

Δεν σπαταλάω ούτε σταγόνα

POST SCRIPT

AUGUST 2020

Notes from the future, from Venus' next cycle and the first thread of what comes next.

TIME, AND THE VESSEL

1.

My women are reaching strong hands
into the earth to gather clay
I am inside their hands
They are inside the moon
and inside me

How many times did they have to collect
everything they loved into one basket
and flee in the dark, between invasions
or less dramatically, but as significantly
fill the cedar dowry chest with what was
essential and most impressive
and go away, into another life they may
or may not have wanted

If I could have a vessel only of
what they loved—just one memory
from each mother, back across North America
from west to east
(Mendocino, Maryland, Maine, Massachusetts, Mayflower)
and further, across the Atlantic
to England, to Denmark, before that to Iberia, Gaul
to Latium, Cyprus, Crete, Anatolia—
I would have a hive
Memories like nectar
Time, and the vessel
to preserve them
I wonder how many species of herb and fruit
would be in that vessel
How many moments of birth
of harvest
of falling in love

I wonder what will heal finally
when I reach into that basket
and touch the ambrosial cord their delight
(despite everything else) has become

2.

It is a red thread coiled
I cannot go astray
because I have hold of it
My mothers are on one end of it
My daughters are on the other

The moon is the labyrinth
I am carrying a vessel as old as the moon
There is salt on the rim
I thought it was broken but it was not
I thought I was broken but I was not
However there were some leaks
which I mended with sleep
with dreams applied like propolis
with the bee's hum
and with the love of particular trees
—oak, wild apple—
who received my embraces
when the men around me
could not see where I had been

I have become watertight again
after all this time

3.

Some days I am finest riverclay, other days the rushes
Still others, a copper bowl that sings when touched
Cista mystica, and also the hidden snake
the god's organs, the paste of silt and seeds
An open mystery in plain sight
I am small compared to mountains
woman-sized
yet full of islands

4.

It must not have been somebody
who carried a child to birth
or filled a basket with apples
from a tree their grandmother planted
or sat under a weighted moon
who came up with the idea of non-attachment
I follow this red thread
and find it is attached to everything

And yet there is this too:
the pouring out after birth or love
We fill up so entirely, only to offer it back
But because it came in as nectar
it will go forth as honey

I saw this clearly when I saw the fire
on the southern ridge of Point Reyes that night
Bishop pine trees were burning, and the old-growth firs
I stayed up late packing in case we had to leave quickly
There were the books and clothes, the baskets and herbs
Candles, jewelry, paintings, notebooks: yes
I was throwing them in piles
circling the house like a bee gathering what I loved
I was also frantic, panicked, remembering sudden
dislocation from times beyond my own
Knowing with ancestral instinct
that I also had to be willing
to let go of everything
everything
to take nothing but myself and my dog

I went out and hugged the oak tree
and my beehive in the dark
From that calm place
which true necessity makes, I said
I love you, I let you go if I have to
You are in me, closer than ever
just the back side of my heart, nestled to my spine
I am full of bees, and trees, and the wild birds

5.

I put them all inside me
I started with the hazel trees
They were heavy with nuts
I had been watching them all year
as I mended the leaks, as I healed

They are the year
They are the only way I can see it up close
Earth's movements:
catkin, filamental flower
furred leaf, this panoply of nuts
Because they are the year they are also
the whole peninsula, Point Reyes
tectonic island, amulet carved by eons
and ocean, at night sometimes
I feel a violet singing

I put all the other trees in too
bay laurel, bishop pine, coast live oak

toyon, tan oak, manzanita, madrone
and the birds whose voices
are the voices of friends
acorn woodpecker
swainson's thrush wrentit osprey
and the great booming ocean too
the Pacific, and the cliffs
where the peregrine hunts
and all the stars in the branches
of my oak tree at night

I don't know quite where they go
when I put them in the vessel of me
if it's my heart or my womb
two different vessels and yet somehow one
as if my interior were a fusion of both
a soft clay pot like the ones
my ancestors made in a long ago
that is so long ago it somehow swallows this moment
and could be six thousand years, as long ago as the
last time the comet Neowise was seen by human eyes
or as long ago as first love

—it was by that ocean, there was a heron
I went all the way in, knowing nothing
wanting the whole story
giving him everything, holding on to everything
and the moon,
and this I wouldn't change—

or just a moment ago

All three seem to span a distance I cannot fathom
and yet reside just the other side of my heart
against my spine
where the river of it all runs softly
where I am sitting
gathering light, gathering clay with my foremothers,
shaping it into snakes, into coils
into vessels we will paint with crocuses in red ochre slip
and fire in a pit by the sea
Later we will fill them with grapes
a little flour, milk, and honey
and bake the pudding over embers

6.

What I think is—
We are not here to be empty
The earth comes to us replete
We are unravelling, yes
We are watching what we know burn
But we are also carriers of love's coil
We are asked to become watertight
saturated
not weighted but suffused
so we can be full with what we love
Then we will have stamina, and secret delight

What if it is not heavy, after all, to love this way
so long as your vessel possesses the power to transmute
as does the hive
or the fire

or, after a long time
the sea

7.

In a dream, on a piece of land up the California coast
near Mendocino where my father's people lived
after they came from Ireland
my great uncle was digging a hole for the ashes
of all my grandmothers
The mothers of my mother
and the mothers of my father
Here, he was saying
They can all go in here. Stella, Edith, Helen, Anne.
There were countless nameless others too, from before
Somebody held their ashes and pieces of bone
in one little urn, all mixed together. Maybe it was me
No, I said, feeling it strongly
This is somebody else's land. They aren't
supposed to go here. This is somebody else's land
I woke up before it was decided
I suppose this means I am still carrying that *cista*
It is made of finest riverclay
I suppose this means I am carrying them east with me
I am carrying them to where
what they were truly made of sings
where Earth remembers their most ancient mothers' names

8.

Once, not long after the comet
a woman walked onto a boat of Lebanon cedar
carrying everything she had ever loved in the basket of herself
(her memories were a treasury, the ripe and falling years, the fruit)
She was full of trees and birds too, but I do not know their names
She had nothing left but the clothes on her body—
soft linens she had woven for her wedding chest
wild goatskin boots her man had tanned and shaped
strands of white spondylus shell beads around her neck
She also carried a single gathering basket made of soft river willow
The basket was filled with ashes
It was all that was left of her village
Bones, blood, house roofs, pottery, linens, all the stored grain:
her place was nothing now but a silver ash
and a grief too horrible for her to unwind
So among the ash she put lily bulbs, poppy seeds, okra seeds, hard barley
Whatever she could find that was left in the fields and mountains
How else could she possibly go on, or start again? But she did
She walked onto a boat of Lebanon cedar heading west
Carrying a willow basket of seeds and ashes
Carrying the luminous basket of herself
Carrying the red thread
that after the thousand thousand mothers
would come to me

My moon
My labyrinth
My going forth
My coming home

ΕΠΙΜΕΤΡΟ

Αύγουστος 2020

Σημειώσεις από το Μέλλον, από τον επόμενο κύκλο της Αφροδίτης & η πρώτη κλωστή απ'αυτό που ακολουθεί

ΧΡΟΝΟ, ΚΑΙ ΤΟ ΔΟΧΕΙΟ

1.

Οι γυναίκες μου απλώνουν δυνατά χέρια
μέσα στη γη για να μαζέψουν πηλό
Βρίσκομαι μέσα στα χέρια τους
Εκείνες βρίσκονται μες στη σελήνη
και μέσα σε μένα

Πόσες φορές χρειάστηκε να μαζέψουν
όλα όσα αγαπούσαν μέσα σ'ένα καλάθι
και να το σκάσουν στο σκοτάδι, μεταξύ εισβολών
ή κάτι λιγότερο δραματικό, αλλά εξίσου ουσιαστικό
να γεμίσουν το κέδρινο μπαούλο με ό,τι ήταν
απαραίτητο και πιο εντυπωσιακό
και να φύγουν, προς μιαν άλλη ζωή που μπορεί
να την ήθελαν, μπορεί και όχι

Αν μπορούσα να έχω ένα δοχείο μόνο με
ό,τι αγάπησαν—μία μόνο ανάμνηση
από την κάθε μάνα, προς τα πίσω, σ'όλη τη Βόρεια Αμερική
από τα δυτικά ως τ'ανατολικά
(Μεντοσίνο, Μέριλαντ, Μέιν, Μασαχουσέτη, Μέιφλαουερ)
και πιο μακριά ακόμα, πέρα από τον Ατλαντικό
στην Αγγλία, στη Δανία, πριν απ'αυτό στην Ιβηρία, στη Γαλικία
στο Λάτιο, στην Κύπρο, στην Κρήτη, στην Ανατολία—
θα είχα μία κυψέλη
Μνήμες σαν νέκταρ
Χρόνο, και το δοχείο
για να τις διατηρήσω
Αναρωτιέμαι πόσα είδη βοτάνων και φρούτων
θα υπήρχαν μέσα σ'αυτό το δοχείο
Πόσα γεννητούρια
πόσα σοδιάσματα
πόσες στιγμές που γεννιέται ο έρωτας

Αναρωτιέμαι τι θα θεραπευτεί στο τέλος
όταν απλώσω το χέρι μου μέσα σ'αυτό το καλάθι
και αγγίξω το νήμα από αμβροσία που
(παρόλα τα άλλα) πλάστηκε από την απόλαυσή τους

2.

Είναι μια κόκκινη κλωστή σπειρωμένη
Αποκλείεται να χαθώ
επειδή την κρατώ
Οι μανάδες μου είναι στο ένα άκρο
Οι κόρες μου είναι στο άλλο

Η σελήνη είναι ο λαβύρινθος
Κουβαλάω ένα δοχείο παλιό σαν τη σελήνη
Υπάρχει αλάτι στο χείλος
Νόμιζα πως ήταν σπασμένο, αλλά δεν ήταν
Νόμιζα πως ήμουν σπασμένη, αλλά δεν ήμουν
Υπάρχουν ωστόσο κάποιες ρωγμές
που τις διόρθωσα με τον ύπνο
με όνειρα που τα'βαλα πάνω τους όπως την πρόπολη
με το βουητό των μελισσών
και με την αγάπη συγκεκριμένων δέντρων
--δρυς, αγριομηλιά—
που δέχτηκαν την αγκαλιά μου
όταν οι άντρες γύρω μου
δεν έβλεπαν πού είχα βρεθεί

Έγινα αδιάβροχη ξανά
μετά από όλον αυτόν τον καιρό

3.

Κάποιες μέρες είμαι ο πιο φίνος ποταμίσιος πηλός, άλλες μέρες οι καλαμιές
Άλλες πάλι, μια χάλκινη γαβάθα που τραγουδά όταν την αγγίζεις
Cista mystica και το κρυμμένο φίδι επίσης
τα όργανα του θεού, η πάστα λάσπης και σπόρων
Ένα ανοιχτό μυστήριο σε κοινή θέα
Είμαι μικρή σε σύγκριση με τα βουνά
σε μέγεθος γυναίκας
όμως γεμάτη νησιά

4.

Αποκλείεται να ήταν κάποιος
που έχει κουβαλήσει ένα μωρό ώσπου να γεννηθεί
ή που έχει γεμίσει ένα καλάθι με μήλα
από ένα δέντρο που φύτεψε η γιαγιά
ή που έχει καθίσει κάτω από μια βαριά σελήνη
αυτός που επινόησε την ιδέα της μη-προσκόλλησης
Ακολουθώ αυτή την κόκκινη κλωστή
και βρίσκω πως είναι συνδεδεμένη με τα πάντα

Από την άλλη, υπάρχει και αυτό:
το ξεχείλισμα μετά τη γέννα ή την αγάπη
Γεμίζουμε τόσο απόλυτα, μόνο για να το δώσουμε πίσω
Επειδή όμως εισήλθε σαν νέκταρ
θα ξεχυθεί σαν μέλι

Το είδα αυτό ξεκάθαρα, όταν είδα τη φωτιά
στη νότια οροσειρά του Πόιντ Ρέις ότι τη νύχτα που
καίγονταν τα πεύκα του Μπίσοπ και τα έλατα της παλιάς γενιάς
έμεινα ξύπνια ως αργά για να πακετάρω, σε περίπτωση που έπρεπε να φύγουμε γρήγορα
Υπήρχαν τα βιβλία και τα ρούχα, τα καλάθια και τα βότανα
Κεριά, κοσμήματα, πίνακες, σημειωματάρια: ναι
Τα πετούσα σε σωρούς
κάνοντας κύκλους μέσα στο σπίτι σαν τη μέλισσα, συγκεντρώνοντας ό,τι αγαπούσα
Ήμουν επίσης απεγνωσμένη, πανικόβλητη, θυμήθηκα τον ξαφνικό
εκτοπισμό από καιρούς πέρα από τους δικούς μου
Γνωρίζοντας με προγονικό ένστικτο
ότι θα έπρεπε να είμαι πρόθυμη

να εγκαταλείψω τα πάντα
τα πάντα
να μην πάρω τίποτα, εκτός τον εαυτό μου και το σκύλο μου

Βγήκα έξω και αγκάλιασα τη βελανιδιά
και την κυψέλη μου στο σκοτάδι
Από εκείνο το ήσυχο μέρος
που φτιάχνει η πραγματική ανάγκη, είπα
Σε αγαπώ, σε αφήνω αν χρειαστεί
είσαι μέσα μου, πιο κοντά από ποτέ
εδώ στο πίσω μέρος της καρδιάς μου, φωλιασμένη στη ραχοκοκκαλιά μου
είμαι γεμάτη μέλισσες και δέντρα και ανήμερα πουλιά

5.

Τα βάζω όλα μέσα μου
Ξεκίνησα με τις φουντουκιές
Ήταν βαριές απ'τον καρπό
Τις παρακολουθούσα όλο το χρόνο
καθώς διόρθωνα τις διαρροές, καθώς γιατρευόμουν

Αυτά είναι το έτος
Είναι ο μόνος τρόπος που μπορώ να τη δω από κοντά
την κίνηση της Γης:
ίουλος, νηματώδες άνθος
μαλλιαρό φύλλο, αυτή η πανοπλία από καρπούς
Επειδή αυτά είναι το έτος, είναι επίσης
και ολόκληρη η χερσόνησος, το Πόιντ Ρέις
τεκτονικό νησί, φυλαχτό σκαλισμένο από τους αιώνες
και ωκεανός, τη νύχτα μερικές φορές
αισθάνομαι μια βιολέτα να τραγουδά

Βάζω μέσα και όλα τα άλλα δέντρα
δάφνη, πεύκο, δρυ της ακτής
τογιόν, δρυ πλατύφυλλη, μανζανίτα, μαντρόνε
και τα πουλιά, που οι φωνές τους
είναι οι φωνές των φίλων
δρυοκολάπτης του βελανιδιού
τσίχλα του Σουέινσον, μαυροσκουφάκι, ψαραετός
και ο μέγας βροντώδης ωκεανός
ο Ειρηνικός, και οι λόφοι
εκεί που κυνηγάει ο πετρίτης
και όλα τα αστέρια στα κλαδιά
της βελανιδιάς μου τη νύχτα

Δεν ξέρω πού ακριβώς πάνε
όταν τα βάζω στο δοχείο που είμαι εγώ
αν είναι η καρδιά μου ή η μήτρα μου
δυο διαφορετικά δοχεία μα παραδόξως ένα
λες και το εσωτερικό μου να ήταν μια σύντηξη των δύο
ένα μαλακό πήλινο τσουκάλι σαν εκείνα
που έφτιαχναν οι πρόγονοί μου σε ένα πολύ παλιά
που είναι τόσο παλιά, ώστε να καταπίνει
με κάποιο τρόπο ετούτη τη στιγμή
και θα μπορούσε να'ναι έξι χιλιάδες χρόνια, τόσο παλιά όσο
την τελευταία φορά που ο κομήτης Νέογουάιζ έγινε ορατός
στο ανθρώπινο μάτι
ή τόσο παλιά όσο μια πρώτη αγάπη

--ήταν πλάι σ'εκείνον τον ωκεανό, υπήρχε ένας ερωδιός
μπήκα μέσα ολόκληρη, χωρίς να ξέρω τίποτα
θέλοντας όλη την ιστορία
δίνοντάς του τα πάντα, αρπαγμένη από τα πάντα
και τη σελήνη

και αυτό δεν θα το άλλαζα ποτέ

ή ήταν μόλις πριν από μια στιγμή

Και τα τρία τους μοιάζουν να απλώνονται σε μια απόσταση αδιανόητη
κι όμως, διαβιούν εδώ στην άλλη πλευρά της καρδιάς μου
ακουμπούν στη ραχοκοκκαλιά μου
εκεί που ο ποταμός των πάντων ρέει απαλά
εκεί που κάθομαι
μαζεύοντας φως, μαζεύοντας πηλό μαζί με τις προγιαγιάδες μου
σχηματίζοντας φίδια, σπείρες
δοχεία που θα ζωγραφίσουμε επάνω τους κρόκους με πινελιές κόκκινης ώχρας
και με φωτιά σ'ένα λάκκο πλάι στη θάλασσα
Αργότερα θα τα γεμίσουμε με σταφύλια
λίγο αλεύρι, γάλα και μέλι
και θα ψήσουμε
το γλυκό πάνω σε χόβολη

6.

Αυτό είναι που πιστεύω—
Δεν είμαστε εδώ για να είμαστε κενοί
Η Γη μάς έρχεται πλέρια
Εμείς ξετυλίγουμε, ναι
Παρακολουθούμε αυτά που γνωρίζουμε να καίγονται
Μα κουβαλάμε και το σπείρωμα της αγάπης
Μας ζητούν να γίνουμε αδιάβροχες
κορεσμένες
όχι επιβαρυμένες, μα διαποτισμένες
ώστε να μπορούμε να γεμίσουμε με αυτό που αγαπάμε
Τότε θα έχουμε αντοχές και μυστική απόλαυση

Κι αν, τελικά, δεν είναι βαρύ, το ν'αγαπάς μ'αυτόν τον τρόπο
τουλάχιστον στο μέτρο που το δοχείο σου κατέχει τη δύναμη να
μεταστοιχειώνει
όπως το κάνει η κυψέλη
ή η φωτιά
ή, μετά από πολύ καιρό
η θάλασσα

7.

Σ'ένα όνειρο, πάνω σ'ένα κομμάτι γης στην καλιφορνέζικη ακτή
κοντά στο Μεντοσίνο, όπου ζούσε ο λαός του πατέρα μου
αφότου ήρθαν από την Ιρλανδία
ο θείος του παππού μου έσκαβε μια τρύπα για την τέφρα
όλων των γιαγιάδων μου.
Των μανάδων της μάνας μου
και των μανάδων του πατέρα μου
Εδώ, έλεγε.
Μπορούν όλες να μπουν εδώ. Η Στέλλα, η Ήντιθ, η Έλεν, η Ανν.
Υπήρχαν και αμέτρητες ανώνυμες άλλες από πιο πριν
Κάποιος κρατούσε την τέφρα και κομμάτια από τα κόκκαλά τους
σε μια μικρή τεφροδόχο, όλα ανάκατα. Μπορεί να ήμουν εγώ.
Όχι, είπα, και το ένιωθα έντονα
Αυτή είναι η γη κάποιου άλλου. Κανονικά δεν πρέπει
να μείνουν εδώ. Αυτή είναι η γη κάποιου άλλου.
Ξύπνησα πριν παρθεί η απόφαση
Υποθέτω αυτό σημαίνει πως ακόμα κουβαλάω εκείνη την *cista*, το μυστι-
κό καλάθι
Είναι φτιαγμένο από φίνο ποταμίσιο πηλό
Υποθέτω αυτό σημαίνει πως θα τις πάρω ανατολικά μαζί μου
Θα τις πάρω μαζί μου εκεί

όπου η πραγματικά πρωταρχική ουσία τους τραγουδά
εκεί που η γη θυμάται τα ονόματα των πιο αρχαίων μανάδων τους

8.

Μια φορά, όχι πολύ μετά τον κομήτη
μια γυναίκα μπήκε σε μια βάρκα από κέδρο του Λιβάνου
κουβαλώντας όσα είχε αγαπήσει μέσα στο καλάθι του εαυτού της
(οι αναμνήσεις της ήταν θησαυροφυλάκιο, τα ώριμα χρόνια και η πτώση, οι καρποί)
Ήταν επίσης γεμάτη δέντρα και πουλιά, αλλά δεν ξέρω τα ονόματά τους
Δεν της είχε απομείνει τίποτα εκτός τα ρούχα στο κορμί της—
απαλά λινά που είχε υφάνει για την προικοκασέλα της
μπότες από δέρμα αγριόγιδου δουλεμένες και ραμμένες από τον άντρα της
σειρές με οστράκινες χάντρες από λευκό γαϊδουροπόδι γύρω στο λαιμό της
Κουβαλούσε επίσης ένα μοναδικό καλάθι της συγκομιδής, φτιαγμένο από μαλακή ποταμίσια ιτιά
Το καλάθι ήταν γεμάτο στάχτη
Μόνο αυτό είχε μείνει απ'το χωριό της.
Κόκκαλα, αίμα, στέγες σπιτιών, κεραμικά, κλινοσκεπάσματα, όλα τα αποθηκευμένα σιτηρά:
ο τόπος της δεν ήταν πια παρά μια ασημένια στάχτη
και μια λύπη τόσο φριχτή που της ήταν αδύνατο να την ξετυλίξει.
Έβαλε λοιπόν μέσα στη στάχτη βολβούς από κρινάκια, σπόρους παπαρούνας σπόρους μπάμιας, σκληρό κριθάρι
Ό,τι μπόρεσε να βρει να'χει απομείνει στα χωράφια και στα βουνά
Πώς αλλιώς θα μπορούσε να συνεχίσει ή να ξαναρχίσει; Το έκανε όμως
Μπήκε σε μια βάρκα από κέδρο του Λιβάνου που τραβούσε δυτικά
Κουβαλώντας ένα καλάθι από λυγαριά γεμάτο σπόρους και στάχτες
Κουβαλώντας το φωτεινό καλάθι του εαυτού της
Κουβαλώντας την κόκκινη κλωστή

που, μετά από χίλιες χιλιάδες μανάδες
θα έφτανε σε μένα

Η σελήνη μου
Ο λαβύρινθός μου
Το προχώρημά μου
Η επιστροφή σπίτι μου

Afterword

Mere weeks before publication, at the end of November 2022, I came across an academic paper that made everything in this book fall into place in a way I could never have fathomed. It was one of those moments of pure miraculous synchronicity. When a glimpse of a pattern far greater than we can know flashes straight through the heart and leaves you in tears.

Here's what I found.

According to the recent research of professors Xenophon Moussas, M. Tsikritsis and D. Tsikritsis at the Universities of Athens and Edinburgh[1], Aegean women of the Cyclades have been tracking the precise movements of Venus since at least 2800 BCE, marking them (as well as the cycles of other stars and planets) on the mysterious, Early Bronze Age clay items that archaeologists have come to call "frying pan vessels" due to their unusual shape.

What's more, according to this new research, the makers of these sacred objects may have been using them not only to keep track of celestial movements, but also to track their own pregnancies, due to the fact that Venus' morning and evening star phases are almost exactly 9 lunar months each, and that the frying pan vessels whose patterns correspond with Venus' movements all also feature vulvas, sometimes open ones, suggesting starry wombs that are in the process of pregnancy or birth. Finally, the reverse

1. Moussas, Xenophon, D. Tsikritsis and M. Tsikritsis. "Astronomical and Mathematical Knowledge and Calendars During the Early Helladic Era in Aegean "Frying Pan" Vessels," *Mediterranean Archaeology and Archaeometry*, Vol. 15, No. 1, 2015.

side of these vessels— a shallow, dark-painted frying pan-shaped dish—was, according to the authors of this study, likely filled with water and used to further track celestial movements through reflections cast by the sun. In my opinion however, this "mirror" was probably also or even *primarily* used for divination via scrying in dark water, an age-old practice across Europe, the Near and Middle East, and beyond.

The star-map carved on the vessel I've sketched above (as well as many others found across the Cycladic islands and Eastern Crete) contains exactly 584 markings between the eight points of the star at its center, the precise number of days in a Venus cycle. *The exact number of days of the 19-month cycle mapped in this book.* Every etch a day. Furthermore, the center 164, and the 19 marked at the edge near the vulva, together add up to 183 days, precisely the days between summer and winter solstice, another important celestial cycle mapped by these ancient people.

A womb-vessel that carries stars, and suns, and sacred seeing waters, that makes divinations and predictions both of matter and of spirit, for the good of the mothers and the children and the whole wild community? That sounds about right to me.

So, I share this here with complete awe and love for the lineage of Aegean women who kept and attended to this knowledge between womb and star, earth and sea, for millennia. I am grateful and humbled that they somehow managed, at the very last minute, to knock me over the head with a, well, *frying pan*, and made sure that at least one representation of their ancient wisdom system was included in this book. I thank them for helping me to see a bit more fully what the great red earth and light sea and high mountains and starry nights of Crete have been trying to show me all along.

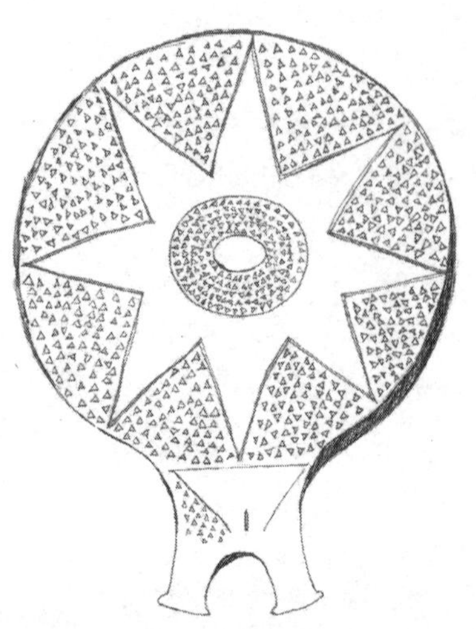

Venus Calendar (vessel no. 4971) c. 2800-2300 BCE
from Chalandriani, Syros
National Archaeological Museum of Athens

Επίμετρο

Μόλις λίγες εβδομάδες πριν την έκδοση του βιβλίου, στα τέλη του Νοέμβρη 2022, βρήκα τυχαία μια ακαδημαϊκή εργασία που κατάφερε να δέσει τα όσα περιέχονται σε αυτό το βιβλιο με τρόπο που ούτε καν μπορούσα να διανοηθώ. Ήταν μια στιγμή από κείνες της ξεκάθαρης μαγικής συγχρονικότητας. Όταν ένα πλαίσιο πολύ ευρύτερο από όσα μπορούμε να γνωρίσουμε σου φανερώνεται φευγαλέα, διαπερνά την καρδιά σαν αστραπή κι εσύ βάζεις μονομιάς τα κλάματα.

Να τι βρήκα.

Σύμφωνα με την πρόσφατη έρευνα των καθηγητών Ξενοφώντα Μουσά, Μ. Τσικριτσή και Δ. Τσικριτσή στα Πανεπιστήμια Αθηνών και Εδιμβούργου[1], οι Κυκλαδίτισσες του Αιγαίου παρακολουθούσαν τις ακριβείς κινήσεις του πλανήτη Αφροδίτη τουλάχιστον από το 2800 π.Χ, καταγράφοντάς τες (όπως και τους κύκλους άλλων άστρων και πλανητών) επάνω στα μυστηριώδη πήλινα ευρήματα της Πρώιμης Εποχής του Χαλκού που οι αρχαιολόγοι κατέληξαν να αποκαλούν «τηγανόσχημα δοχεία» εξαιτίας του ασυνήθιστου σχήματός τους.

Επιπλέον, σύμφωνα με αυτή τη νέα έρευνα, οι δημιουργοί αυτών των ιερών αντικειμένων ίσως τα χρησιμοποιούσαν όχι μόνο για να κρατούν αρχείο

1. Moussas, Xenophon, D. Tsikritsis and M. Tsikritsis. "Astronomical and Mathematical Knowledge and Calendars During the Early Helladic Era in Aegean "Frying Pan" Vessels," *Mediterranean Archaeology and Archaeometry*, Vol. 15, No. 1, 2015

των ουράνιων κινήσεων, αλλά και για να λογαριάζουν τις ίδιες τις εγκυμοσύνες τους, επειδή οι φάσεις της Αφροδίτης ως Αυγερινός και Αποσπερίτης απέχουν σχεδόν ακριβώς 9 σεληνιακούς μήνες μεταξύ τους και επειδή στα τηγανόσχημα δοχεία, που τα μοτίβα τους βρίσκονται σε πλήρη αντιστοιχία με τις κινήσεις της Αφροδίτης, εμφανίζονται και αιδοία, μερικές φορές ανοιχτά, υποδηλώνοντας αστρικές μήτρες στη διαδικασία της εγκυμοσύνης ή της γέννας. Τέλος, η πίσω πλευρά αυτών των δοχείων—ένας ρηχός, σκουρόχρωμα βαμμένος δίσκος σαν τηγάνι— πιθανόν γεμίζονταν, σύμφωνα με τους συγγραφείς της μελέτης αυτής, με νερό και χρησιμοποιούταν για την καταγραφή περαιτέρω ουράνιων κινήσεων μέσα από τις αντανακλάσεις του ήλιου. Κατά τη γνώμη μου, πάντως, αυτός ο «καθρέφτης» είχε επίσης, αν όχι πρωτίστως, και χρήση ως μαντικό εργαλείο, με την τεχνική της λεκανοσκοπίας σε σκοτεινό νερό, μια πανάρχαια πρακτική σε όλο το εύρος της Ευρώπης, της Εγγύς και Μέσης Ανατολής και ακόμα πιο πέρα.

Ο σκαλισμένος επάνω στο δοχείο αστρικός χάρτης που έχω σχεδιάσει πιο πάνω (καθώς και πολλοί άλλοι που έχουν βρεθεί παντού στις Κυκλάδες και την Ανατολική Κρήτη) περιλαμβάνει ακριβώς 584 εγχαράξεις μεταξύ των οκτώ κορυφών του αστεριού στο κέντρο του, που είναι ο ακριβής αριθμός των ημερών του κύκλου της Αφροδίτης. Ο ακριβής αριθμός των ημερών του 19μηνου κύκλου που χαρτογραφείται μέσα σε αυτό το βιβλίο. Κάθε εγχάραξη μια μέρα. Επιπλέον, οι κεντρικές 164 συν τις 19 εγχαράξεις στην άκρη, κοντά στο αιδοίο, δίνουν άθροισμα 183 ημέρες, όσες ακριβώς οι μέρες ανάμεσα στο θερινό και το χειμερινό ηλιοστάσιο, έναν ακόμα σημαντικό αστρικό κύκλο που χαρτογράφησαν οι αρχαίοι αυτοί λαοί.

Ένα δοχείο-μήτρα, που κουβαλάει αστέρια και ήλιους και ιερά ενορατικά νερά, που δίνει χρησμούς και προβλέψεις και για την ύλη και για το πνεύμα, για το καλό των μανάδων και των παιδιών και όλης της άγριας κοινότητας; Ναι, μια χαρά σωστό μού ακούγεται αυτό.

Το μοιράζομαι, λοιπόν, μαζί σας εδώ, απόλυτα γεμάτη με δέος και αγάπη για την κληρονομιά των γυναικών του Αιγαίου, που κράτησαν και φρόντισαν αυτή τη γνώση ανάμεσα στη μήτρα και τα αστέρια, τη γη και τη θάλασσα, για χιλιετίες. Τους είμαι ευγνώμων που τα κατάφεραν, ως και την τελευταία στιγμή, να με χτυπήσουν κατακέφαλα με ένα, μάλιστα, με ένα τηγάνι και να εξασφαλίσουν ότι τουλάχιστον μία αναπαράσταση του αρχαίου σοφού συστήματός τους θα περιέχεται σ'αυτό το βιβλίο. Τις ευχαριστώ που με βοήθησαν να δω λίγο πιο ολοκληρωμένα αυτό που το άγιο κοκκινόχωμα, η φωτεινή θάλασσα και τα ψηλά βουνά και οι αστροφώτιστες νύχτες της Κρήτης προσπαθούσαν να μου δείξουν από την αρχή.

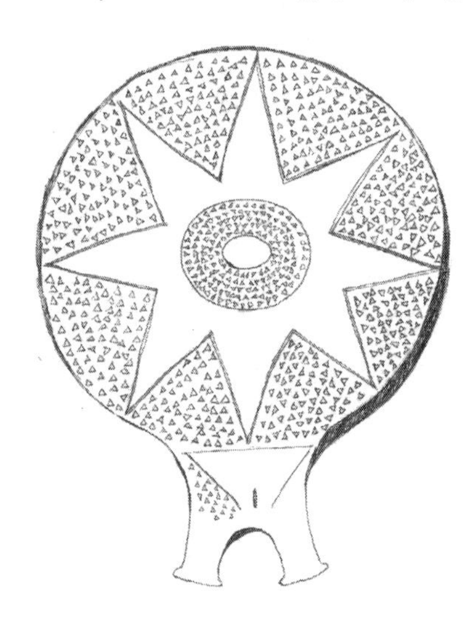

Ημερολόγιο της Αφροδίτης (δοχείο νο. 4971) c. 2800-2300 π.Χ.
από τη Χαλανδριανή Σύρου
Εθνικό Αρχαιολογικό Μουσείο Αθηνών

Acknowledgements

Heartfelt thanks to my friends in the village, especially archaeologist Marianna Katifori and her family for opening the way for me, for helping me find a home, for supporting and looking after me while I was their neighbor, to Vicky Chatzopoulou for her dedication, patience and passion as a translator, to Ashley Ingram for her incomparable design skills, to Giorgos Drakonakis for proofreading the Greek text, freely providing his invaluable knowledge and extensive experience, to my beekeeping teacher Ariella Daly for her help and guidance with my first hive, to the astrological research on Venus' cycles done by Stargazer Li and Daniel Giamario, and to the beloved friends and family who held me from near or far, through the many labyrinths of these days.

Εγκάρδιες ευχαριστίες στους φίλους μου στο χωριό, και ιδιαίτερα στην αρχαιολόγο Μαριάννα Κατηφόρη και την οικογένειά της, που μου άνοιξαν δρόμο, που με βοήθησαν να βρω σπίτι, που με υποστήριξαν και με φρόντισαν όσο ήμουν γειτόνισσά τους, στη Βίκυ Χατζοπούλου, για την αφοσίωση, την υπομονή και το πάθος της ως μεταφράστρια, στην Άσλεϊ Ίνγκραμ για τις απαράμιλλες σχεδιαστικές της ικανότητες, στον Γιώργο Δρακωνάκη για την επιμέλεια του ελληνικού κειμένου, συνεισφέροντας ανιδιοτελώς με τις πολύτιμες γνώσεις και την πολύχρονη εμπειρία του, στην Αριέλλα Ντάλυ, τη δασκάλα μου στη μελισσοκομία, για τη βοήθεια και την καθοδήγησή της με την πρώτη μου κυψέλη, στην Στάργκεϊζερ Λι και τον Ντάνιελ Τζιαμάριο που έκαναν την αστρολογική έρευνα για τους κύκλους της Αφροδίτης και στους αγαπημένους φίλους και στην οικογένειά μου, που με κράτησαν απ' το χέρι, από κοντά ή μακριά, μέσα από τους πολλούς λαβυρίνθους αυτών των ημερών.

About the Author

Sylvia V. Linsteadt was born in San Francisco, California in 1989. She studied Literary Arts at Brown University. Her books include *Our Lady of the Dark Country,* the award-nominated middle grade fantasy duology *The Wild Folk* and *The Wild Folk Rising,* the novel *Tatterdemalion* with artist Rima Staines, and the award-winning collection of essays, *Lost Worlds of the San Francisco Bay Area.* You can listen to Sylvia read selections of her stories on her popular podcast, *Kalliope's Sanctum.* She currently lives in Devon, England with her little black Cretan dog and a hive that is expecting bees.

Η Σύλβια Β. Λίνστεντ γεννήθηκε στο Σαν Φρανσίσκο της Καλιφόρνια το 1989. Σπούδασε Τέχνη του Λόγου στο Πανεπιστήμιο Μπράουν. Μερικά από τα βιβλία της είναι: *Our Lady of the Dark Country, The Wild Folk* και *The Wild Folk Rising*—δίτομο έργο φανταστικής λογοτεχνίας για παιδιά και εφήβους, υποψήφιο για βράβευση, τη νουβέλα *Tatterdemalion* σε συνεργασία με την καλλιτέχνιδα Rima Staines και τη βραβευμένη συλλογή δοκιμίων *Lost Worlds of the San Francisco Bay Area.* Μπορείτε να ακούσετε τη Σύλβια να διαβάζει αποσπάσματα από τις ιστορίες της στο δημοφιλές podcast της *Kalliope's Sanctum.* Αυτή τη στιγμή ζει στο Ντέβον της Αγγλίας, με το μικρό Κρητικό σκυλάκι της και μια κυψέλη που περιμένει να δεχτεί μέλισσες.

About the Translator

Vicky Chatzopoulou was born in Athens, Greece in May 1968. After getting her degree in English Literature at the University of Athens, she went on to explore her long lasting love for the universe of myth and fantasy through an MSc. in Comparative Literature at the University of Edinburgh. Later, back in Athens, she worked as interpreter and translator for the journalist Thanassis Lalas, among others, through whom she met and conversed with a large number of exceptional artists and creators from all over the world. Since then she has worked with numerous publishers and writers as a translator.

For the past 20+ years she has been living, teaching English and translating in Sitia, Crete. She shares her life with a number of olive trees, two dozen cats, a dog and two offspring.

Η Βίκυ Χατζοπούλου γεννήθηκε στην Αθήνα, το Μάη του 1968. Αφού πήρε το πτυχίο της στην Αγγλική Φιλολογία του ΕΚΠΑ, πέρασε στην εξερεύνηση της παιδικής αγάπης της για τον κόσμο της Μυθολογίας και του Φανταστικού, μέσα από το MSc στη Συγκριτική Λογοτεχνία του Πανεπιστημίου του Εδιμβούργου. Αργότερα, πίσω στην Αθήνα, εργάστηκε ως διερμηνέας και μεταφράστρια για το δημοσιογράφο Θανάση Λάλα, ανάμεσα σε άλλους, μέσω του οποίου γνώρισε και συζήτησε με πολλούς διαπρεπείς καλλιτέχνες και δημιουργούς από ολόκληρο τον κόσμο. Έκτοτε, συνεργάστηκε με πολλούς εκδότες και συγγραφείς ως μεταφράστρια.

Τα τελευταία 20+ χρόνια ζει, διδάσκει Αγγλικά και μεταφράζει στη Σητεία της Κρήτης. Μοιράζεται τη ζωή της με μπόλικα λιόδεντρα, μια εικοσαριά γάτες, μία σκύλα και δυο παιδιά.

Also by Sylvia V. Linsteadt

FICTION

Our Lady of the Dark Country

The Wild Folk

The Wild Folk Rising

Tatterdemalion

NONFICTION

Lost Worlds of the San Francisco Bay Area

Wonderments of the East Bay

POETRY & SHORT PROSE

Bull Poppy Star

Orbiting Whorl (with Catherine Sieck)